Um desejo selvagem

DA SÉRIE
RENEGADE
ANGELS

SYLVIA DAY

Um desejo selvagem

Tradução
ALEXANDRE BOIDE

1ª reimpressão

Edição publicada de acordo com NAL Signet, um membro da Penguin Group (USA) Inc.

A Editora Paralela é uma divisão da Editora Schwarcz S.A.

Grafia atualizada segundo o Acordo Ortográfico da Língua Portuguesa de 1990, que entrou em vigor no Brasil em 2009.

TÍTULO ORIGINAL A Hunger So Wild

PREPARAÇÃO Gabriela Ghetti

REVISÃO Larissa Lino Barbosa e Renato Potenza Rodrigues

Dados Internacionais de Catalogação na Publicação (CIP)
(Câmara Brasileira do Livro, SP, Brasil)

Day, Sylvia
Um desejo selvagem / Sylvia Day ; tradução Alexandre Boide. — 1ª ed. — São Paulo : Paralela, 2014.

Título original: A Hunger So Wild.
ISBN 978-85-65530-45-3

1. Erotismo 2. Ficção norte-americana I. Título.

13-11739 CDD-813

Índice para catálogo sistemático:
1. Ficção : Literatura norte-americana 813

[2022]

EDITORA SCHWARCZ S.A.
Rua Bandeira Paulista, 702, cj. 32
04532-002 — São Paulo — SP
Telefone (11) 3707-3500
www.editoraparalela.com.br
atendimentoaoleitor@editoraparalela.com.br

Dedicado a todos os leitores que tão generosamente acolheram a série Renegade Angels. O apoio e entusiasmo de vocês significam muito para mim. Obrigada!

Glossário

CAÍDOS — os *Vigias* depois de deixarem de ser anjos. Eles perderam as asas e a alma, e se transformaram em criaturas imortais bebedoras de sangue, que não podem procriar.

ESPECTROS — *lacaios* infectados com o *Vírus espectral*.

LACAIOS — mortais que foram *Transformados* em *vampiros* por um *Caído*. A maioria dos mortais não lida bem com a mudança, e se transforma em criaturas raivosas. Ao contrário dos *Caídos*, não suportam a luz do sol.

LICANOS — um subgrupo dos *Caídos*, que foram poupados do vampirismo em troca do compromisso de servir aos *Sentinelas*. Seu sangue foi misturado ao dos demônios, o que tornou sua alma mortal. Eles podem mudar de forma e procriar.

NEFIL — singular de *nefilim*.

NEFILIM — filhos de mortais com *Vigias*. O fato de beberem sangue inspirou o castigo vampiresco imposto aos *Caídos*.
("eles se voltaram contra os homens, a fim de devorá-los" — Enoque 7:13)
("Nenhuma comida eles comerão; e terão sede" — Enoque 15:10)

SENTINELAS — uma tropa de elite de *serafins*, cuja missão é garantir o cumprimento da punição imposta aos *Vigias*.

SERAFINS — membros das mais altas fileiras na hierarquia angelical.

TRANSFORMAÇÃO — o processo ao qual um mortal é submetido para se tornar um *vampiro*.

VAMPIROS — termo que se refere tanto aos *Caídos* como a seus *lacaios*.

VIGIAS — duzentos anjos *serafins* enviados à Terra no princípio dos tempos para monitorar os mortais. Eles violaram a lei ao se acasalarem com os mortais e foram condenados a viver eternamente sobre a terra como *vampiros*, sem possibilidade de perdão.

VÍRUS ESPECTRAL — nome popular de uma doença que está varrendo a fileira dos *vampiros*. Os infectados apresentam um apetite feroz insaciável, espumam pela boca e têm a pele, os olhos e os cabelos acinzentados.

Vai e diz aos Vigias dos céus, os quais desertaram o alto céu e seu santo e eterno estado, os quais foram contaminados com mulheres, e fizeram como os filhos dos homens, tomando para si esposas, e os quais têm sido largamente corrompidos na terra; que na terra eles nunca obterão paz e remissão de pecados. Pois eles não se regozijarão com sua descendência; eles verão o extermínio daqueles que amam; lamentarão a destruição dos seus filhos e seguirão em súplica para sempre; mas não obterão misericórdia e paz.

Livro de Enoque 12:5-7

Prólogo

Foram os dedos que acariciavam a curvatura de suas costas que despertaram Vashti de seu sono. Ela se arqueou na direção daquele toque tão familiar com um rugido de deleite, abrindo um sorriso antes mesmo de recuperar plenamente a consciência.

"*Neshama*", murmurou seu companheiro.

Minha alma. E o mesmo valia para ele no caso dela.

Com os olhos ainda fechados, ela se deitou de costas e se espreguiçou, erguendo os seios desnudos na direção de Charron em uma provocação deliberada.

O toque aveludado da língua dele em seu mamilo a despertou, provocando um suspiro que a fez largar de novo o corpo sobre o colchão. Ela abriu os olhos a tempo de ver os belos lábios de seu parceiro abocanharem o bico enrijecido e produzirem uma sucção longa e profunda. Ela gemeu, sentindo o corpo inteiro responder à atenção do homem a quem devia cada batida de seu coração.

Ela se moveu para agarrar os cabelos loiros e trazê-lo ainda mais para junto de seu peito, mas ele resistiu, o que a fez perceber que ele estava de pé ao lado da cama, e não deitado sobre ela. Quando notou que ele estava totalmente vestido, ela percebeu que a verdadeira intenção por trás daquilo tudo era acordá-la.

Com olhos desejosos, ele observava o corpo nu de Vashti espalhado sobre a cama. As presas que se faziam visíveis em seu sorriso perverso revelavam que ele também tinha ficado excitado com a maneira como decidiu acordá-la.

O coração dela disparou quando viu aquele sorriso. Seu peito começou a ofegar, tamanha a reação que ele despertava nela. Vash havia sofrido uma perda terrível, e ainda sentia pontadas de dor no lugar onde costumavam ficar suas asas decepadas, mas Char tinha sido capaz de preencher o vazio que se instalou nela depois disso. Ele era tudo para ela, a razão por que se levantava da cama todos os dias.

"Guarde essa disposição para mais tarde", ele falou com sua voz tremendamente expressiva. "Eu faço questão de saciar esse apetite quando voltar."

Vash se apoiou sobre os cotovelos. "Aonde você vai?"

Ele ajeitou as espadas katanas idênticas que carregava embainhadas nas costas, formando um x. "Uma de nossas patrulhas ainda não voltou."

"A de Ice?"

"Não comece."

Ela suspirou, pois sabia que, por mais que Char tivesse investido no treinamento do combatente desaparecido, aquele garoto simplesmente não sabia acatar ordens.

Char deu uma olhada para ela antes de pôr o coldre com a arma na coxa. "Eu sei que você acha que ele não é confiável."

Jogando as pernas para a lateral da cama, ela falou: "Não é uma questão de *achar*. Isso já ficou provado. E várias vezes".

"Ele só quer agradar você, Vash. Ice é ambicioso. Não abandona o posto por pirraça, e sim por considerar que pode ser mais útil fazendo outra coisa. Sempre que surge uma oportunidade de impressionar você, ele tenta aproveitar. Provavelmente deve estar indo atrás de um nômade, ou então espionando os licanos."

"Se quisesse mesmo me impressionar, ele seguiria suas ordens sem insubordinação." Ficando de pé, Vash se espreguiçou e suspirou quando seu companheiro foi até ela e acariciou as laterais de seu corpo com as mãos. "E ele está tirando você da nossa cama. De novo."

"*Neshama*, uma hora alguém ia precisar fazer isso. Caso contrário, eu não sairia da cama nunca."

Ela o envolveu nos braços e colou seu rosto contra o colete de couro que agasalhava o peito bem torneado do companheiro. Sentindo seu cheiro, ela pensou mais uma vez no quanto ele era precioso. Se pudesse escolher de novo entre suas asas e seu amor por Charron, ela não pensaria duas vezes antes de repetir seu "erro". A maldição do vampirismo era um preço que ela estava mais do que disposta a pagar para poder tê-lo. "Eu vou com você."

Ele apoiou o rosto sobre a cabeça dela. "Torque acha melhor você não ir."

"Essa decisão não é dele." Ela se afastou e estreitou os olhos. Torque era o filho de Syre, mas a líder dos lugares-tenentes dos Decaídos era ela. Quando se tratava dos Decaídos e seus lacaios — ou seja, a coletividade dos vampiros —, apenas Syre tinha voz de comando sobre ela. Até mesmo Char era obrigado a acatar suas ordens, o que ele fazia com uma dignidade surpreendente para alguém talhado para liderar, e não para obedecer.

"Ele está tendo um problema com os demônios."

"Droga. É o tipo de coisa que ele também deveria saber resolver." Sim, caçar demônios que vitimavam vampiros era função dela. Ninguém era capaz de fazer isso tão bem, mas por outro lado ela não tinha como estar em todos os lugares ao mesmo tempo.

"É mais uma das enviadas por Asmodeus."

"Para variar. Droga. Três ataques em duas semanas? Isso é provocação." Aquilo mudava tudo. Matar um demônio diretamente ligado a um rei do inferno implicava consequências políticas mais sérias. Vash tinha uma reputação que sugeria certa independência — ela poderia agir sem desencadear uma reação semelhante à que viria caso Syre ou seus filhos agissem pessoalmente. E, irritada como estava, o que não faltava era disposição para resolver ela mesma a situação. Eles podiam ter perdido as asas, mas isso não significava que deveriam ser vistos como alvos fáceis ou preferenciais.

Char deu um beijo em sua testa e se desvencilhou de seu abraço. "Antes de escurecer eu já vou estar de volta."

"Antes de escurecer...?" Uma rápida olhada para a janela do quarto esclareceu tudo. "Já amanheceu."

"Pois é." A preocupação no rosto dele era a mesma que devia estar estampada no dela.

Ice não era um Decaído como Vash e Charron. Era um mortal que havia sido transformado, o que significava também que era fotossensível. Por mais que fosse impulsivo por natureza, ele deveria ter voltado antes de o sol nascer. Àquela altura precisaria ficar entocado em algum lugar até cair a noite ou então ser resgatado por Char, o que acontecesse primeiro. Alguns goles do poderoso sangue de Char seriam suficientes para garantir uma imunidade temporária para que o lacaio perdido pudesse voltar para casa.

"Você já parou para pensar", ela começou, afastando-se alguns passos, "que o ideal poderia ser deixá-lo sair dessa sozinho? Como ele vai aprender se nunca precisa encarar as consequências dos seus atos?"

"Ice não é uma criança."

O olhar que Vash lançou para ele parecia desafiar claramente aquela afirmação. Ice tinha quase o mesmo tamanho e porte físico de seu comandante, mas não chegava nem perto de ter o mesmo controle de Char, era impulsivo como um menino. "Acho que você está projetando nele características que ele não tem."

"E eu acho que já está na hora de você começar a confiar no meu julgamento." A expressão em seu rosto era um sinal de que a conversa poderia terminar em conflito.

Era o tipo de desafio que ninguém mais ousaria fazer a ela, e não só por causa de sua posição na hierarquia dos vampiros. Apesar de ficar irritada, ela gostava daquela disposição de seu companheiro de enfrentá-la sempre que sentia ter razão. Essa maneira de separar o tratamento reservado a ela como oficial superior e como mulher alimentava ainda mais seus sentimentos em relação a ele. A humanidade que ela havia sido enviada para observar estava encontrando ecos dentro dela como nunca antes.

No início de sua paixão por ele, ela não era capaz de determinar. Charron era um anjo Vigia como ela, um dos serafins enviados à Terra para informar o Criador a respeito do progresso dos homens. De uma hora para outra, seu sorriso começou a deixá-la sem fôlego, e a visão de seu corpo musculoso e elegante passou a fazer seu ventre se contrair. Sua beleza sublime — as asas douradas e cor de creme, os cabelos loiros e a pele bronzeada, os olhos azuis faiscantes e penetrantes — deixou de ser apenas uma prova da habilidade do Criador para se tornar uma tentação irresistível a seu desejo feminino recém-despertado.

Esconder tudo isso dele tinha sido difícil, mas ela conseguiu, pelo menos por um tempo, envergonhada demais por demonstrar a mesma fraqueza de um mortal e nem um pouco disposta a tentá-lo com aquele tipo de ideia. Porém, quando ele tomou a iniciativa de seduzi-la, com uma determinação implacável, ela não hesitou em se jogar em seus braços, mesmo sabendo das consequências. Ela não derramou uma lágrima nem soltou um gemido quando os Sentinelas arrancaram as asas de suas costas, transformando-a na Decaída chupadora de sangue que era sua forma atual. Por outro lado, suplicou e implorou por piedade no caso de Charron, e lamentou com choro e soluços a dor de testemunhar a amputação de suas imponentes asas.

O toque da mão dele em seu rosto a despertou de suas reminiscências, fazendo-a se concentrar no homem cujos olhos passaram a exibir o brilho cor de âmbar de um vampiro sem alma. "Para onde você vai", ele perguntou baixinho, "quando se afasta de mim desse jeito?"

Ela entortou a boca para o lado. "Estava dizendo para mim mesma que é uma estupidez me irritar por causa da sua compaixão e sua disposição para liderar, sendo que eu me apaixonei por você exatamente por isso. E muitas outras coisas."

Char agarrou com a mão seus cabelos ruivos e levou as pontas vermelhas à boca. "Eu me lembro de você voando, Vashti. Quando fecho os olhos, ainda vejo você com o sol às suas costas, refletindo em suas penas cor de esmeralda. Você era como uma joia para mim, com seus cabelos cor de rubi e seus olhos cor de safira. Olhar para você até me doía. Eu precisava tocar você, sentir o seu gosto, penetrar você para aplacar um sofrimento que se manifestava fisicamente."

"Vai dar uma de poeta agora, meu amor?", ela provocou, apesar de seu tom bem-humorado não esconder o fato de que estava emocionada. Ele a conhecia bem demais. Lia seus pensamentos com a maior facilidade. Era sua alma gêmea, refletia o que ela tinha de melhor. Quando ela se mostrava temperamental e obstinada, ele era tranquilo e equilibrado. Se ela se deixava levar pela impaciência e a frustração, ele a acalmava e punha tudo em perspectiva.

"Você para mim é muito mais preciosa e desejável hoje do que naquela época." Ele encostou a testa de leve na dela. "Porque agora você é minha. Por inteiro, sem reservas. E eu sou seu, com todos os defeitos que tanto irritam você."

Ela o agarrou pela nuca e tomou a boca dele em um beijo que fez seus dedos dos pés se curvarem e seu coração disparar.

"Eu amo você", ela falou com os lábios colados nos dele, agarrando-o com a força que a felicidade de senti-lo tão próximo lhe proporcionava. Às vezes os sentimentos transbordavam, provocavam um nó em sua garganta e eram extravasados na forma de lágrimas de gratidão. Ela ficava até envergonhada com a intensidade de seus sentimentos por Char. Pensava nele quase o tempo todo quando estava acordada, e ele estava presente também em seus sonhos.

"Eu amo você, minha queridíssima Vashti." Ele agarrou seu corpo desnudo. "Eu sei que você está sendo muito tolerante comigo em relação a Ice, mais do que acha que deveria. Creio que está na hora de ouvir seu conselho e puxar as rédeas dele."

Essa era outra coisa que ela adorava em Char, seu senso de justiça e sua capacidade de ceder quando era preciso. "Você cuida dele, eu resolvo o problema do demônio para Torque e depois nós sumimos do mapa por uns dias. Estamos trabalhando demais ultimamente. Merecemos uma folga."

Ele envolveu a garganta dela com a mão de forma carinhosa e sorriu. Com os olhos brilhando de afeição e desejo sexual, ele murmurou: "Com um incentivo como esse, pode ter certeza de que eu irei voltar para casa mais cedo".

"Vamos ver se Ice vai cooperar para isso. Ele pode ter se escondido em qualquer cu de mundo possível e imaginável."

Ele ergueu uma sobrancelha em cesura, mas depois voltou atrás: "Nada vai ser capaz de me manter longe de você".

"É bom mesmo." Ela se virou, roçando de leve o traseiro nele. "Nenhum de nós dois iria gostar se eu precisasse ir atrás de você..."

No início da tarde, Vashti entrou no escritório de Syre trazendo nas mãos uma lembrança de sua mais recente caçada. O líder dos vampiros não estava sozinho, mas mesmo assim ela o interrompeu sem cerimônias. A mulher que estava com ele era uma das muitas mortais que despertavam em Syre no máximo um interesse efêmero. Não adiantava avisar de antemão — elas só se conformavam que estavam diante de alguém inacessível quando sofriam a rejeição na pele. Ele era um homem fogoso, mas sua manifestação física de desejo não significava nenhum sentimento mais profundo. Syre havia sido privado de suas asas por amor, e depois ainda sofreu a perda da mulher por quem tinha aberto mão de ser anjo.

"Syre."

Ele a encarou com o olhar de soslaio que costumava enlouquecer as mulheres. Estava em pé, de braços cruzados, com o quadril apoiado na estante de livros posicionada atrás de sua mesa. Vestido com um par de calças preto feito sob medida, camisa branca e uma gravata de seda preta, estava elegante e devastadoramente atraente na mesma medida. Seus cabelos escuros e sua pele acobreada lhe conferiam uma beleza exótica e impossível de classificar. Alguns diziam que ele lembrava o tipo do Leste Europeu. Syre havia sido um filho dileto, muito querido pelo Criador. Era por isso, acreditava Vash, que sua queda se deu com uma punição tão severa — ele caiu de um pedestal bem mais alto.

"Vashti", ele a saudou, com uma voz ao mesmo tempo gutural e afetuosa. "Foi tudo bem?"

"Claro."

A loira que estava abusando da hospitalidade de Syre olhou feio para Vash, como todas as outras faziam. Elas costumavam confundir a intimidade demonstrada entre os dois com algo mais. A relação entre eles era pessoal e carinhosa, mas não tinha nada de sensual ou romântica. Vash morreria para salvar Syre a qualquer tempo, mas o amor que sentia por ele tinha como base o respeito, a lealdade e o fato de saber que ele também abriria mão da própria vida por ela se fosse preciso.

Ela abriu um sorrisinho compreensivo para a mulher, mas falou de maneira áspera, como sempre fazia: "Não ligue para ele. Pode esperar que ele liga para você".

"Vashti", Syre a repreendeu em um tom ameno. Seu cavalheirismo o impedia de proferir o tipo de discurso direto e reto que evitaria uma série de cenas dramáticas e desagradáveis.

Vash não tinha o mesmo tato. "Ele já teve o que queria com você, e foi divertido, mas não vai haver nada além disso."

"E você é quem?", perguntou a loira de tirar o fôlego. "A cafetina dele?"

"Não. O que significa que a puta aqui é você."

"Já chega, Vashti." A voz de Syre ressoou como um chicote sendo estalado.

"Como você é ciumenta", sibilou a loira, com suas belas feições se contorcendo de frustração e mágoa. Aquela demonstração de descontrole não combinava nem um pouco com sua aparência cuidadosamente produzida, com um coque impecável, um chapéu elegante e um terninho justo e feminino. "Não se conforma por ele estar comigo."

Infelizmente para ela, a verdade nesse caso era o contrário. Vash abriria mão de qualquer coisa, com exceção de Charron, para ver seu comandante feliz de novo. Caso achasse que faria alguma diferença, ela diria que eles formavam um lindo casal — a loira com ares de realeza e o imponente príncipe moreno. No entanto, o coração que a esposa mortal de Syre havia despertado morreu junto com ela.

"Estou tentando evitar que você se humilhe ainda mais", Vash explicou com a maior calma possível.

"Vai se foder."

"Diane", Syre falou em um tom de voz bem firme, endireitando-se e segurando-a pelo cotovelo. "Sinto muito terminarmos nossa prazerosa convivência de maneira tão brusca, mas eu não posso permitir que você fale com Vashti dessa maneira."

Os olhos azuis de Diane se arregalaram, e sua boca se escancarou. Ela foi seguindo aos tropeções atrás dele enquanto era removida da sala. "Mas ela pode falar comigo como quiser? Como assim?"

Quando Syre voltou, já sozinho, as belas feições de seu rosto estavam contorcidas em uma expressão sombria. "O seu humor está péssimo hoje", ele se limitou a dizer.

"Eu acabei de poupar você de mais uma semana de encheção de saco. Não precisa agradecer. E você sabe muito bem que está precisando de uma amante."

"As minhas necessidades sexuais não são da sua conta."

"Mas a sua sanidade mental sim", ela rebateu. "Encontre alguém de cuja companhia você goste e mantenha uma relação com ela. Deixe que ela cuide um pouco de você."

"Eu não estou interessado nesse tipo de complicação."

"Não precisa ser nada muito complicado." Ela sentou em uma das cadeiras diante da mesa, alisando com as mãos as calças cáqui. "Estou falando de uma relação bem resolvida. Não que eu entenda desse tipo de coisa, mas existem mulheres que fazem sexo só por diversão. Basta arrumar uma casa bonita para elas e pagar uma boa mesada."

Syre sacudiu a cabeça. "Você está *mesmo* querendo virar a minha cafetina."

"Talvez você esteja precisando de uma."

"Fico ofendido só de pensar em transar com uma mulher que se sinta obrigada a dar para mim por causa de um acordo comercial."

Ela arqueou as sobrancelhas. "Não existe mulher nenhuma neste mundo que não daria para você de bom grado." Nem mesmo ela, que já tinha encontrado o amor de sua vida, estava imune ao *sex appeal* de Syre. Sua capacidade de provocar impacto nunca se extinguia. Ele era sensual, sedutor, hipnótico.

"É melhor mudarmos de assunto."

"Não é, não. Você precisa de uma mulher para ser sua companheira, Samyaza."

O uso de seu nome de anjo conferiu à conversa um ar de seriedade. Ele estreitou os olhos e sentou em sua cadeira atrás da mesa. "Não."

"Eu não disse um *amor*, e sim uma *companheira*. Alguém para fazer seu café da manhã do jeito como você gosta. Alguém para ficar vendo tevê em casa. Você sabe, alguém com quem tenha intimidade e que saiba cuidar de você."

Ele se inclinou para trás, escorou os braços nos apoios da cadeira e juntou os dedos. "Já me perguntaram sobre isso mais de uma vez, pedindo para eu explicar qual era a minha relação com você. Eu nunca encontrei uma boa resposta. Você é minha tenente, mas é muito mais que uma subordinada. Somos mais que amigos, mas eu não vejo você como uma irmã. Eu sinto amor por você, mas nós não somos apaixonados um pelo outro. Eu admiro a sua beleza tanto quanto qualquer homem, mas isso não envolve nenhum tipo de atração sexual. Você é a mulher mais importante da minha vida, me sinto perdido sem você, mas nunca pensei em termos uma vida juntos. Qual é a minha relação com você, Vashti? O que dá a você o direito de se envolver em assuntos assim tão pessoais?"

Ela franziu a testa. Categorizar o que havia entre eles era algo que ela nunca tinha feito. Para Vash, sua relação com ele simplesmente... era. Em diversos sentidos, ela se sentia como uma espécie de extensão dele.

"Eu estou nas suas mãos", ela respondeu por fim, e jogou para ele o objeto que trazia consigo.

Ele o apanhou com perícia, demonstrando reflexos ágeis e afiados. "O que é isso?"

"Metade de um talismã que eu arranquei da serva de Asmodeus. Deixei a outra metade na pilha de cinzas em que ela se transformou quando a matei. Quando estava inteiro, tinha o selo de Asmodeus."

"Ele vai pensar que isso é uma provocação."

Vash sacudiu a cabeça. "Três ataques em duas semanas? Isso não é coincidência. Ele deve ter dado a permissão, se não a ordem, para que seus comandados mexessem conosco. Somos uma espécie de brinde... anjos que podem ser descartados como lixo."

"Nós já temos inimigos suficientes."

"Não, o que temos são carcereiros... os Sentinelas e seus cachorros licanos. Os demônios só vão se tornar nossos inimigos *se* não tomarmos uma providência em relação a eles. Precisamos deixar isso bem claro."

"Não é esse rumo que eu quero que as coisas tomem."

"É, sim. Foi por isso que você me encarregou de resolver esses problemas com os demônios." Ela cruzou as pernas. "Você pode até acenar uma trégua com uma das mãos, mas com a outra, que sou eu, está colocando todos eles em seu devido lugar."

Uma confusão no corredor fez com que ela ficasse de pé em um pulo. Vash se deslocou até a porta com uma velocidade sobrenatural, chegando à frente de Syre por um milésimo de segundo.

O que ela viu a seguir fez seu sangue congelar.

Raze e Salem estavam carregando para dentro um corpo bastante familiar, abrindo caminho para a sala de jantar, onde ele foi depositado em uma mesa comprida e oval.

"O que aconteceu, caralho?", ela gritou, entrando na sala e vendo o corpo inerte de Ice. A pele do lacaio estava carbonizada em algumas partes, e coberta de bolhas pelo corpo inteiro. O sangue encharcava a camiseta e a calça jeans até a altura joelho. Os rasgos nas roupas revelavam as marcas das patadas dos lupinos.

A mão dele se moveu com uma velocidade fenomenal, agarrando-a pelo pulso. Ele abriu os olhos injetados de sangue. "Char... ajuda..."

Por um momento, a sala toda começou a rodar, mas logo em seguida tudo ficou mais nítido, ganhando uma clareza impressionante. "Onde?"

"No velho moinho. Licanos... Ele precisa de ajuda..."

Vash apanhou uma das lâminas embainhadas nas costas de Raze, deu meia-volta e saiu correndo na direção do pôr do sol.

1

Elijah Reynolds estava nu sobre uma rocha no meio do bosque que cercava o lago Navajo, vendo seus sonhos queimarem com as instalações logo abaixo. Uma fumaça acre e escura se elevava no ar em colunas espessas que podiam ser vistas a quilômetros de distância.

Os anjos saberiam que uma rebelião havia começado muito antes de chegarem às ruínas de suas construções.

A seu redor, licanos gritavam e comemoravam com alegria, mas Elijah não compartilhava desse sentimento. Ele se sentia morto por dentro, observando a vida que tinha levado até ali ser reduzida a cinzas junto com o lugar que costumava ser seu lar. Só havia uma coisa que ele sabia de fato fazer: caçar vampiros. E só podia se dedicar a isso porque trabalhava para os Sentinelas — a elite dos anjos guerreiros. A servidão advinda desse fato, apesar de incômoda, era para ele um pequeno preço a pagar para poder fazer aquilo que amava. No entanto, pouquíssimos licanos pensavam como ele, o que ficou bem claro no rumo que as coisas tomaram. Tudo o que importava para Elijah estava perdido, e o que restava era uma batalha pela independência na qual ele não estava disposto a investir.

Por outro lado, o que estava feito não podia ser mais desfeito. Ele teria que conviver com aquilo.

"Alfa."

Elijah cerrou os dentes ao ser chamado por uma designação que nunca quis. Ele encarou a mulher nua que se aproximava. "Rachel."

Ela baixou os olhos.

Ele esperou que ela falasse, e então percebeu que ela estava fazendo o mesmo. "*Agora* você quer ouvir o que eu tenho a dizer?"

Ela pôs as mãos para trás e abaixou a cabeça. Irritado pela falta de convicção da parte dela, Elijah virou a cara. Ele tinha dito que uma rebelião seria suicídio. Os Sentinelas os caçariam um a um, eles seriam aniquilados. O único propósito da existência dos licanos era servir aos anjos — caso não fizessem mais isso, não teriam por que continuar no mundo. Mas ela se recusava a ouvir. Ela e Micah, seu parceiro — e melhor amigo de Elijah —, tinham incitado os demais a cometer aquela demonstração ostensiva de pura estupidez.

Ele sentiu a aproximação de um licano macho antes mesmo de enxergá-lo. Ao virar a cabeça, Elijah viu um lobo de pelagem dourada aparecer e se transformar em um homem alto e loiro.

"Eu resolvi seguir meu instinto de autopreservação, Alfa", disse Stephan.

Isso confirmou a suspeita de Elijah de que alguns licanos haviam fugido da batalha sem parar para pensar nos dias terríveis que certamente viriam. Ou talvez alguns deles, mais espertos, tenham voltado para os Sentinelas. Ele não os condenaria nesse caso.

"Montana?", perguntou Rachel, esperançosa.

Elijah sacudiu a cabeça, lembrando a si mesmo da promessa de cuidar dela que havia feito a Micah no leito de morte. "Nós nunca conseguiríamos chegar tão longe. Os Sentinelas nos alcançariam em questão de horas."

Uma Sentinela tinha fugido no meio do conflito, abrindo suas asas azuis para voar para longe e comunicar os demais sobre a rebelião. O restante ficou para lutar, mas as pontas afiadas de suas asas não eram suficientes para oferecer proteção contra a numerosa matilha do lago Navajo, que já vinha precisando de cortes fazia meses. Em desvantagem numérica, os Sentinelas entraram em uma luta até a morte, cientes de que era essa atitude que Adrian, seu capitão, esperava deles. Durante as semanas em que foi membro da matilha de Adrian, Elijah pôde testemunhar com os próprios olhos o nível de comprometimento e obstinação do líder dos Sentinelas. Apenas uma coisa era capaz de fazer Adrian perder o foco, e nem mesmo ela conseguia atenuar seu instinto matador.

"Existe uma rede de cavernas interligadas perto de Bryce Canyon." Elijah se virou para ver as instalações do lago Navajo pela última vez. "Vamos nos esconder por lá até nos organizarmos melhor."

"Cavernas?", questionou Rachel, fazendo uma careta.

"Isso não foi uma vitória, Rachel."

Ela se encolheu ao sentir toda a fúria na voz dele. "Nós estamos livres."

"Nós éramos caçadores, e agora somos a caça. Isso não é progresso nenhum. Nós só nos aproveitamos de um momento de fraqueza dos Sentinelas. Eles estavam em desvantagem de vinte para um, foram pegos de surpresa e estavam sem Adrian, que está atolado até o pescoço com problemas sérios, fora de combate. O que aconteceu aqui não foi o começo de nada, nós queimamos nosso único cartucho."

Rachel jogou os ombros para trás, projetando seus seios pequenos para a frente. A nudez não significava nada para os licanos — pele, pelagem, para eles dava no mesmo. "Nós aproveitamos nossa oportunidade."

"Sim, aproveitaram. E agora vão precisar confiar em mim para lidar com as consequências."

"Era isso que Micah queria, El."

Elijah suspirou e sentiu sua raiva ser engolfada por um sentimento de tristeza e luto. "Eu sei o que ele queria, uma casa em um bairro de classe média, um emprego convencional, conviver bem com os vizinhos, passear com as crianças. Eu faria qualquer coisa para realizar esse sonho... para proporcionar aos demais licanos a chance de querer o mesmo. Mas é impossível. Nisso eu já fracassei antes mesmo de começar, porque na verdade nunca tive chance nenhuma."

Eles não faziam ideia do quanto aquela impossibilidade de sucesso o fazia sofrer. E ele nunca diria. Só o que podia fazer era tentar manter vivos aqueles que dependiam dele.

Elijah olhou para Stephan. "Precisamos mandar emissários para as outras matilhas. De preferência casais."

Os casais fariam de tudo para evitar a morte de seus pares. Em uma situação como aquela, em que seriam caçados e estariam afastados da matilha, era preciso contar com toda a colaboração disponível.

"Notifique o máximo possível de licanos", ele continuou, fazendo movimentos circulares com o ombro para aliviar a tensão no pescoço. "Adrian vai cortar a comunicação de todas as matilhas, celulares, internet, correio. As equipes vão ter que cumprir a missão pessoalmente, cara a cara."

Stephan balançou a cabeça. "Pode deixar."

"Todos precisam sacar seu dinheiro antes que Adrian mande congelar as contas." Como em teoria os licanos eram empregados da empresa aérea de Adrian, a Mitchell Aeronáutica, seus vencimentos eram depositados em uma cooperativa de crédito sobre a qual o Sentinela detinha controle total.

"A maioria já fez isso", Rachel falou baixinho.

Pelo menos nisso ela tinha pensado com antecedência. Elijah mandou que ela reunisse os demais, e então se virou para Stephan. "Preciso de dois licanos dos mais confiáveis para uma missão especial: encontrar Lindsay Gibson. Preciso saber onde ela está, e como está."

Stephan arregalou os olhos diante da menção à namorada de Adrian.

Elijah precisou lutar contra a vontade de ir pessoalmente atrás de Lindsay, uma mortal que ele considerava uma amiga, a única que tinha no mundo depois da morte de Micah. Em diversos sentidos, ela era um mistério. Havia entrado na vida dele sem aviso, realizando proezas de que nenhum humano era capaz, e monopolizando as atenções do líder dos Sentinelas de uma maneira que Elijah nunca tinha visto.

Ao contrário dos Decaídos, que perderam as asas por confraternizar com os mortais, os Sentinelas eram anjos acima de qualquer suspeita. Os pecados da carne e os caprichos das emoções humanas estavam bem distantes das alturas que eles habitavam. Elijah nunca tinha visto um Sentinela mostrar nem uma faísca de desejo ou interesse... até que Adrian pusesse os olhos sobre Lindsay Gibson e tomasse posse dela com uma ferocidade que surpreendeu a todos. O líder dos Sentinelas protegeu a vida dela com mais empenho do que a sua própria, designando Elijah para cuidar da segurança de Lindsay mesmo sabendo que ele era um raro caso de licano alfa, que costumavam ser sistematicamente removidos das matilhas.

Foi durante o período em que se encarregou da segurança de Lindsay que a amizade entre eles surgiu. A camaradagem inicial cresceu a ponto de eles arriscarem a própria vida um pelo outro. *Eu levaria um tiro por você*, ela falou para ele certa vez. Não era todo mundo que tinha amigos assim. Elijah certamente não tinha. Ele podia até ter se tornado o Alfa de sua matilha, mas jamais deixaria de se preocupar com Lindsay. Ela havia desaparecido debaixo das vistas dos Sentinelas, e ele só descansaria quando soubesse que estava tudo bem.

"Quero que a segurança dela seja garantida", disse Elijah, "custe o que custar."

Stephan balançou a cabeça afirmativamente. Essa obediência sem questionamentos fez com que surgisse pela primeira vez dentro de Elijah a esperança de que eles tivessem alguma chance de sobreviver no fim das contas.

"Que maravilha." Vash olhou para o traje de proteção em suas mãos e sentiu um frio na barriga.

A Dra. Grace Petersen coçou um dos olhos com a mão fechada. "Nós não sabemos ao certo como a doença é transmitida. É melhor prevenir que remediar, acredite em mim. Melhor não arriscar."

Enquanto vestia o traje, Vash tentou espantar o pânico que surgia em sua mente. Ela se concentrou em tentar reviver o distanciamento e o estado mental de quando vivia na Terra como uma Vigia. Fazia tempo que ela não agia sem a beligerância que aprendeu a cultivar como vampira, mas aquela era uma batalha que não poderia ser travada com as presas e os punhos.

"Você tem muita coragem, Gracie", ela falou pelo microfone no capacete.

"Olha quem fala, a mulher que enfrenta oponentes da altura de ônibus de dois andares."

Já aparamentadas, as duas entraram na antessala hermeticamente fechada da área de quarentena e, depois do acendimento da luz verde, tiveram o acesso à sala interna liberado. Lá dentro, um homem estava deitado em uma maca como se dormisse, com as feições relaxadas e em repouso. Apenas as sondas intravenosas nos braços e a respiração rasa e acelerada denunciavam que estava doente.

"O que estão dando para ele?", perguntou Vash. "É sangue?"

"É uma transfusão, sim. E ele está sendo mantido em um coma induzido." Grace olhou para Vash através da viseira do capacete com uma expressão cautelosa e austera. "O nome dele é King. Quando era mortal, chamava-se William King. Era meu principal assistente até esta manhã, quando foi mordido por um dos vampiros infectados que capturamos ontem."

"E a infecção é assim tão rápida?"

"Depende. De acordo com os resultados preliminares das pesquisas de campo, alguns vampiros são imunes. Outros demoram semanas para começar a exibir sintomas. Já outros, como King, sucumbem em questão de horas."

"E quais são os sintomas, exatamente?"

"Apetite voraz, agressividade desmedida e uma tolerância à dor acima do normal. Eles estão sendo chamados de espectros."

"Por quê?"

"Eles são apenas sombras do que costumavam ser. Estão lá e ao mesmo tempo não estão. A mente e a personalidade estão aniquiladas, mas o corpo permanece em atividade. Aqueles que eu consegui manter vivos por mais alguns dias iam perdendo pigmento e melanina no cabelo e na pele. Até as íris dos olhos ficam cinzentas. E veja só isso."

Grace afastou a franja da testa de King com um movimento suave da mão trêmula. "Desculpa, amigo", ela murmurou e apanhou um aparelho com fio que parecia um leitor de código de barras. Agarrando o pulso do paciente, ela direcionou o dispositivo para seu antebraço e ativou uma luz pálida. Raios ultravioletas.

Vash se inclinou para perto, examinando a pele sob a luz. Ela começou a estremecer, como se o músculo logo abaixo estivesse tendo um espasmo, mas esse era o único sinal de reação ao estímulo. "Puta merda. Tolerância a raios UV?"

"Não exatamente." Grace desligou o dispositivo e o deixou de lado. "Não existe nenhuma imunidade de fato, os tecidos ainda estão queimando. A diferença é que eles se regeneram em uma velocidade aceleradíssima. As células danificadas se restabelecem assim que são destruídas. Por isso não há nenhum dano visível ou permanente. Eu fiz esse mesmo teste com outros dois pacientes, com o mesmo resultado."

Elas trocaram olhares.

"Não existe motivo para empolgação", murmurou Grace. "É a renovação celular que está causando todos os outros sintomas. O apetite insaciável vem da necessidade de suprir o gasto descomunal de energia necessário para a regeneração. A agressividade vem da fome, do fato de estar desesperado para comer o tempo todo. E a tolerância à dor é porque eles não conseguem se concentrar em mais nada além da necessidade de se alimentar. Eles não conseguem nem pensar, ponto final. Você já viu um espectro em ação?"

Vash sacudiu a cabeça.

"Eles são como zumbis em uma espécie de frenesi. As atividades cerebrais mais sofisticadas são substituídas pelo instinto puro e simples."

"A transfusão é porque ele vai morrer se não receber um fluxo contínuo de sangue?"

"Eu aprendi isso da pior maneira. Depois de sedar dois capturados, já que não dá para chegar perto deles enquanto estão acordados, eles se liquefizeram. O metabolismo ficou tão acelerado que eles praticamente digeriram a si mesmos. Viraram uma gosma. Uma cena nada bonita."

"É possível que Adrian tenha desenvolvido essa coisa em um laboratório qualquer?" O líder dos Sentinelas comandava a unidade de elite de serafins responsável por amputar as asas dos Caídos. Usando os licanos como cães pastores, Adrian pôde impedir que os vampiros se expandissem na direção das áreas mais populosas. O resultado disso era uma escassez territorial e um aperto financeiro constante.

"Tudo é possível, mas eu não chegaria a esse ponto." Grace apontou para King. "Não imagino que Adrian pudesse fazer isso. Não é o estilo dele."

Para dizer a verdade, Vash também não. Adrian era um guerreiro nato. Se estivesse atrás de briga, iria querer que ela fosse resolvida mano a mano, cara a cara. Por outro lado, ele tinha muito a ganhar se a comunidade dos vampiros minguasse até desaparecer. Sua missão estaria concluída, ele poderia deixar o planeta — junto com toda a dor, o sofrimento e a imundice. Isso se ele ainda quisesse ir depois de conhecer Lindsay, que não poderia acompanhá-lo.

Atenuando o tom de voz, Vash expressou sua solidariedade. "Sinto muito pelo seu amigo, Gracie."

"Me ajude a descobrir uma cura, Vash. Me ajude a salvá-lo, e os outros também."

Era por isso que ela tinha ido até lá, a mando de Syre. Os casos da doença estavam se espalhando pelo país, e com uma rapidez que logo seria suficiente para configurar uma epidemia. "Do que você precisa?"

"Mais pacientes, mais sangue, mais equipamento, mais pesquisadores."

"Claro. Só me faça uma lista."

"Essa é a parte mais simples." Grace cruzou os braços e olhou para King. "Preciso saber onde o Vírus Espectral apareceu pela primeira vez. Em qual parte do país, qual estado, qual cidade, qual casa, qual cômodo da casa. Os mínimos detalhes. Homem ou mulher. Jovem ou velho. Raça e porte físico. Preciso que você encontre a primeira vítima da doença. E depois a segunda. Qual era sua relação com a primeira? As duas viviam na mesma casa? Dormiam na mesma cama? Ou era uma ligação menos próxima? Elas eram parentes? E depois preciso da quarta e da quinta vítima. Estou falando de um esquema seis graus de separação levado ao extremo. Preciso de dados suficientes para estabelecer um padrão e um ponto de origem."

Sentindo-se sufocada pelo traje de proteção, Vash caminhou a passos rápidos até a porta. Grace a alcançou e digitou o código para liberar o acesso à antessala.

"O que você está pedindo envolve muito trabalho", murmurou Vash, seguindo o exemplo de Grace e se posicionando sobre um círculo pintado no chão. Alguma coisa foi borrifada do encanamento logo acima, envolvendo seu traje em uma fina névoa.

"Eu sei."

Havia dezenas de milhares de lacaios, mas sua incapacidade de tolerar a luz do sol limitava um bocado sua atuação. Os Caídos originais não tinham essa restrição, mas eram bem menos numerosos, não chegavam a duzentos. Um número insuficiente para fornecer o sangue que proporcionaria imunidade temporária a tantos lacaios, principalmente na quantidade necessária para executar uma busca como aquela em tão pouco tempo.

Enquanto removia seu traje, Vash fez movimentos circulares com os ombros e tentou pensar melhor. Os primeiros casos da doença apareceram na mesma época que o amor perdido de Adrian. Fazer um cronograma exato ajudaria a estabelecer se o líder dos Sentinelas tinha ou não alguma participação naquele caso. "Eu vou dar um jeito."

"Eu sei que vai." Grace se interrompeu enquanto prendia os cabelos loiros repicados para observar Vash. "Você ainda está de luto."

Vash olhou para as calças e o colete de couro preto que vestia e encolheu os ombros. Mesmo depois de sessenta anos, a dor permanecia lá, para lembrá-la de que ainda era preciso vingar a morte brutal de Charron. Um dia ela ainda encontraria um licano que lhe forneceria as pistas de que precisava para caçar os assassinos de Char. Ela só esperava que isso não acontecesse quando os responsáveis já tivessem morrido, fosse em uma caçada ou pela idade avançada. Ao contrário de Sentinelas e vampiros, os licanos eram mortais e tinham prazo de validade.

"Vamos fazer a lista", ela disse animada, pronta para dar início à tarefa monumental que tinha pela frente.

Syre assistiu ao vídeo até o fim, depois se pôs de pé com um movimento súbito. "O que você acha disso?"

Vash cruzou as pernas sob a mesa, sentada na cadeira. "Estamos fodidos. Não temos gente suficiente para resolver isso na velocidade com que a doença... o Vírus Espectral, como ela chamou... Com o vírus se espalhando dessa maneira, não temos recursos para deter sua ação."

Ele passou as mãos nos cabelos escuros e espessos e soltou um palavrão. "Nós não podemos morrer desse jeito, Vashti. Não depois de passar por tudo o que passamos."

O sofrimento do líder dos Caídos era tangível. De pé diante da janela que dava para a rua principal de Raceport, na Virgínia, uma cidade que ele tinha construído a partir do zero, Syre agia como se o peso do mundo estivesse sobre seus ombros. Não eram só os problemas enfrentados pelos vampiros que o atormentavam. Ele ainda estava sofrendo pela perda da filha, cujo retorno esperou durante séculos. Syre ficou abalado demais com aquele infortúnio. Ninguém havia percebido ainda, mas Vash o conhecia bem demais. Alguma coisa tinha mudado dentro dele, alguma chave havia sido virada. Ele estava mais duro, menos flexível, e isso se refletia em suas decisões.

"Vou fazer o melhor que puder", ela prometeu. "Todos nós vamos. Somos guerreiros, Syre. Ninguém aqui pretende desistir."

Ele se virou para encará-la, com uma expressão furiosa a atormentar suas belas feições. "Recebi um telefonema interessante enquanto você estava com Grace."

"Ah, é?" O tom de voz dele, além do brilho no olhar, fizeram com que ela se preocupasse. Ela sabia que aquele olhar só podia significar uma coisa: ele estava decidido, mas esperava enfrentar resistência.

"Os licanos se rebelaram."

Vash sentiu um frio na espinha, o que sempre acontecia ao ouvir falar nos cães dos Sentinelas. "Como? Quando?"

"Na semana passada. Acho que a distração de Adrian com a minha filha proporcionou a eles uma oportunidade de se libertar." Ele cruzou os braços, fazendo seus bíceps poderosos se flexionarem. O Sentinela só tinha se interessado por Lindsay Gibson porque ela era a mais recente encarnação de Shadoe, filha de Syre e amor da vida de Adrian. No fim, Lindsay acabou ganhando o coração de Adrian e o direito a comandar seu próprio corpo, deixando Syre arrasado pela perda da filha e Adrian um tanto perplexo e desorientado. "Os licanos vão precisar de nós se quiserem permanecer livres, e ao que parece nós precisamos deles tanto quanto."

Ela se levantou. "Você não pode estar falando sério."

"Eu entendo o que isso significa para você."

"Ah, é? Isso é o mesmo que eu pedir para você trabalhar com Adrian, mesmo sabendo que ele é o responsável pela morte da sua filha. Ou então pedir para você se associar ao demônio que matou sua mulher."

Ele respirou fundo, expandindo lentamente o peito. "Se o destino de todos os vampiros do mundo dependesse disso, eu não me recusaria."

“Vai se foder, não tenta jogar esse sentimento de culpa em cima de mim.” Essas palavras saíram sem que ela se desse conta. Fosse como fosse sua relação com Syre, ele ainda era seu oficial superior. “Perdão, comandante.”

Ele a desculpou com um movimento impaciente com o pulso. “Você vai se redimir disso encontrando o licano Alfa e propondo uma aliança para ele.”

“Não existem licanos Alfa. Os Sentinelas fizeram questão de acabar com eles.”

“Sem um Alfa, essa rebelião nunca teria acontecido.”

Ela começou a andar de um lado para o outro, golpeando o chão de madeira com o salto. “Mande Raze ou Salem”, ela sugeriu, oferecendo seus dois melhores capitães. “Ou os dois.”

“Precisa ser você.”

“Por quê?”

“Porque você odeia os licanos, e o seu desprezo vai ser um bom disfarce para o nosso desespero.” Ele contornou a mesa, sentou-se de lado em uma das pontas e cruzou as pernas. “Eles não podem começar em vantagem. Vão ter que acreditar que precisam mais de nós do que nós deles. E você é minha tenente. Sua presença é um sinal de que estou falando sério ao propor uma aliança.”

A ideia de trabalhar ao lado dos licanos provocou tamanha ira dentro dela que fez sua visão ficar borrada. E se por acaso ela acabasse colaborando com os licanos que deixaram Charron em pedaços? E se salvasse a vida de um deles, imaginando se tratar de um aliado? Era uma hipótese tão absurda que revirou seu estômago. “Antes me dê um tempo para tentarmos resolver tudo sozinhos. Se eu não conseguir avançar em duas semanas, nós podemos reconsiderar.”

“Até lá Adrian já pode ter exterminado todos os licanos. É preciso agir agora, enquanto eles ainda não sabem o que fazer. Imagine a rapidez com que poderemos conduzir as investigações se tivermos ao nosso dispor milhares de licanos.”

Ela continuava a andar de um lado para outro pela sala a uma velocidade que deixaria qualquer mortal tonto. “Então me diga que o seu pedido não tem nada a ver com o ódio que sente por Adrian.”

Syre entortou a boca para o lado. "Você sabe que isso não é possível. Minha intenção é mesmo chutar Adrian enquanto ele está caído. Claro que sim. Mas isso não seria motivo para fazer esse pedido a você, sabendo o quanto iria lhe custar. Minha consideração por você é muito maior que isso."

Vash se deteve e caminhou até ele. "Vou fazer isso porque é uma ordem sua, mas não irei desistir do meu intuito pessoal. Vou aproveitar a oportunidade para descobrir quem foram os responsáveis pela morte de Charron. Quando eu tiver essa informação em mãos, não responderei mais pelos meus atos. Se isso não é aceitável para você, eu cumpro a ordem de propor a aliança e depois desapareço no mundo."

"Nada disso." O tom grave de Syre era um alerta bem claro. "Você tem todo o meu apoio, Vashti. E sabe muito bem disso. Só que, neste momento, as necessidades da coletividade dos vampiros vêm em primeiro lugar."

"Muito bem."

Ele acenou com a cabeça. "A revolta começou na matilha do lago Navajo. Comece por Utah. Eles não devem ter ido muito longe."

2

“Precisamos descobrir se existem ou não outros Alfas.” Elijah olhou para o licano que caminhava a seu lado, pensando na facilidade com que Stephan havia assumido o papel de seu Beta.

O instinto era algo fundamental em todas as ações que eles tomavam como uma matilha em fuga, o que servia mais para preocupar Elijah do que para acalmá-lo. Ele preferia que o destino de todos fosse forjado por suas próprias consciências, e não pelo sangue de demônio que corria em suas veias.

Enquanto atravessava o longo corredor de pedra, porém, os olhares com que se deparava deixavam bem claro que no caso dos licanos a natureza sempre falava mais alto. Todos eles ostentavam as íris esverdeadas de uma criatura mestiça. Centenas se encolhiam junto às paredes de pedra das cavernas de Utah que Elijah elegeu como seu quartel-general, observando-o em silêncio quando passava. Ele era visto como uma espécie de messias, o único licano capaz de liderá-los em uma nova era de independência, sem perceber o quanto essas expectativas e esperanças o oprimiam.

“Eu deixei claro que essa era uma das nossas prioridades”, garantiu Stephan. “Mas metade dos licanos que enviamos ainda não deu sinal de vida.”

“Talvez eles estejam voltando para os Sentinelas. Em termos de qualidade de vida, nós estávamos melhor trabalhando para os anjos.”

“E esse não é um preço razoável a pagar pela liberdade?”, questionou Stephan. “Todos nós sabemos que, se formos para o ataque, os Sentinelas não têm a menor chance. Existem menos de duzentos deles atualmente. Nós somos milhares.”

A leve cutucada em Elijah por estarem agindo na defensiva não passou despercebida. Ele podia sentir tudo aquilo no ar, a energia crepitante dos licanos ansiosos para partir à caça. "Ainda não", ele falou. "Não chegou a hora."

Um braço se esticou da parede e o segurou. "Estamos esperando o quê, porra?"

Elijah parou e se virou, encarando o macho robusto cujos olhos brilhavam na penumbra da caverna. O licano estava semitransformado, exibindo a pelagem cinzenta nos braços e no pescoço.

A fera interior de Elijah grunhiu um aviso, mas ele foi capaz de mantê-la sob seu comando, o tipo de controle que fazia dele um Alfa.

"Está querendo me desafiar, Nicodemus?", ele perguntou com uma tranquilidade ameaçadora. Elijah já estava preparado para aquele tipo de reação. Era apenas o primeiro dos muitos desafios que viriam até que ele estabelecesse seu domínio fisicamente e desfrutasse em sua plenitude do instinto dos licanos de seguir um líder.

As narinas do licano se alargaram, e seu peito começou a oscilar enquanto tentava lutar contra sua fera interior. Como não tinha o mesmo controle de Elijah, Nic estava condenado a perder.

Elijah libertou seu braço e falou: "Você sabe onde me encontrar".

Depois deu as costas ao dissidente e se afastou, em uma provocação deliberada à fera interior de Nic. Quanto mais cedo ele resolvesse aquilo, melhor.

Nic perguntou o que ele estava esperando. Elijah estava esperando até que todos estivessem imbuídos de um sentimento de coesão, confiança e lealdade — a única base capaz de unir todas as matilhas. Caso não trabalhassem juntos, não teriam como derrotar uma unidade militar de elite como os Sentinelas, por maior que fosse sua vantagem numérica.

Uma mulher apareceu logo em seguida, com uma postura corporal que irradiava tensão. "Alfa", ela o chamou, apresentando-se como Sara. "Tem uma visita para você. Uma vampira."

Ele ergueu as sobrancelhas. "Uma vampira? Sozinha?"

"Sim. Ela pediu para falar com o Alfa."

Isso foi mais que suficiente para despertar a curiosidade de Elijah. Os licanos haviam sido criados pelos Sentinelas com o único propósito de caçar e conter os vampiros. O fato de os licanos terem se rebelado contra os Sentinelas não significava que tivessem deixado de lado o ódio que sentiam pelos chupadores de sangue. Para um vampiro, tentar entrar em um refúgio de licanos era suicídio.

"Peça a ela para ir ao grande salão", ele falou.

Sarah se virou e voltou correndo para o local de onde veio, seguida por Elijah e Stephan em um passo mais comedido.

Stephan sacudiu a cabeça. "Como assim, porra?"

"A vampira está desesperada por alguma razão."

"E desde quando isso é problema nosso?"

Elijah encolheu os ombros. "Nós podemos nos beneficiar com isso."

"Nós queremos mesmo conversa com um bando de fracassados sanguessugas?"

"Acho que não entendi: se nós nos rebelamos, tudo bem, mas se um vampiro muda de lado é um fracassado?"

Stephan fez uma careta. "Você sabe tão bem quanto eu que a matilha não vai aceitar a presença de vampiros."

"Os tempos mudaram. Caso você não tenha percebido, nós também estamos desesperados."

Elijah estava quase entrando no grande salão quando ouviu um grunhido atrás de si. Ele saltou para a frente e assumiu sua forma lupina antes mesmo de tocar as patas no chão. Ele se virou no exato instante em que foi atacado por Nicodemus, recebendo um golpe na lateral do corpo que expulsou o ar de seus pulmões. Ele rolou para o lado, ficou de pé novamente e se endireitou bem a tempo de segurar seu oponente pela garganta em pleno ar e arremessá-lo na direção oposta. Elijah então uivou com todas as forças, fazendo sua fúria reverberar pelo salão.

Nic virou para o lado, apoiou-se sobre as patas e avançou de novo. Elijah deu um salto à frente para interceptá-lo.

Eles colidiram com uma força brutal, cerrando os dentes em busca de um alvo. Nic alcançou a perna da frente de Elijah e a mordeu com violência. Elijah encravou os dentes no flanco do adversário, sentindo sua fera interior rugir ao sentir o gosto de sangue fresco.

Elijah afastou o agressor com um chute, levando consigo um naco de sua carne na boca. Nic berrou e recuou, mancando. Elijah se agachou e se preparava para uma segunda ofensiva quando um cheiro de cereja madura invadiu seus sentidos em ondas tentadoras. Aquela fragrância o arrebatou, fazendo seu sangue ferver e sua agressividade chegar ao nível máximo.

Subitamente, o conflito com Nicodemus começou a lhe parecer uma perda de tempo. Elijah saltou, contorceu-se no ar para se desviar do golpe de Nic e pousou sobre as costas do outro licano. Agarrando-o pela garganta, Elijah o forçou a descer até o chão e cravou os dentes com força suficiente para ferir, mas não para matar. Ainda. Com mais um pouco de pressão, o ar não chegaria mais aos pulmões de Nic.

Nic se debateu um pouco, em uma tentativa desesperada de se livrar do oponente. Em pouco tempo, porém, a perda de sangue e o cansaço cobraram seu preço. Ele gemeu em sinal de rendição, e Elijah o largou.

O rosnado grave de Elijah reverberou pela caverna. Ele se virou e encarou os licanos ao redor em desafio, e observou enquanto todos baixavam os olhos um a um.

Satisfeito por ter demarcado por ora seu território, ele se voltou para a entrada do grande salão, concentrando-se mais uma vez no aroma doce e frutado que estava fazendo seu pau endurecer.

"Me arrumem uma roupa", ele disse para ninguém em especial, esperando apenas que sua ordem fosse cumprida. "E uma toalha úmida."

Elijah mal tinha terminado de proferir a última frase quando ela apareceu, exatamente da forma como ele se lembrava dela — botas pretas de salto alto, macacão de lycra revelando cada uma de suas curvas, cabelos ruivos até a cintura e presas brancas e peroladas na boca. Parecia um sonho erótico sadomasoquista que se tornava realidade, e a vontade que ele sentia de fodê-la só era comparável ao desejo de matá-la. Aquele arroubo de luxúria era algo tão instintivo como indesejado — uma fúria maculada pela tristeza e pela dor. Ela havia matado seu melhor amigo de forma lenta e cruel enquanto tentava chegar até ele, acreditando equivocadamente que Micah era o assassino de sua amiga Nikki, nora de Syre e também vampira.

Cuidado com o que deseja, vadia.

Arreganhando os dentes no que pareceu ser um sorriso, ele disse o nome dela. "Vashti."

Ela estreitou os olhos ao sentir o cheiro dele. "Você."

Merda.

Vashti encarou o licano nu e ensanguentado do outro lado do salão e cerrou os punhos. O fato de não estar com suas armas, que até então provocavam incômodo, naquele momento se tornou motivo para despertar sua fúria.

Aquele era o assassino de sua amiga, e estava na hora de pagar por isso.

Ela foi chegando mais perto, batendo com a bota no chão irregular de pedra. Eles viviam em uma caverna, e brigavam entre si como animais. Malditos cães. Ela tentou durante dias fazer com que Syre desistisse daquela ideia absurda, mas o líder dos vampiros estava decidido. Ele acreditava na velha ideia de que "o inimigo do meu inimigo é meu amigo". E ela até concordaria com isso, caso os inimigos em questão não fossem os licanos.

"Eu tenho um nome: Elijah", ele informou, observando-a com o olhar concentrado de um caçador que examina sua presa.

Um outro macho se aproximou com uma toalha em uma das mãos e roupas limpas na outra. Elijah pegou a toalha e começou a limpar o sangue da boca e da mandíbula, sem tirar os olhos dela nem mesmo quando começou a esfregar o peito e os braços.

Não sem alguma relutância, Vash sentiu sua atenção se voltar para o atrito da toalha branca contra a pele dourada do licano. Ele era coberto dos pés à cabeça por uma musculatura rígida e bem definida, o que inevitavelmente despertava sua admiração. Não havia um grama de gordura em seu corpo, e sua virilidade era inquestionável, podia ser comprovada inclusive sem que fosse preciso mostrar seu pau avantajado e seus testículos volumosos. O cheiro dele estava no ar, uma fragrância terrosa mas agradável de cravo e tangerina carregada de feromônios masculinos.

Ele entregou a toalha para o licano a seu lado e depois alisou seu pau enorme da base até a cabeça.

"Está gostando do que vê?", ele provocou em um tom de voz grave e retumbante que motivou um tremendo impacto dentro dela. O sangue jorrava de um corte profundo na panturrilha dele, espalhando um aroma tão delicioso que deixou Vash com água na boca.

Ela ergueu o olhar do ventre de Elijah com uma lentidão das mais insolentes. "Só estou surpresa por você não ter cheiro de cachorro molhado."

As narinas dele se alargaram. "Você tem cheiro de cordeiro oferecido em sacrifício."

Vash riu baixinho. "Estou aqui para ajudar, licano. Enquanto estiverem debaixo da terra, vocês estão seguros, mas vão precisar sair da toca em algum momento, e assim que aparecerem ao ar livre os anjos vão acabar com a sua raça. Como vocês já estão brigando entre si, não têm nenhuma chance contra os Sentinelas de Adrian sem aliados."

Os licanos ao redor rosnaram de desgosto. Ela ergueu a voz para se dirigir a todos. "Eu concordo plenamente. A última coisa que eu queria era ter que me aliar a vocês."

"Mas mesmo assim veio até aqui, a mando de Syre", disse Elijah, vestindo um par de calças jeans. "Veio para a boca do lobo sob suas ordens."

Ela o encarou de novo e ergueu o queixo. "Nós somos mais civilizados que vocês, licano. Temos respeito pela hierarquia."

Ele se aproximou dela com passos fluidos e predatórios, ainda com os pés descalços. A musculatura rígida de seu abdome se flexionava à medida que ele caminhava, atraindo o olhar de Vash. Ao sentir o cheiro dele com mais nitidez, um calor se espalhou pelo corpo dela.

Caralho. Ela estava sem sexo fazia tempo demais. Até mesmo um licano era capaz de deixá-la com tesão.

Ela cerrou os punhos quando ele parou à sua frente. Perto demais. Invadindo seu espaço pessoal. Tentando intimidá-la com seu corpo forte e seus instintos aguçados. Ela viu o desejo nos olhos dele, e sentiu o cheiro dos feromônios que preenchiam o ar a seu redor. Ele a odiava, mas ainda assim a desejava.

Apesar de ser alta e estar usando salto alto, Vash teve que olhar para cima para encará-lo. "Se não quer conversa comigo, é só me mandar embora. Só vim aqui para apresentar uma proposta, que aliás eu espero que você não aceite."

"Ah, mas eu não recusaria uma proposta dessas antes de conhecer os detalhes de jeito nenhum." Ele apanhou uma mecha dos cabelos dela entre os dedos e acariciou. "E quero estar olhando para a sua cara quando você descobrir que não fui eu que matei sua amiga."

Ela prendeu a respiração e tentou convencer a si mesma que era por causa da surpresa, e não porque as costas da mão dele estavam roçando em seu peito. "Meu olfato é tão bom quanto o seu."

Ele entortou um dos cantos da boca em um sorriso perverso. "Você examinou a amostra do meu sangue para ver se havia anticoagulantes?"

Ela deu um passo atrás, alarmada. Vash sabia que os Sentinelas mantinham amostras de sangue de todos os licanos em seus depósitos criogênicos, mas sequer considerou a hipótese de que esse material pudesse ser manipulado para propósitos escusos. "Que história é essa?"

"Foi uma armação. Por outro lado, eu sei que foi *você mesma* que matou meu amigo. Espero que se lembre dele, porque ao matá-lo você assinou sua sentença de morte. O ruivo que você pregou em uma árvore e deixou para morrer lentamente?"

Ele deu uma volta em torno dela. Dezenas de pares de olhos cor de esmeralda a encaravam com uma hostilidade indisfarçável. Sua chance de sair viva daquela caverna estava caindo para próximo de zero.

"Se me matarem agora", ela avisou, "além dos Sentinelas vocês terão também os vampiros em seu encalço."

"Isso é um problema", ele murmurou, passando por trás dela.

"Mas existe uma coisa que eu quero mais do que preservar minha própria vida. Se você me ajudar a conseguir isso, deixo que me mate de uma forma que pareça legítima defesa."

Elijah parou na frente dela. "Sou todo ouvidos."

"Tire os outros daqui."

Com um aceno de braço, ele ordenou que todos saíssem.

"Alfa...?", questionou Stephan.

“Não se preocupe”, disse Elijah. “Eu me viro com ela.”

Ela soltou um risinho de deboche. “Você pode tentar, cachorrinho. Mas não se esqueça de que eu fui criada muito antes de você pensar em existir.”

Em menos de um minuto, o local estava vazio.

“Estou ouvindo”, ele falou, com os olhos perigosamente faiscantes.

“Um dos seus cães matou meu companheiro.” Um sentimento familiar de dor e de raiva começou a corroer suas veias como ácido. “Se você acha que o que aconteceu com seu amigo foi ruim, saiba que não foi nada perto do que fizeram com Charron. Se me ajudar a encontrar os responsáveis pela morte dele, eu sou toda sua.”

Ele estreitou os olhos. “E como você pretende encontrar esses licanos? O que exatamente você quer saber?”

“Eu tenho a data, o horário e o local. Só preciso saber quem estava na área. A partir daí, eu me viro sozinha.”

“Isso é que é ser vingativa.”

Ela se virou para encará-lo. “Tanto quanto você.”

“Você teria que ficar ao meu lado o tempo todo”, ele argumentou. “Só poderia interrogar outros licanos na minha presença. E isso pode demorar dias, semanas até.”

O cheiro do tesão que ele sentia ficava mais forte a cada minuto e, para sua infelicidade, ela não estava imune a seus efeitos.

“Eu já estou nessa busca há anos. Algumas semanas a mais não me matariam.”

“Não você, mas eu sim. No fim das contas. E, nesse meio-tempo, eu não preciso gostar de você...”, ele disse baixinho, “para querer trepar com você.”

Ela engoliu em seco, amaldiçoando mentalmente seu pulso acelerado, que com certeza ele era capaz de ouvir. “Claro que não. Você é um animal.”

Ele caminhou em torno dela mais uma vez, inclinou-se para a frente e respirou fundo. “E como você me explica isso?”

Ela não tinha o que dizer, e exatamente por isso estava tão abalada. Em todos os anos que se sucederam à morte de Char, o desejo sexual nunca a tinha incomodado seriamente. Mas ela não iria confessar que ele estava mexendo com ela de uma forma como apenas seu amante havia sido capaz. Principalmente por saber que sua reação tinha muito mais a ver com o fato de estar sozinha e desarmada em uma caverna cheia de criaturas odiosas do que com o apelo sedutor que vinha de Elijah. Com suas presas e garras, ela podia derrubar no máximo meia dúzia de licanos — com o par de katanas de Charron, era capaz de combater uma legião. Somente Char possuía uma habilidade comparável à dela com aquelas espadas. "Não preciso explicar nada. Sou uma mulher heterossexual e você é um exibicionista que gosta de ficar mostrando seu pau grande. Foi uma reação perfeitamente natural."

Ele arreganhou os dentes no que pareceu ter sido um sorriso, e cruzou os braços. "O que Syre quer em troca da proteção contra os Sentinelas?"

Vash o observou, reparando em sua postura confiante, com as pernas afastadas e o queixo levantado. Ele tinha uma presença notável e marcante, impassível. O ódio que ele sentia era uma força tangível, assim como o desejo por ela, que reluzia em seus olhos cor de esmeralda obscurecidos pela dor. Uma coisa era certa: Elijah era leal. Se fosse confiável na mesma medida, seria uma bela aquisição para a comunidade dos vampiros. E também para ela.

Ela cruzou os braços, assim como ele, e observou quando os olhos de Elijah pousaram sobre seu decote e ele cerrou os dentes. Aquele desejo parecia contrariá-lo, o que fez com que ela sorrisse por dentro. Vash vinha usando sua sensualidade como arma desde a época do assassinato de Charron, e tinha com ela a mesma habilidade que demonstrava com a espada.

E era isso que Elijah estava prestes a descobrir em primeira mão.

"Você vai me matar", Vash disse baixinho, "em retaliação à morte do seu amigo, que faleceu porque eu estava em busca de vingança pela morte de Nikki. Não... Antes de rebater, me deixe terminar. Eu não vou recuar no nosso acordo. Quando tudo estiver esclarecido, a minha morte vai ser um favor que você me faz. Eu posso até pôr o meu próprio pescoço na forca para facilitar seu trabalho."

O licano estreitou os olhos. "Aonde você quer chegar com isso?"

“Não estou pedindo solidariedade nem compaixão. Só quero que você entenda que a minha motivação é a mesma que a sua. Vim até aqui propor essa aliança de peito aberto. Se você fizer o mesmo, nós dois vamos conseguir o que queremos.”

“Ah, vamos?” O tom de voz dele era baixo e íntimo, disfarçando a raiva que fazia sua boca se contorcer.

“Desde que você não queira o impossível”, ela acrescentou secamente.

“Você não respondeu à minha pergunta, Vashti. O que Syre espera ganhar com tudo isso?”

“É uma espécie de acordo mútuo.” Ela ergueu a cabeça, passou os dedos pelos cabelos e percebeu que ele acompanhou cada movimento com interesse. Sua intenção era apenas provocá-lo, mas ela acabou se sentindo abalada pela intensidade do olhar de Elijah. O desejo de um homem tão viril e animalesco era sedutor por si só. “Os dois lados precisam produzir cadáveres.”

“Eu não vou envolver os licanos em uma guerra com os Sentinelas.”

“Ah, não? Ainda não se livraram totalmente da coleira?”

“Ainda sabemos que os Sentinelas têm um objetivo bem claro”, ele rebateu. “Eles precisam manter os vampiros nômades sob controle. É por isso que eu acho que Adrian não perdeu as asas como você, apesar de ter cometido o mesmo deslize. Ele é o peso que equilibra a balança, e por isso não pode ser descartado.”

Ela cerrou os dentes, tentando deixar de lado o ódio que sentia do líder dos Sentinelas, pois sabia que precisava manter a cabeça fria. “E vocês também precisam de dinheiro, agora que estão desempregados. A coletividade dos vampiros é bem próspera.”

“Você quer que eu me sinta em desvantagem. Que eu fique grato por sua oferta.” Ele descruzou os braços e passou uma das mãos sobre o peito, acariciando sua belíssima musculatura. Exibindo seu corpo de dar água na boca. Entrando no jogo dela. Falando com uma voz suave como veludo, que percorria o corpo dela como uma língua. “Eu não quero mais subordinar as matilhas a ninguém. Ou somos iguais, ou não somos nada.”

Ela abriu um sorriso. "Vocês não vão viver para ver a chegada do inverno."

"Eu sei o que temos a oferecer. E é com isso que estou disposto a colaborar. Posso não ter mais nada, mas isso não significa que eu esteja desesperado. É pegar ou largar."

Ela começou a dar meia-volta, escondendo seu sorriso. "Amanhã eu volto com a resposta. Esteja pronto."

"Vashti."

Ela o olhou por cima dos ombros, e chegou à conclusão de que ele sabia o que estava fazendo. Encurralado entre dois oponentes poderosos como Adrian e Syre, ela tinha certeza de que ele assumiria na batalha o lado que achasse melhor. A submissão que ela tinha se acostumado a enxergar — e desprezar — nos licanos não se fazia presente no caso do Alfa. Ainda assim, Adrian o manteve sob seu serviço, um claro desvio de padrão em sua prática de segregar os machos alfa. E não apenas isso: o líder dos Sentinelas tinha confiado a Elijah a segurança de Lindsay. "Sim?"

"Não brinque comigo." A voz dele trazia um tom de ameaça que fez a pele dela se arrepiar. "Eu já admiti que quero você, mas não vou me deixar levar só pelo meu pau. Quando um não quer, dois não brincam. Sei que você me quer também, e não preciso da sua confirmação. O cheiro dela está no ar."

"Eu detesto licanos", ela falou sem se alterar. Era um fato puro e simples, que precisava ser afirmado. "Só de pensar em trepar com um eu já fico enojada."

"Mas quando pensa em transar *comigo*, você fica molhadinha." O tom dele transmitia a mesma frieza que o dela. "Vamos deixar isso bem claro desde o início. Nós podemos nos odiar à vontade, mas isso não muda o fato de que sentimos tesão um pelo outro. Nada é capaz de mudar isso."

Ela sinceramente achou graça daquela afirmação. "É bom saber."

Ele baixou os olhos para o pescoço dela. "E, quem quer que esteja chupando o seu pescoço, vai ter que parar. Os únicos lábios que vão tocar a sua pele daqui para a frente são os meus. Eu sou ciumento."

Ela ergueu involuntariamente a mão até a garganta, a marca de presas estava cicatrizando com uma lentidão nada habitual. Lindsay a havia mordido depois da tentativa frustrada de Syre de recuperar a alma de Shadoe, sua filha. Vash se lembrou da ocasião em que encontrou Elijah com Lindsay, arriscando a própria vida para proteger a companheira de Adrian. "Não que isso seja da sua conta, mas não vai acontecer de novo."

Ela começou a longa caminhada de volta à entrada da caverna, sentindo-se abalada como... nunca. Elijah iria ajudá-la a encontrar os licanos que ela tanto procurava. Por mais que a associação entre os dois fosse instável, ela tinha certeza de que ele cumpriria sua parte, nem que fosse apenas para obter sua vingança no final. Isso deveria fazer com que ela se sentisse bem por trabalhar ao lado dele. Mas, em vez disso, ela estava tensa.

Vash estava dependendo da lealdade de uma criatura de uma linhagem conhecida por seu caráter traiçoeiro. Os licanos também tinham sido Vigias, só que, em vez de aceitar seu castigo como os demais e se tornarem vampiros, eles imploraram pelo perdão dos Sentinelas. Adrian o concedeu em troca de sua servidão na forma de licanos. Com o sangue dos lobisomens injetados em suas veias, eles perderam as asas, mas mantiveram a alma... e a mortalidade. Eles viviam, procriavam e morriam como escravos, e fizeram por merecer tudo isso.

Mas agora eles tinham traído os Sentinelas — assim como haviam feito com os Caídos — e estavam mudando de lado de novo.

Ela não daria aos cães a oportunidade de trair novamente os Caídos. Acontecesse o que acontecesse, Vash faria de tudo para garantir que, caso alguém recebesse uma punhalada pelas costas, esse alguém seria um licano.

3

"Eu tenho o direito de matá-la", gritou Rachel, com os olhos cintilando de fúria. "Você não pode tirar isso de mim."

Elijah permaneceu impassível diante de seu computador. Seus olhos se mantinham fixos nos desenhos exibidos na tela, seguindo as linhas vermelhas que mostravam onde passariam os cabos elétricos que distribuiriam pelas cavernas a energia produzida nos geradores. "Mas posso adiar esse momento, e é isso que vou fazer."

Eles não eram os únicos a querer tirar a vida do corpo sedutor de Vashti. Lindsay também tinha perdido um ente querido por causa dos vampiros.

"Micah teria feito isso para vingar sua morte, El. Não se esqueça de que ele morreu para proteger você. Vashti o matou enquanto tentava descobrir o seu paradeiro."

Para vingar a morte de Nikki, porque o sangue dele havia sido plantado na cena do crime. Não importava que ele não tivesse participado do desaparecimento dela. Micah havia morrido por causa de Elijah. "Micah não precisaria levar em conta o destino de milhares de licanos nesse caso, Rach. Nós precisamos dessa aliança para sobreviver."

"Seu desgraçado. O que você quer é ela."

Ele virou a cabeça para encará-la.

"Não tente negar." Ela manteve o olhar fixo sobre ele. "Está na cara."

"Ele ainda vai me matar no fim das contas", interveio Vashti.

Todos os olhos se voltaram para a entrada arqueada da caverna e para a vampira que se aproximava. Ao contrário do dia anterior, Vash apareceu armada até os dentes. As bainhas com as katanas se cruzavam na altura dos seios opulentos, e duas facas eram visíveis na altura das coxas. Ela carregava também uma bolsa de lona azul-marinho nas mãos. Com passadas longas e seguras, ia abrindo caminho com o queixo erguido. Como sempre, estava vestida de preto dos pés à cabeça, dessa vez com uma calça de malha justa e um colete de couro com botões de metal na frente. Os cabelos estavam presos no alto da cabeça com o que Elijah suspeitou serem pequenas adagas.

Como da primeira vez em que se encontraram, em um estacionamento em Anaheim, Elijah sentiu uma reação visceral ao pousar os olhos nela, que o fez prender a respiração e ter que fazer força para não exalar um longo suspiro.

Rachel grunhiu e olhou para o outro lado. Ele foi obrigado a acatar aquela manifestação de desprezo, ciente de como se sentiria se estivesse no lugar dela.

"Vashti." Ele se endireitou. "Essa é Rachel, companheira do licano que você matou. Rach, essa é Vash, tenente de Syre."

Ele observou as duas mulheres com atenção, sem ignorar o fato de que devia ser dificílimo para Rachel encarar a mulher que matou seu companheiro e ser impedida de obter sua vingança justamente pelo homem responsável pelo assassinato. Elijah ergueu a mão ao peito, massageando-o em uma tentativa de aplacar a dor que o oprimia.

Vash largou a bolsa no chão, na frente da mesa dele. "Sei que não adianta nada dizer que entendo como você se sente, Rachel, mas é a mais pura verdade. O meu companheiro foi morto por licanos."

"Ele foi mortalmente ferido e deixado sozinho e à míngua por vários dias?", questionou Rachel, amargurada.

"Não. Ele foi eviscerado, e suas entranhas foram devoradas diante de seus olhos enquanto ainda estava vivo."

"Mentira", rebateu Rachel. "Não é assim que os licanos tratam suas caças."

"Até parece."

Elijah apontou para seu Beta, que trabalhava em um laptop na mesa ao lado. "Aquele é Stephan."

"Olá, Beta", ela o saudou e sorriu ao notar que ele ergueu as sobrancelhas. "Nós dois temos isso em comum."

Stephan balançou a cabeça afirmativamente.

Vashti chutou uma pedra solta no chão. "Gostei do que você fez aqui, El. Uma noção de ambiente rústico levada ao extremo."

Ele se limitou a responder àquela demonstração de sarcasmo com um único olhar.

Ela se aproximou e contorceu a boca ao ver os desenhos abertos na tela. "Legal. Mas pode esquecer tudo isso. Nós não vamos ficar aqui."

Ele afundou na cadeira e se inclinou para trás, esperando que ela concluísse o que estava dizendo.

Ela sentou em cima da mesa. "Eu não vou mandar meu pessoal para ficar vigiando uma caverna. Eles não estão nem um pouco satisfeitos com esta aliança, e isso só pioraria as coisas. Além disso, a energia dos geradores não vai ser suficiente para o que precisamos, e nunca vamos conseguir sinal de internet e de celular em um buraco no chão. Como você sabe, a comunicação é fundamental para manter as matilhas unidas. E eu também preciso desses recursos para manter meus homens sob controle e cumprir o meu planejamento."

"Que seria?" Elijah se virou para Rachel e atenuou seu tom de voz. "Avise aos demais que vamos partir em breve."

"Assim do nada?", Rachel perguntou, arregalando os olhos. "É assim que as coisas funcionam agora, ela estala os dedos e você obedece?"

"Encare as coisas como quiser." Por mais que o desagradasse com o que a vinha fazendo suportar, Elijah não estava disposto a se explicar para ninguém. Caso eles quisessem sobreviver, sua palavra teria que ser a lei. "Você pode ficar aqui se preferir. Diga aos outros que eles podem ficar ou vir comigo... a escolha é deles."

Stephan se levantou quando Rachel saiu pisando duro. "Eu cuido disso, Alfa."

"Mais tarde. Agora eu preciso da sua ajuda aqui."

Vash sacudiu a cabeça. "Espero que você consiga conter esse tipo de dramalhão. Já temos muito com que nos preocupar."

"Por exemplo? A hora de você revelar o que pretende é agora."

Ela hesitou por um instante, e seus lábios se separaram enquanto ela pensava no que dizer. "Nós temos um problema."

"Disso eu já sei. Caso contrário, você não estaria aqui."

"Preciso fazer algumas averiguações, e para isso preciso de pessoal disponível para trabalhar durante o dia. Nós não temos Caídos em número suficiente para suprir nossas necessidades." Ela começou a batucar com os dedos na mesa, revelando sua inquietação. "Eu posso dar cobertura para a fuga dos licanos de outras matilhas. Em troca, você disponibiliza licanos para ajudar na minha pesquisa."

Elijah esperou que ela se explicasse melhor. Enquanto isso, aproveitou para observá-la, reparando na textura delicada de sua pele clara, e em seus cílios grossos e escuros. Os olhos cor de âmbar, uma característica de todos os vampiros, formavam um forte contraste com o tom marcante de seus cabelos. Ele imaginou como devia ser a aparência dela quando tinha os olhos azuis flamejantes de um serafim. Devia parecer uma boneca de porcelana, Elijah pensou. Havia um aspecto de fragilidade elegante nela que à primeira vista não se notava, e à distância desaparecia totalmente. Suas vestimentas pretas de lycra e de couro só colaboravam ainda mais para que sua feminilidade não viesse à tona.

Com um suspiro, ela capitulou e tirou um pen drive do decote. "Isto aqui vai explicar tudo muito melhor do que eu conseguiria."

Stephan apanhou o laptop na outra mesa e o colocou diante de Elijah, que plugou o dispositivo. Instantes depois, um vídeo começou a ser exibido. Tratava-se claramente de imagens do sistema de vigilância de uma cela com um vampiro com olhos injetados, soltando espuma pela boca e batendo com a cabeça em uma parede de tijolos até a morte.

"Eu já vi um vampiro infectado antes", comentou Elijah.

"Ah, já?" Vash se levantou e o encarou, estreitando os olhos. "Quando? E onde?"

Ele se inclinou para trás de novo. "Na primeira vez em que estive em Phoenix, mais ou menos um mês atrás. Acho que era a amiga que você estava querendo vingar... Uma morena miudinha, pilota de helicóptero."

"Nikki." Vash respirou fundo. "Pensei que Adrian estivesse mentindo quando disse que ela estava perturbada."

"Nós invadimos um ninho em Hurricane, em Utah, dois dias depois. Metade do pessoal estava espumando pela boca desse jeito."

Ela se agachou, tirou um iPad de dentro da bolsa e começou

a digitar enquanto falava. “Nós não sabemos que porra de doença é essa, nem como surgiu, nem por que está se espalhando tão depressa. É para descobrir isso que precisamos de vocês... Temos que nos dedicar a essa tarefa dia e noite. Podemos estabelecer turnos de trabalho.”

“Talvez seja uma espécie de controle de população.”

Ela desviou os olhos da tela. “Não me venha com brincadeiras. Eu não sei brincar.”

“Algum dos Caídos foi infectado?”

“Não.” Ela pôs o tablet diante dele, revelando um mapa da América do Norte com diversos pontos coloridos. “Os pontos vermelhos são os primeiros casos relatados. Como você pode ver, a aparição de Nikki em Phoenix foi parte dessa primeira onda. Os pontos alaranjados são a segunda. E os amarelos, a mais recente.”

Stephan olhou mais de perto. “Eles estão por toda parte.”

“Exatamente. O mais lógico seria um surto se espalhar a partir de um determinado ponto, mas parece que existiram quatro, como se tivessem sido deliberadamente escolhidos para a infestação se espalhar mais depressa. Nós sabemos que os Sentinelas invadiram um ninho nos arredores de Seattle, onde vocês podem ver que surgiram alguns dos primeiros casos.”

Elijah sacudiu a cabeça, já adivinhando o rumo que a conversa tomaria. “Adrian não tem nada a ver com isso.”

“Tem certeza?”

“Tenho. Isso não quer dizer que um Sentinela não possa estar por trás de tudo, mas Adrian com certeza não está.”

“Merda.” Vash começou a caminhar de um lado para o outro, chamando a atenção dele para suas passadas ágeis. “E os Sentinelas não agiriam sem ordens dele, e nesse caso nos resta o quê? Demônios? Um licano?”

“Não exclua os Sentinelas.”

Ela parou e olhou bem para ele. “Por que não?”

“Uma mulher foi raptada da Morada dos Anjos sob a vigilância dos Sentinelas.”

“Eles permitiram que isso acontecesse.”

"Não com essa mulher. Adrian daria início ao Juízo Final antes de deixar que isso acontecesse."

"Ah, é? Humm..." Ela se virou sobre os saltos e saiu da caverna.

Elijah foi atrás dela, na trilha de seu aroma de cereja. Ela estava tonta quando emergiu à superfície, e teve que respirar fundo para clarear seus pensamentos perturbados pela luxúria. Ele observou quando ela sacou o iPhone de uma das alças do sutiã vermelho e discou para um número armazenado na memória. Um instante depois, o rosto do líder dos vampiros apareceu na tela, atendendo à chamada de vídeo.

"Vashti." Syre saudou sua tenente com um tom de voz afetuoso. "Você está bem?"

Elijah interveio. "Você não se preocupou com o bem-estar dela quando a mandou até aqui sozinha e desarmada."

"Me deixe vê-lo", disse Syre, e Vash virou o telefone para Elijah. "Ah. O licano Alfa. Você é justamente como eu imaginava."

"E eu imaginava que você fosse mais inteligente." Elijah cruzou os braços.

"Só um idiota atacaria a minha tenente. Eu mataria você e usaria a sua pele como tapete na frente da minha lareira."

"A minha pele vale tanto quanto a dela?" Elijah olhou para Vash, que parecia irritada por ele se preocupar com o respeito — ou a falta de respeito — demonstrada por seu comandante.

"Se você fosse capaz de derrotá-la, sim. Ela é uma guerreira formidável, com ou sem armas."

Vash virou o telefone de volta para o próprio rosto. "Como foi que você conseguiu capturar Lindsay?"

Os pelos do braço e da nuca de Elijah se arrepiaram de raiva. Ele prensou a vampira contra a árvore mais próxima antes mesmo que ela se desse conta do que a havia atingido.

Vash se viu comprimida contra o tronco de uma árvore por um licano furioso de quase dois metros de altura e que pesava mais de cem quilos. Sua raiva por ter sido pega desprevenida só piorou quando ela se deu conta de que a reação de Elijah era a demonstração de um sentimento de possessividade em relação a Lindsay Gibson.

"Que é isso?", ela provocou, segurando a mão com a qual ele envolvia sua garganta. A coxa musculosa do licano estava pressionando a pélvis de Vash, fazendo o coração dela disparar. "Está gamadinho pela mulher de Adrian?"

"Onde ela está?"

Ela abriu um sorriso zombeteiro. "E por que isso interessa a você?"

"Lindsay salvou minha vida."

"Eu sabia que tinha um bom motivo para odiar aquela vagabunda."

"*Ela está com Adrian.*"

Elijah se voltou para o iPhone largado no chão, que ostentava o rosto impassível de Syre. "Ela está bem?"

"Se ainda estiver viva, está mais saudável do que nunca."

Elijah sentiu um frio na espinha. Ele olhou para Vashti, cujos olhos faiscavam de raiva. Àquela altura um mortal já teria perdido a consciência por ficar tanto tempo sem ar, mas a vampira ficou apenas um pouco mais corada, e por essa razão ainda mais linda. "O que vocês fizeram com ela?"

"Nada que ela não quisesse", respondeu Syre. "Solte a minha tenente, Alfa, antes que as coisas fiquem ainda mais feias para o seu lado."

"Ainda não." E talvez nunca, caso suas suspeitas se concretizassem. Ele sentiu um frio na barriga ao pensar naquela possibilidade.

Vash sorriu. "Como vocês conseguiram capturá-la, Syre?"

"Ela foi trazida por um agrupamento de vampiros que vive em Anaheim."

Elijah soltou um grunhido. "Existe um ninho de vampiros no Sul da Califórnia?"

"Nós preferimos o termo agrupamento, ou facção", corrigiu ela, "dependendo do tamanho." Ela dirigiu seu olhar para Syre. "Eles disseram como conseguiram tirá-la da Morada dos Anjos?"

Não era segredo para ninguém que a Morada dos Anjos, a propriedade de Adrian nas colinas de Anaheim, era uma fortaleza. Localizada no alto da cidade, era protegida por Sentinelas e licanos — antes da rebelião —, além de todos os equipamentos de vigilância eletrônica que o dinheiro era capaz de comprar.

"Não." O tom de voz de Syre deixava claro que ele estava pensativo. "Imaginei que eles a tivessem pegado no caminho para a Morada."

"Precisamos falar com esse agrupamento. Eles têm um contato com os alados que não estão compartilhando conosco."

"Eu cuido disso. E mandei analisar o sangue do Alfa encontrado no cenário do rapto de Nikki à procura de anticoagulantes, conforme você pediu. Assim que tiver o resultado, eu passo para você." Fez-se o silêncio. "Está tudo bem aí, Vashti?"

Ela soltou os punhos de Elijah, liberando suas mãos para percorrerem os braços dele como uma amante faria. Provocando-o. Deixando-o eletrizado. "Claro que sim."

"Mantenha contato, para eu poder ter certeza."

"Sim, Syre."

Sim, Syre. Elijah estava determinado a fazê-la ceder a ele daquela mesma maneira... quando estivesse debaixo dele, recebendo as estocadas violentas e profundas de seu pau faminto. O fato de ele querer fodê-la e matá-la ao mesmo tempo estava bagunçando sua cabeça. A dor de Rachel oprimia seu peito... Lindsay havia perdido a mãe em um ataque enfurecido de Vashti... e ainda assim ele desejava aquela vampira com uma ferocidade avassaladora.

Ela apertou os ombros dele com uma força vampiresca, que por acaso era justamente o tipo de pressão que Elijah gostava de sentir sobre seu corpo. As mãos dela percorreram as costas dele de ambos os lados, acariciando-o enquanto desciam para agarrar os glúteos do licano. Ela pôs a língua para fora e passou pelo lábio superior. "Você sabe que Lindsay nunca vai ser sua. Ela é louca por Adrian. Abriu mão da própria vida por ele."

Ele tentou resistir ao clima de sedução com o qual ela tentava enredá-lo. "O que *exatamente* vocês fizeram com ela, Vashti?"

"Você foi um cão de guarda dos Sentinelas durante muitos anos. Aposto que nunca viu Adrian olhar mais de uma vez para uma mulher. Por que com ela é diferente? O que ela tem de especial?"

"Diga logo o que tem a dizer."

"Ela é... quer dizer, *era*... a filha de Syre."

Elijah ficou paralisado, e relaxou os dedos com o susto. "Impossível."

Vampiro nenhum podia procriar — criaturas desalmadas não eram capazes de gerar um ser com uma alma. Por outro lado... Lindsay tinha demonstrado traços excepcionais desde o início.

"Ela nasceu com outra alma dentro de si. A alma reencarnada da filha nefil de Syre, gerada antes da queda dele."

"O que vocês fizeram, Vashti?", ele repetiu.

"O que era preciso para que uma alma se submetesse à outra."

O ódio se espalhou pelas veias dele como fogo, fazendo com que suas mãos se apertassem contra a garganta dela. Naquele momento, faltou muito pouco para que a cabeça de Vash fosse separada do corpo.

"Vocês a Transformaram?", ele rosnou, fazendo força para resistir à tentação de mudar de forma. "Vocês mataram o espírito dela? Lindsay está morta?"

Pela primeira vez, o medo se fez presente nos olhos dela, e seus lábios empalideceram. As garras de Elijah perfuraram a pele pálida de Vash, fazendo o sangue escorrer pela curvatura de seus seios como uma cascata escarlate. "Ela continua sendo Lindsay. Foi a alma de Shadoe que se perdeu quando Syre concluiu a Transformação. E ele não estava mentindo... Era o que Lindsay queria."

"Mentira. Ela odiava vampiros, e por sua causa. Porque você matou a mãe dela. Lindsay jamais se tornaria uma vampira por livre e espontânea vontade."

Vash franziu a testa. "Que porra de história é essa?"

"Duas décadas atrás. Uma loirinha de cinco anos de idade estava fazendo um piquenique com a mãe em um parque... até aparecer um bando de vampiros em busca de um lanchinho."

"Não." O mal-entendido logo ficou claro. Ela o olhou nos olhos. "Não faz meu estilo. E, se não acredita em mim, pode perguntar para Lindsay. Ela deve ter percebido isso quando cravou os dentes no meu pescoço e entrou em contato com a memória do meu sangue. Ela me imobilizou no chão com uma estaca ao alcance da mão, poderia ter me matado, mas me soltou."

Sem saber ao certo em que acreditar, ele se afastou do corpo macio e flexível dela, condenando a si mesmo por querer acreditar que a vampira estava dizendo a verdade. "Preciso saber se ela está bem. Trate de descobrir."

"Você tem coisas mais importantes com que se preocupar."

Ele a manteve imobilizada contra a árvore com um olhar furioso. "*Agora*, Vashti."

Soltando um palavrão baixinho, ela pegou o telefone do chão e começou a vasculhar seus contatos. Instantes depois, ouviu-se a saudação de uma das telefonistas da Mitchell Aeronáutica. "Adrian Mitchell, por favor. Diga que é Vashti quem está ligando."

Elijah cruzou os braços enquanto esperava, com a cabeça girando a mil por ter descoberto que os vampiros tiveram Lindsay nas mãos, mas no fim a devolveram a Adrian, deixando de explorar o único ponto fraco do líder dos Sentinelas.

"*Vash*." A voz profunda e sonora de Adrian vinha do alto-falante do telefone, sem a imagem na tela a acompanhá-la.

"Como vai o amor da sua vida, Adrian?" Vash abriu um sorriso amargo. "Ela sobreviveu?"

"Ela está melhor do que nunca. Como está o seu pescoço?"

"Ainda equilibrando a minha cabeça em cima dos ombros."

"Os nômades hostis ainda estão aprontando por aí, Vashti." Apesar das palavras duras, a voz do líder dos Sentinelas continuava tranquila e contida. "Nós vamos atrás deles."

Todos os Sentinelas demonstravam um controle impecável sobre suas emoções, mas Elijah tinha ouvido Adrian falar com Lindsay, e sabia bem o quanto aquele anjo era capaz de se alterar.

Vash deu uma risadinha. "Nem todos os da sua linhagem estão andando na linha, pelo que ouvi dizer."

"Fiquem longe de Lindsay. Ela não tem mais nada a ver com você nem com Syre."

Vash olhou para Elijah. "Lindsay é uma vampira, Adrian. Isso significa que ela é uma de nós."

"Lindsay é minha companheira. Isso significa que ela é minha. Caso se esqueça disso, o seu pescoço vai perder sua função logo, logo."

"Eu adoro quando você fica agressivo", ela provocou. "Mande lembranças para Lindsay." Ela encerrou a ligação e discou outro número. A tela se acendeu e o rosto de Syre apareceu. "Está tudo bem com Lindsay. E Adrian me ameaçou por causa dela, o que significa que ela continua sob a proteção dele. Ela está em ótimas mãos, Samyaza."

Elijah chegou mais perto, e observou a expressão perturbada do líder dos vampiros. Um longo instante depois, Syre soltou um suspiro. "*Todah*, Vashti."

"Por nada." A expressão e o tom de voz dela se atenuaram. "Eu já devia ter ido atrás dessa informação muito antes. Me desculpe por não ter pensado nisso."

Uma espécie de compreensão mútua e silenciosa se estabeleceu entre os vampiros, uma demonstração de confiança que só era possível depois de muito tempo de um relacionamento sincero, motivado por um sentimento genuíno. Elijah percebeu que suas impressões a respeito de Vashti estavam mudando — em especial sua forma de enxergar a pessoa que existia por trás de sua aparência implacável. Ela encerrou a ligação, virou-se para ele e ergueu uma sobrancelha. "Está mais calmo?"

"Por ora sim." Ele só ficaria tranquilo de verdade quando falasse com Lindsay, mas pelo menos sabia que ela estava com Adrian, que daria a própria vida para protegê-la. Ele podia ter certeza de que sua amiga estava em segurança.

"Com menos vontade de me matar?"

Ele abriu um sorriso irônico.

Ela encolheu os ombros. "Não custa perguntar."

4

Quando abriu o porta-malas de seu Jeep, Vash sentiu o olhar de Elijah percorrendo seu corpo.

Alguma coisa havia mudado entre eles pouco antes. Ela era capaz de sentir isso, apesar de não conseguir explicar.

"O que você está fazendo?" Ao ouvir a voz áspera e murmurante do licano logo atrás de seu ombro, ela respirou e fechou os olhos.

Para Vash, a parte mais difícil ao deixar de ser uma Vigia para se tornar uma Caída não foi a perda das asas, e sim o turbilhão de sentimentos que a invadiu e destruiu sua outrora inviolável imparcialidade. Desde a morte de Charron, porém, tudo isso ficou escondido atrás de uma fúria avassaladora em relação a tudo e a todos. O fato de um licano — uma das criaturas culpadas por seu estado de espírito durante todo aquele tempo — ter sido o responsável por quebrar sua couraça e mexer com suas emoções era uma ironia das mais amargas.

"São câmeras de vigilância." Ela puxou um dos longos pedestais com uma câmera no topo. "Peça para seus homens instalarem algumas delas aqui por perto, em locais em que elas possam girar trezentos e sessenta graus. E depois escale alguns para monitorar as imagens."

Ela deu um passo atrás, e ele viu que o banco do carro estava deitado, abrindo espaço para o transporte de dezenas de câmeras.

"Você está levando isso a sério mesmo", ele comentou, encarando-a com seus brilhantes olhos verdes.

Ela apoiou o pedestal da câmera no chão e escorou nele. Syre não queria que os licanos soubessem o quanto eram necessários, mas não adiantava tentar tapar o sol com a peneira. Considerando as duas figuras envolvidas — caçadores do mais alto calibre para suas respectivas facções —, as diferenças entre eles se tornariam cada vez mais acentuadas. Nenhum dos dois podia voltar atrás naquele momento, porém também era impossível renegar o próprio passado. Estava claro para todos que era uma simples questão de necessidade mútua. Apesar de todas as diferenças, eles precisavam um dos outros naquele momento. Esconder segredos e intenções só tornaria as coisas mais difíceis.

Vash o encarou. "E que outra opção nós temos?"

"Sei." A expressão dele se atenuou.

"É só uma precaução temporária. Vamos começar a remoção do seu pessoal logo de manhã. Eu sei que você prefere uma área rural, mas precisamos de um centro de comando com acesso fácil a qualquer lugar. Estou de olho em algumas propriedades que atendem a essas duas necessidades. Dinheiro não é problema."

Ele ficou inquieto, e seus olhos assumiram um brilho sobrenatural. Os cabelos da nuca dela se arrepiaram. Vash se virou pouco antes de ouvir um ruído atrás de si, recriminando-se por ter sido pega de surpresa, mais um sinal de que a convivência com Elijah a estava deixando abalada.

Uma mulher miúda apareceu na clareira. Usando um vestido florido sem mangas, ela parecia tranquila e inofensiva, a não ser pelos olhos, que se estreitaram de ódio assim que pousaram nela.

Rachel. A companheira do licano que Vash havia torturado enquanto procurava Elijah, cujo sangue tinha sido encontrado no local do rapto de Nikki.

"Para com isso, Rachel", alertou Elijah.

"Ela é minha, El."

Vash fez um movimento sutil, corrigindo a postura e se preparando para desembainhar as lâminas que carregava nas costas. Ela se solidarizava com a perda de Rachel e não contestava seu direito a desafiá-la — afinal de contas, ambas eram movidas pelo mesmo desejo de vingança —, mas não estava disposta a se entregar sem resistência.

"Não, Rachel", ele grunhiu baixinho. "Ela é minha."

"Você me deve isso. Ele morreu para proteger você."

"Ele não me entregou. Isso eu não nego." Elijah chegou mais perto, pondo-se na frente de Vash, como um escudo. "Mas era por causa do próprio Micah que eu estava sendo caçado. Ele plantou meu sangue na cena do rapto, e foi por isso que Vash veio atrás de mim."

Rachel abriu um meio sorriso. "E como ele fez isso? Só os Sentinelas têm acesso aos depósitos criogênicos."

"Foi o mesmo Sentinela, ou grupo de Sentinelas, que tirou Lindsay da Morada dos Anjos."

Caso Vash não estivesse atenta, não teria percebido que os pelos do braço de Rachel se arrepiaram de medo. Nesse momento, ela sentiu uma admiração resignada pelo licano Alfa, que estava conseguindo montar um tremendo quebra-cabeça, marcado por traições e por lealdades que estavam sendo postas à prova.

Rachel rasgou o vestido e mudou de forma, o que fez com que Vash sacasse suas espadas. Elijah partiu em sua defesa ainda na forma humana, atingindo a loba em pleno ar e desviando sua trajetória.

Caso Vash ainda tivesse alguma suspeita de que ele era um Alfa, tudo se dissipou naquele exato momento. Ela nunca tinha ouvido nem falar de um licano que conseguia evitar a transformação enquanto era atacado.

"Para com isso", berrou Elijah, no tom de voz mais áspero que era capaz.

Rachel, porém, estava enlouquecida. Ela se agachou e saltou mais uma vez sobre Vash, que pulou para o teto do carro a fim de abrir espaço para contra-atacar, mas no mesmo momento Elijah, com um grunhido, virou-se e agarrou a licana com todas as forças. De pé sobre as patas traseiras em sua forma lupina, ela era maior que o licano alfa. Com as garras, Rachel tentava atingi-lo por cima do ombro, sem sucesso.

"Já chega." Os pés descalços de Elijah eram arrastados pelo chão enquanto ele tentava vencer a resistência convulsionada de Rachel. "Não me obrigue a machucar você, Rach. Não faz isso... droga."

A pata traseira de Rachel arranhou a panturrilha dele, provocando uma ponta de dor e um jorro de sangue fresco do ferimento aberto no dia anterior. O cheiro marcante do sangue dele invadiu as narinas de Vash. As presas dela se alongaram, e seu corpo inteiro se enrijeceu, com o apetite aguçado. Ela se agachou e se virou para a entrada da caverna. Uma testemunha seria útil naquele momento, mas não havia ninguém por perto.

Elijah jogou a loba de lado e arrancou a camisa com um puxão.

Em uma fração de segundo, estava transformado em um lobo imenso, com pelagem marrom escura e um rosto lupino tão majestoso quanto o que sua versão humana tinha de belo. Ele soltou um uivo que ecoou pelas rochas e reverberou como um trovão pelo cânion.

Rachel foi recuando pelo chão empoeirado, arreganhando os dentes perversamente afiados. Elijah foi atrás, soltando um rosnado ameaçador. A respiração de Vash se acelerou. Ela sentiu o cheiro do terceiro licano antes mesmo de vê-lo.

Em sua forma humana, Stephan saltou sobre o carro e aterrissou suavemente ao lado dela. "Minha nossa", sussurrou o Beta. "Isso é a última coisa de que precisamos."

"Você é minha testemunha", disse ela, antes de pular de cima do utilitário com as lâminas projetadas à sua frente.

Com um grunhido, a loba deu um bote para encontrá-la em pleno ar. As katanas da vampira estavam a poucos centímetros da pele desprotegida da oponente quando Elijah atingiu a lateral do corpo de Rachel, tirando-a da frente das armas. As lâminas de Vash se chocaram contra o chão no local de onde a loba havia saltado apenas um segundo antes. Usando as espadas para obter impulso, ela bateu com os pés no chão e deu uma cambalhota, aterrissando logo à frente, agachada, com as botas se encravando no chão de terra. O som repugnante de ossos sendo quebrados se fez ouvir atrás dela.

"Caralho", ela praguejou, sabendo que era o tipo de ataque do qual era impossível escapar com vida.

Elijah mudou de forma. A imponência do licano foi dando lugar a um humano, e com os olhos banhados de lágrimas. Ele ficou olhando para a licana imóvel a seus pés, com a pelagem se transformando em pele à medida que a vida abandonava seu corpo através das perfurações em seu pescoço quebrado. Caindo de joelhos, ele jogou a cabeça para trás e emitiu um uivo de lamento.

"Droga", resmungou Vash logo atrás dele. "Você poderia ter deixado comigo. Ia parecer legítima defesa. E seria mais fácil de aceitar do que você matar uma licana para proteger uma vampira."

Elijah ouviu um rosnado atrás de si, que o alertou para a presença de Stephan. Ele esperou por uma mordida que não veio, e contra a qual não se defenderia, mas, em vez disso, se assustou ao ouvir a voz de Vashti.

"Eu não vou atacá-lo em uma situação como esta, Beta", ela disse secamente. "Não precisa se preocupar em protegê-lo de mim, apesar de ele merecer uns cascudos por se meter em uma briga que eu poderia muito bem vencer sozinha."

"Não foi por você que eu fiz isso." Mais controlado, Elijah se levantou e recolheu as calças jeans do chão. "Eu não posso admitir nenhum tipo de desobediência neste momento. Se deixasse vocês lutarem mesmo depois de ter ordenado que Rachel se afastasse, seria uma prova de que a minha voz não tem força nenhuma, e a minha palavra precisa ser a lei."

Com a respiração ofegante, ele limpou as lágrimas e fez força para segurar a bile que subia pela garganta. Elijah sentia um frio na barriga, e a culpa corroia seu corpo todo como ácido. Ele tinha matado a mulher a quem se comprometeu a proteger, a viúva de seu melhor amigo. Apesar de a morte dela ser questão de tempo depois do falecimento de Micah — os licanos não costumam viver muito depois de perder seus parceiros —, ele jamais poderia imaginar a sinistra hipótese de ser aquele que desferiria o golpe fatal.

Stephan se transformou, mas manteve uma postura defensiva entre Elijah e Vash.

"Alpha." A voz dele parecia calma e controlada. "O que você vai fazer agora?"

Elijah o encarou. "Vou informar os demais. Providencie o enterro de Rachel o mais depressa possível, usando a quantidade de mão de obra que for necessária. Depois mande instalar essas câmeras nos arredores, de forma que elas possam girar trezentos e sessenta graus. Se precisar de ajuda, é só pedir para Vashti."

"Pode deixar que eu cuido de tudo."

A obediência sem hesitação de Stephan o acalmou, na medida do possível. Antes que seu Beta se afastasse, ele o deteve. "Stephan... obrigado. Por tudo."

Stephan acenou com a cabeça, recolheu as roupas do chão e sumiu das vistas.

Elijah tomou o rumo das cavernas. O remorso pesava em seus ombros e fazia seus olhos arderem. Aquilo tudo estava acontecendo contra sua vontade, ele nunca quis a responsabilidade de tomar decisões tão drásticas, nem o poder para executá-las.

"Espere aí, Alfa." Vash se pôs a seu lado, com as espadas ainda em punho. "Eu vou com você."

A postura dela, armada, caminhando lado a lado com ele, foi uma manifestação não verbal de comprometimento. Eles estavam no mesmo barco. Eram aliados. Elijah quase caiu na risada ao pensar em tamanho absurdo.

"Você não pode ficar remoendo isso, Alfa."

Ele se deteve de repente, cerrando os punhos dos dois lados do corpo.

"Quer descontar em alguém?", ela perguntou baixinho, encarando-o enquanto guardava uma das espadas na bainha. "Pode vir. Estou sempre disposta a uma boa sessão de pancadaria. Pode ter certeza de que você vai se arrepender se aparecer carregando esse peso todo na frente de todo mundo. Acredite em mim. Eu sei do que estou falando."

"Ah, sabe?", desafiou ele. "Você já matou alguém a quem tinha prometido proteger com a própria vida?"

Em um gesto surpreendente, os belos olhos cor de âmbar da vampira demonstraram algo que podia ser interpretado como compaixão. "Eu já fiz um monte de coisas terríveis, das quais não me orgulho nem um pouco, e precisei aprender a conviver com elas. Isso é parte da função de um líder. Não estou dizendo para você esquecer e seguir em frente, porque sei que isso é impossível, e também faz parte da nossa função. Se algum dia você deixar de se importar, não vai servir mais para nada. Só estou dizendo que você não pode aparecer na frente do seu pessoal carregando toda essa culpa, porque significaria que está arrependido, e o que aconteceu aqui foi um caso de suicídio assistido. Rachel sabia que não tinha chance contra nenhum de nós dois. Ela tinha decidido morrer, foi uma escolha dela."

"Isso tudo é para fazer eu me sentir melhor?" Elijah prezava demais suas amizades. Por mais aborrecido que estivesse com Rachel, ela era uma amiga, um membro de sua matilha, e ele sentia muito a sua perda.

Vash encolheu os ombros. "Eu sei que não tem jeito. Mas você não fez nada de errado. Foi uma decisão difícil, mas que precisava ser tomada. Para o bem dela, para o meu, e para salvar a aliança de que nós dois dependemos. Como eu disse antes, se quiser descontar um pouco a raiva, pode vir. Só não leve isso com você lá para dentro."

"Vai acontecer de novo", ele murmurou, agradecendo silenciosamente, e até apreciando, apesar da relutância, o conselho oferecido por ela. "Eles não sabiam o que estavam fazendo quando armaram essa rebelião, e muitos não vão gostar das decisões que eu estou tomando."

"Fodam-se eles. Só quem está no comando é que sabe o quanto é difícil."

Ele soltou uma risadinha. Ela sabia *mesmo* do que estava falando, o que criava uma inesperada afinidade entre os dois.

Vash deu um tapa no ombro dele. "Está pronto, cachorrinho?"

Caralho. Ela era gostosíssima, mas também totalmente maluca. Além de irreverente e imprevisível. Quando pesquisou a seu respeito, ele ouviu histórias sobre suas caçadas — ela tinha muito em comum com os licanos nesses momentos, inabalável, determinada e leal a seus companheiros. Aquela loucura toda parecia ter um caráter metódico.

Ele grunhiu. Era melhor que Vash pensasse que a única coisa que Elijah admirava nela eram seus peitos. "Não saia de perto de mim."

"Estou na sua retaguarda."

"Ótimo. Assim fica mais fácil proteger você se as coisas ficarem feias."

Ela olhou para ele quando entraram na caverna principal. O chão ainda estava manchado de sangue da luta ocorrida ali não muito antes, e ele já estava derramando mais, deixando uma trilha escarlate atrás de si.

Elijah jogou a cabeça para trás e uivou, um som absolutamente inumano. Em questão de instantes, o lugar começou a encher. Vash pareceu se assustar com o número de licanos que deram as caras. "Minha nossa. Quem imaginava que poderiam caber tantos peludos em uma só caverna?"

Ele esperou que o ambiente estivesse lotado a ponto de haver apenas um espaço de um metro e meio separando os dois dos demais. O licano alfa relatou o ocorrido sem nenhuma emoção — começando pela chegada de Vash e terminando com o motivo por ter matado alguém da própria matilha. O remorso o oprimia, corroía suas veias, mas ele se conteve, apesar de deixar transparecer um lamento sincero pela perda de alguém de sua espécie.

Quando alguns dos licanos presentes começaram a se transformar, Vash sacou a espada e deixou o lado cego da lâmina repousar sobre seu ombro. Apesar de parecer uma postura casual, mostrava que ela estava pronta para a luta. As feras estavam inquietas, e a vampira acompanhava seus movimentos com o olhar.

"Estou pedindo para vocês confiarem nas minhas ordens e nas minhas atitudes", recomeçou ele, "apesar de não entenderem ou concordarem. Se não puderem fazer isso, não vou impedir ninguém de ir embora nem guardar ressentimentos. Se ficarem, alguns de vocês vão ter que partir daqui amanhã mesmo, junto com os vampiros. Seja como for, tentem descansar hoje à noite. Vamos enfrentar tempos difíceis pela frente."

Ele seguiu andando rumo à caverna que estava usando como seus aposentos particulares. A fêmea que anunciou a chegada de Vash no dia anterior entrou em seu caminho. Sarah era uma jovem Ômega — que Elijah calculou estar na casa dos vinte anos — excepcionalmente bela, com longos cabelos negros e olhos amendoados.

"Alfa", ela o encarou com timidez. "Permita que eu cuide das suas feridas."

Seu primeiro impulso foi rejeitá-la, pois estava alterado demais para querer companhia. Mas Elijah também se sentiu tocado pela candura demonstrada por ela. Apesar de haver ali muitos licanos dispostos a desafiá-lo, havia também quem precisasse de outro tipo de postura sua — com um toque de suavidade e palavras gentis, mas sem perder a firmeza. Era o tipo de liderança que ele desejava exercer quando o período mais turbulento passasse. "Se você puder, eu te agradeceria muito, Sarah."

Luzes movidas a bateria iluminavam a passagem. Apontando para seus aposentos, ele falou para Vashti, olhando para trás. "Vá buscar sua bolsa."

Ela resmungou alguma coisa, mas obedeceu, juntando-se a ele poucos minutos depois, entrando em seus aposentos justamente quando o licano estava abrindo a braguilha. Ele jogou de lado as calças rasgadas e sentou em um baú posicionado ao pé de seu colchão inflável. Sarah se ajoelhou entre suas pernas abertas e abriu a caixa de primeiros socorros.

"Estou interrompendo alguma coisa?", perguntou Vash, irritada.

Elijah se virou para ela, notando seus dentes cerrados e seus olhos estreitados. A nudez não significava nada para um licano, mas talvez para a vampira não fosse bem assim. Para comprovar se Vash sentia o mesmo tipo de sentimento de possessividade que ele tinha em relação a ela, Elijah ajeitou o cabelo de Sarah atrás da orelha em uma leve carícia. Vash chegou mais perto, levando a mão livre ao cabo de uma espada afixada junto à coxa.

"Onde eu vou dormir?", ela perguntou. "Vou deixar vocês dois mais à vontade."

"Aqui mesmo."

O olhar dela se desviou do pau dele para os olhos. "Quê?"

"Você vai dormir comigo."

"Pode esquecer."

Ele jogou os braços para trás, agarrando a parte posterior do baú, e esticou a perna ferida. "É o único lugar onde eu sei que você vai estar em segurança."

"Eu sei muito bem me cuidar sozinha."

Ele respirou fundo, soltando o ar com força. "Não é por nada não, mas você está em uma desvantagem considerável."

"Se eu não puder enfrentar uma matilha de cachorrinhos, então mereço ser mordida."

"E Syre viria aqui no dia seguinte com um bando de vampiros. Que tipo de reação você acha que ele teria?"

Isso a fez pensar melhor. Ela olhou para o colchão de ar tamanho *queen size*, claramente pesando os riscos e os benefícios de dividir uma cama com ele.

"Nós dois somos adultos", ele assinalou, grunhindo baixinho quando Sarah espalhou pomada sobre sua panturrilha ferida. Ele se curaria mais rápido caso estivesse se alimentando direito, mas a subnutrição era algo inevitável com a escassa quantidade de comida disponível. "Não vai acontecer nada que você não queira."

"Eu não quero nada além do seu compromisso com a sua parte do acordo."

"Então não tem com que se preocupar. Por que você não me mostra os projetos de que me falou?"

Vash o encarou por um longo momento, e depois começou a remexer na bolsa. Ela a deixou no chão e tirou uma pasta. A vampira olhou para Sarah, que estava terminando o curativo. "Já acabou?"

Sarah se virou para Elijah à espera de instruções.

Ele a dispensou com um simples: "Obrigado, Sarah".

A licana fechou a caixa de primeiros socorros e falou: "Vou buscar seu jantar, Alfa. Esther fez um ensopado delicioso de carne de veado."

"Eu adoraria." O ideal era que ele comesse uma porção apropriada de carne, não um ensopado, mas a situação não era das melhores. Era preciso dividir tudo o que conseguissem entre todos, em nome da sobrevivência.

"Além disso..." Ela abriu um sorriso tímido. "Eu gostaria de estar ao seu lado quando você decidir quem vai partir com os vampiros."

"Ah", Vash falou, fingindo certa meiguice. "Que amor. Estou comovida."

Sarah se levantou de maneira graciosa, cheia de dignidade, mas o olhar que lançou para Vashti foi dos mais venenosos, uma rara demonstração de ódio por parte de uma Ômega.

"Eu vou ver o que posso fazer", respondeu Elijah, considerando o dom natural que, como uma Ômega, Sarah tinha para confortar os demais. Ela seria mais bem utilizada em uma posição de retaguarda, e não em uma caçada.

"Obrigada, Alfa." Ela deixou o aposento caminhando com calma e elegância.

Elijah ficou de pé e remexeu os ombros, sentindo-se bem melhor.

Ele sentiu o olhar de Vash percorrendo seu corpo, e olhou para ela com uma sobrancelha levantada.

“Dá para você pôr uma roupa?”, ela o repreendeu.

“Por que você não tira as suas?”

Ela escancarou as presas. “Vai sonhando, licano.”

Ele encolheu os ombros. “Não custa tentar.”

5

Antes de amanhecer, eles já estavam na estrada, e quando cruzaram a fronteira de Utah com Nevada o dia já estava claro.

Ela seguia compenetrada ao volante, tentando não pensar na atribulada noite anterior. Elijah, aquele maldito, tinha dormido como uma pedra, tornando mais do que óbvio o fato de que não a considerava uma ameaça.

Vash tentou se concentrar no trabalho. Havia muita coisa a fazer. Em vez disso, ela se distraiu com ele deitado a seu lado com um dos braços jogado para cima, mostrando seu bíceps bem definido. E a maneira como o lençol o cobria apenas da cintura para baixo... Um leve puxão revelaria todos os seus impressionantes atributos.

Ela, assim como qualquer mulher, sabia apreciar a beleza de um corpo masculino, mas Elijah ia muito além: era uma obra de arte, coberto com camadas sedutoras de musculatura rígida que ela queria percorrer com as mãos, com a língua e...

"Só o que tem aqui são galpões", Elijah murmurou, olhando para a lista de imóveis impressa por ela.

"Galpões com estacionamentos enormes, heliporto, instalações elétricas de primeira e ar-condicionado." Ela arriscou uma olhada para ele. "Eu sei como vocês licanos ficam incomodados quando estão com calor."

"Não é fácil ser assim tão peludo."

Demorou um pouco para que ela percebesse a leveza de humor por trás daquela resposta aparentemente seca. Olhando pelo para-brisa, ela sentiu sua boca se curvar em um sorriso. Ele estava mais tranquilo, ao que parecia, o que para ela era um alívio. A dor que ele sentiu no dia anterior havia mexido com ela, feito com que o enxergasse com muito mais compaixão do que deveria. A dor sincera demonstrada pelo licano era indicativa de sua força de caráter em diversos sentidos — ele tomou uma atitude que ia contra seus próprios sentimentos em benefício dos demais. E ela admirava tanto sua dureza como sua capacidade de derramar lágrimas sem nenhuma vergonha.

"Esses imóveis são caríssimos", ele comentou. "Syre está investindo uma nota preta em uma aliança que ainda nem foi testada."

"Se você me sacanear, está morto. Com a cabeça empalada em uma estaca, para que todos os licanos possam ver."

"Você parece estar esperando por uma traição."

"O histórico da sua espécie não é dos melhores. Seus antepassados nos trocaram por Adrian para salvar a própria pele, e agora viraram as costas para ele, mais uma vez apenas para tirar o cu da reta."

Ela olhou para a expressão impassível dele. "Tudo isso que você falou aconteceu há milênios, e foi obra de diversas gerações diferentes. Como a vida média de um licano é de duzentos e trinta anos, nenhum deles se sente responsável pelo que aconteceu com os Vigias. A maioria nem sabe de que tipo de anjo descende."

Para ela, no entanto, a memória da perda das asas ainda estava fresca na memória, como se tivesse ocorrido apenas semanas antes. "Então, se você esquece que tem uma obrigação, fica livre de cumpri-la?"

"Não foi isso que eu disse. Só estou falando que não é fácil obrigar alguém a cumprir uma promessa feita em seu nome séculos antes de você ter nascido."

"Os seus ancestrais licanos tomaram essa decisão por vocês. Pena que a palavra deles não valha mais nada." Ela falou com um tom familiarmente amargo. "Eu sempre esperei a fidelidade dos anjos que estavam sob meu serviço. Nós fizemos nossa própria cama... seria de esperar que deitássemos nela todos juntos."

"Eu ouvi dizer que os Caídos que viraram licanos não desrespeitaram as leis como o restante de vocês", comentou Elijah.

Vash lançou para ele um olhar que se tornou ainda mais furioso quando ela constatou o quanto o achava atraente. Depois de vê-lo sem roupa, ela achava que vestido ele não lhe causaria nenhum efeito. No entanto, Elijah era capaz de transformar um visual despojado como jeans largos e camiseta preta em algo irresistível. Ele era um homem grande e robusto, capaz de dominar uma mulher como poucos. Isso a deixou abalada, sedenta pelo toque ousado das mãos de um macho sedutor e passional. As mãos *dele*. As mãos que ela tinha visto acariciar o próprio corpo nu apenas para provocá-la.

Mas ela nem se lembrava mais de como era fazer sexo...

Vash desviou o olhar. "Isso é só um pretexto. De um jeito ou de outro, todos nós nos perdemos. Nossa tarefa era observar e relatar. Qualquer tipo de contato com os mortais estava fora de nossas atribuições como Vigias: conversar, ouvir, tocar, ensinar. Mas nós éramos estudiosos. Nós vivíamos para obter e transmitir conhecimento. O desejo de interagir se tornou irresistível."

Ele guardou a lista de imóveis de volta na pasta. "Mas você não fez isso. Pelo menos não como os outros."

"Eu me uni a um parceiro."

"Charron. Outro Vigia, como você. Não um mortal."

"Eu sei o que dizem sobre mim, que eu me martirizei por causa de um sentimento exagerado de lealdade em relação aos demais, que não merecia ser castigada porque tinha me relacionado com um anjo. Mas eu confraternizei com os mortais de outra maneira. Ensinei tudo o que sabia, ofereci aos homens conhecimentos para os quais eles não estavam preparados. Por isso eu me entreguei de cabeça erguida, e aceitei meu castigo sem resistência, porque eu de fato mereci. Além disso, eu achava que a fúria Dele era apenas um teste para nossa fidelidade. O Criador jamais havia permitido que o sangue de um anjo fosse derramado. Pensei que, mostrando nosso arrependimento, teríamos perdoadas as nossas ofensas." Ela soltou o ar com força. "Mas então os Sentinelas foram criados."

Seus olhos perderam o foco, sua mente começou a relembrar aquela época difícil de sua vida. Ela jamais se esqueceria do que viu de seu esconderijo, Adrian e Syre duelando em campo aberto, com os Sentinelas de um lado e os Vigias, que em breve se tornariam Caídos, do outro. Aquela dança da morte havia sido assustadoramente bela. O tom alvo das asas de Adrian, e o azulado das de Syre. Ambos altos, cabelos escuros. Obras de arte esculpidas com carinho pelo Criador. Os mais queridos de suas respectivas castas.

Eles trocavam golpes furiosos com os punhos, rasgando a pele e rompendo os músculos. Contorcendo-se e debatendo-se, com as asas acompanhando cada movimento como se fossem capas imensas.

Syre, porém, não era páreo para um instrumento da fúria divina como Adrian. Syre era um estudioso, Adrian, um guerreiro. Syre havia sido amolecido pelo contato com a humanidade, pelo amor por sua companheira mortal. Adrian era muito novo no mundo — seu controle e sua objetividade ainda não tinham sofrido o desgaste proporcionado por sentimento nenhum. E seu corpo era uma arma letal. Ao contrário dos Vigias, os Sentinelas eram uma máquina de guerra dos pés à cabeça. A ponta de suas asas cortava como faca, e suas mãos e seus pés possuíam garras capazes de atravessar pele e ossos.

Syre era vulnerável. Adrian, inviolável.

Momentos depois de o líder dos Sentinelas decepar as asas de Syre, ele ergueu a cabeça, e seus olhos azuis flamejantes se encontraram com os dela. Não havia nada em seu olhar cerúleo a não ser as chamas da vingança do Criador. Com o tempo, Vashti acompanhou a transformação daquele olhar, depois de Adrian fixar seu lugar no mundo e se tornar vítima do apetite erótico de Shadoe.

"Ei." A voz de Elijah interrompeu seu devaneio. "Em que mundo você está?"

"Adrian está provando do seu próprio veneno agora", ela disse com a voz embargada, pensando na asa manchada de vermelho do Sentinela. Aquelas manchas escarlates significavam que ele foi o primeiro ser vivo a derramar o sangue de um anjo. "Espero que o mundo dele inteiro desmorone."

Elijah pegou os óculos escuros pendurados na gola da camiseta e pôs na frente dos olhos. "Existem poucas pessoas no mundo que eu admiro mais do que Adrian."

"Ele é um cretino, um hipócrita. Um imbecil completo, que quebrou as mesmas regras pelas quais nos puniu."

"A decisão de punir vocês não foi dele, nem a de deixar a si mesmo sem castigo. Esse tipo de ordem precisa partir do Criador, não? Se você infringe a lei na frente de um policial e ele não faz nada, de quem é a culpa por você não ser punida?"

"Isso não importa. O mínimo que ele poderia fazer seria demonstrar um pouco de remorso. Um sentimento de culpa. *Alguma coisa*. Ele não se arrepende de nada."

"Isso é uma coisa que eu admiro nele."

"Você não seria capaz de agir como ele."

"Para mim um cretino é alguém que faz merda, fica todo arrependido e depois faz merda de novo, como se o fato de ter ficado arrependido o absolvesse de alguma forma. Adrian tem consciência de seus erros e das consequências de seus sentimentos por Lindsay, a mesma razão por que você perdeu suas asas sem resistir. Acho que ele faria a mesma coisa se fosse castigado. Ele não ia querer arrumar desculpas, porque está fazendo tudo abertamente agora."

Franzindo a testa, Vash olhou por cima do capô para a paisagem desolada que envolvia aquele trecho de estrada por onde viajavam, no estado de Nevada. Odiar Adrian era um de seus princípios. Ela não estava preparada para voltar atrás nesse sentido, nem em seu ódio com relação aos licanos. Apenas uma trégua por vez já bastava. "Cala a boca."

Ela não olhou para ele, mas desconfiou que estivesse sorrindo. Imbecil presunçoso.

"Nossa saída é a próxima", ele falou, e ela saiu da estrada.

"Aqui está bom."

Vash o encarou. "Tão fácil assim? Foi o primeiro lugar que vimos."

Ele olhou para o vasto espaço ao redor e encolheu os ombros. O local era usado como um centro de distribuição de uma importadora que faliu com a mais recente crise econômica. Do lado de fora, as características mais visíveis eram os diversos terminais de carga e descarga, e por dentro, o teto alto, as gruas e os trilhos para transporte de mercadoria. As claraboias proporcionavam uma excelente iluminação, eliminando a possibilidade de alguma sensação claustrofóbica. "Tem tudo o que você disse que precisamos. Além disso, este lugar é o seu preferido, e são vocês que estão pagando."

Ele não se importou em deixar que ela escolhesse aquele local nem pareceu ter ficado menos confiante em virtude disso, para o deleite relutante dela. "Eu não disse que este lugar era o meu preferido."

Elijah olhou bem para ela.

"Muito bem, então." Ela sacou o iPhone e autorizou Ravel, a assistente de Syre, a concluir a compra do imóvel. Logo em seguida, ligou para Raze. "Oi", ela falou quando ele atendeu. "Você venceu. E... eu não trapaceei."

"Ha! Nos encontramos às dez."

Ela encerrou a ligação e se explicou para Elijah. "Ele tinha certeza de que você ia aceitar o que eu escolhesse."

Ele pareceu ter se divertido com a ideia. Elijah não se mostrava interessado em retaliações nem em ficar na defensiva. Ela podia tentar associar isso ao fato de ele ter passado a vida toda cumprindo ordens, mas aquele licano demonstrava uma serenidade e um autocontrole que despertavam sua admiração. E seu desejo. Não havia nada mais atraente que um homem bonito, poderoso e confiante.

Uau. O que estava acontecendo com ela?

Ela estava com fome. Era isso. Não se alimentava fazia dias, e essa privação a estava tornando vulnerável aos apelos de Elijah, esquecendo-se facilmente de quem ele de fato era.

Tentando reordenar seus pensamentos, ela mandou uma mensagem de texto para Salem, a fim de se certificar de que ele estava trazendo os licanos que Stephan designou. Quando soube que estava tudo sob controle, ela aproveitou para verificar que o mesmo valia para o Alpha.

"Está tudo bem?", ela perguntou. "O lance de ontem."

"Não." A expressão dele ficou séria. "Mas eu vou sobreviver."

"Você se saiu muito bem no anúncio ontem à noite. Faço questão de dizer isso." Por outro lado, ela estava preocupadíssima com a licana que havia feito o curativo, mas isso era algo que Vash jamais admitiria.

Ele a encarou por um instante. "Obrigado. E agradeço também pelo que você me falou antes do anúncio."

"Sem problema." Sentindo-se um tanto desconfortável, ela apontou para o Jeep. "Vamos descarregar as coisas antes que Raze chegue."

Eles tinham acabado de terminar quando o som de um helicóptero se aproximando assinalou a chegada de Raze. Ele fez um pouso suave no estacionamento vazio e desligou o motor. A localização afastada do imóvel era um indicativo da ambição dos antigos donos — eles poderiam expandir suas instalações o quanto fosse preciso à medida que o volume de negócios crescesse. Em vez disso, porém, o custo cada vez mais alto dos transportes e a queda abrupta do volume de vendas no varejo os obrigaram a se desfazer de tudo. A perda de uns era o ganho de outros.

O vampiro musculoso, um Caído como ela, desembarcou da aeronave com um sorriso, os olhos escondidos atrás dos óculos escuros e a cabeça raspada reluzindo sob o sol do deserto. Ele mediu Elijah dos pés à cabeça e se virou para Vash: "Vou ter que fazer pelo menos mais uma viagem. Talvez duas".

Ela acenou com a cabeça. "Vamos descarregar, então."

Demorou um dia inteiro para que os suprimentos necessários fossem transportados para o galpão, mesmo com a ajuda de quase cinquenta licanos levados até lá de ônibus. Além dos equipamentos eletrônicos, que eram prioridade, eles carregaram dezenas de fileiras de beliches, para desgosto dos licanos, pois eram idênticos aos existentes nos alojamentos de Adrian. Câmeras foram instaladas em cima do telhado, para o caso de um ataque de anjos pelo ar, e as janelas foram cobertas com películas escuras com proteção contra raios ultravioletas para preservar o bem-estar dos lacaios que se juntariam a eles dali a poucas horas.

Para Vash, porém, o mais importante era o enorme mapa exibindo o padrão de contaminação ao redor do país. Ela parou diante dele com as mãos na cintura, e tomou conhecimento da expansão ocorrida ao longo dos dias em que cuidou de viabilizar a aliança entre licanos e vampiros.

Ela olhou ao redor e viu os licanos trabalhando lado a lado com seus capitães mais confiáveis, Raze e Salem. Licanos e vampiros cooperando uns com os outros. Era uma loucura, na verdade, considerando a hostilidade que pairava no ar, como um vazamento de gás inflamável que explodiria à primeira faísca. Ela estava inquieta, à espera do evento que desencadearia o conflito, sabendo que não era preciso muito para que aquilo se tornasse um banho de sangue.

Vash reparou que a força que mantinha a coesão do ambiente era Elijah. Quando a temperatura aumentou, ele tomou a frente nos trabalhos do lado de fora, descarregando mercadorias pesadas sem nenhuma reclamação. Ela sabia que os licanos detestavam o calor, e já tinha explorado esse fato muitas vezes em suas caçadas. Elijah, porém, era um exemplo de como resistir às adversidades com elegância, o que fez com que todos dessem seu melhor — tanto licanos como vampiros.

Apesar de o suor escorrer pelo corpo dos ofegantes licanos, eles trabalhavam com diligência. Os vampiros, por sua vez, limitavam-se a comandos rápidos e monossilábicos ao se dirigirem ao Alfa. Eles não confiavam em Elijah, mas não tinham nada a reclamar sobre seu estilo de liderança. Havia algo de majestoso nele, uma força interior que parecia inabalável. Além de tudo isso, ele era solidário. Parava para conversar com cada licano individualmente, pondo a mão em seus ombros e oferecendo palavras de incentivo e agradecimento.

Mais de uma vez, ela se surpreendeu o observando, e admirando. *Ou somos iguais ou não somos nada*, ele tinha dito, referindo-se à relação entre vampiros e licanos. Isso valia também entre eles, como indivíduos.

Não, ela se corrigiu. *Ele está em um posto acima do meu*. Iguais para Elijah eram Syre e Adrian. Pela primeira vez, ela se viu atraída por um homem que não ocupava uma posição abaixo da sua em termos de hierarquia, e ficou surpresa ao constatar a diferença que aquilo fazia.

"Se essa aliança der certo", Elijah comentou ao fim do dia, "vou demorar um bom par de anos para me acostumar com ela."

"Em quantos desses licanos você confia de verdade?"

Ele ergueu uma sobrancelha. Seus cabelos estavam úmidos depois do banho, o que a levou a pensar nele sob um jato d'água, sem roupa, todo molhado e irresistivelmente sexy...

"Eu sei lá", ele respondeu sem se alterar.

Com uma sinceridade a toda prova. Ela gostava disso nele, além de muitas outras coisas. Ele era um maldito licano, membro de uma raça indigna de confiança...

Ele levantou a outra sobrancelha. "Algum problema?"

"Problema nenhum." Ela roçou no corpo dele ao sair, capturando a fragrância de sua pele recém-lavada, misturada com os feromônios que ele exalava o tempo todo... feromônios com os quais ela se esbaldava, e queria sempre mais. "Vejo você amanhã de manhã."

Ela não ouviu que ele vinha atrás dela, mas sentiu. Seus corpos estavam em sintonia. Para sua desgraça. "Para de ficar me seguindo por aí, cachorrinho."

"Você fica uma graça quando sua frustração sexual vem à tona."

Ela cerrou os punhos. "Meu problema é a fome, não você."

"Você está com fome de mim. Nós já falamos a respeito."

"*Você* já falou a respeito." Ela saiu na noite escura do deserto e respirou fundo aquele ar sem o odor primitivo dos licanos executando trabalho pesado. À medida que caminhava, seus pensamentos iam clareando... Foi quando Elijah entrou na sua frente e bagunçou sua cabeça de novo com seu cheiro tão particular, uma fragrância de cravo e canela. Era delicioso, assim como tudo nele.

"Você vai ficar comigo", ele falou. "Isso é parte do nosso acordo."

"Eu vou voltar. Tenho uma coisa para resolver." Ela precisava de sangue e — pela primeira vez em quase sessenta anos — de sexo. Só depois disso poderia lidar com ele sem ficar se derretendo toda com sua beleza.

Passando ao lado dele, ela enfiou a mão no decote para pegar a chave do carro.

Ele a agarrou pelo punho. "Quantas coisas você consegue guardar aí dentro? Celular, pen drive, chave..."

Ela puxou a mão e fez um gesto mostrando o macacão preto justíssimo que estava usando. "E onde mais eu vou carregar todas essas coisas?"

A mão dele, no entanto, não se mexeu, apesar da força que ela imprimiu no movimento. Continuou suspensa na altura do ombro dela, próxima o bastante para deixá-la tensa, na expectativa de um toque. Lentamente, como se ela estivesse prestes a fugir, ele se posicionou frente a frente com Vash e estendeu a mão na direção do zíper fechado sobre os seios dela, que começaram a inchar e ficar pesados, à espera do contato da mão do licano.

Ela nem se lembrava mais de como era estar fisicamente excitada, de como essa sensação era inebriante, de como era impossível raciocinar friamente ou agir com bom senso nesses momentos.

"Mantenha essas patas longe de mim", ela falou, dando um passo atrás.

"Está com medo de quê?"

"O fato de não querer ser bolinada não significa que eu esteja com medo, seu idiota."

Com os olhos verdes faiscando sob a luz do luar, ele ergueu ambas as mãos. "Eu prometo manter as minhas patas longe de você. Só quero saber o que mais tem aí. Dinheiro? Cartões? O estepe do carro?"

"Não é da sua conta."

"Eu já mostrei o meu para você", ele provocou, se insinuando com toda a sensualidade que um licano tinha naturalmente. Os vampiros também eram criaturas sensuais, mas os licanos eram pagãos, tinham sangue de demônio correndo nas veias. Elijah possuía uma sexualidade em estado bruto como nenhum outro licano que ela havia visto — confiante, seguro de si, luxurioso, ciente de sua força e virilidade.

Ela não conseguia tirar aquela imagem da cabeça — ele sem roupa, ensanguentado, acariciando o próprio pau com sua mão enorme, olhando para ela cheio de tesão. Foi uma lembrança que tirou o sono dela, enquanto ele dormia tranquilamente. Filho da puta.

Irritada pela diferença da atração entre os dois, Vash agarrou o zíper na altura do decote e puxou até o umbigo. Seus seios pularam para fora, e os bicos se endureceram em contato com a brisa fria que soprava entre eles. Ela estava sem lingerie, que se tornava desnecessária com uma roupa tão apertada e só serviria para deixá-la toda marcada. Era um traje confortável, que proporcionava liberdade de movimentos e ainda servia como distração para seus oponentes.

Ele ficou olhando sem piscar, com o rosto transformado em uma máscara austera de apetite feroz. Os braços dele foram caindo lentamente para os lados, com os punhos cerrados.

"Minha nossa", ele sussurrou.

Um poder puramente feminino percorria o corpo dela, fazendo toda a raiva e a frustração darem lugar à satisfação indisfarçada de monopolizar seu interlocutor. Quando ela fez menção de fechar de volta o zíper, ele grunhiu baixinho, com um tom inconfundível de ameaça. Instintivamente, ela parou, sentindo seus músculos congelarem como se a falta de movimento fosse capaz de torná-la invisível a seu predador.

Em sua tentativa de retaliação, ela tinha despertado a fera. As batidas aceleradas do coração dele estavam instigando suas necessidades básicas de vampira. Seu apetite por sangue e sexo. O sangue *dele*. O sexo *dele*. Era isso que a estava deixando abalada, como se tudo que quisesse na vida fosse um toque masculino. Atormentada por um desejo latente, à espera do homem certo para trazê-lo de volta à tona.

Esse homem deu um passo à frente. Ele baixou a cabeça...

"Elijah." Ela sussurrou o nome dele, sentindo seu pulso se acelerar violentamente. Seu corpo todo tremia descontrolado, os músculos contraídos de expectativa. Caso conseguisse se mexer, ela recuaria mais um pouco. Seus pés pareciam estar concretados ao chão, mantendo-a imóvel no lugar.

Ela sentiu o hálito quente dele sobre o mamilo, e os lábios que envolviam sua ponta endurecida. "Sem as patas", ele murmurou.

Ele prosseguiu uma longa lambida com sua língua áspera. Vash soltou um suspiro que cortou o silêncio da noite — seu corpo estremeceu como se tivesse recebido uma descarga elétrica. Para ela, era como se tivesse sido. Sentia pequenas agulhadas se espalharem por sua pele da cabeça aos pés. As raízes de seus cabelos se arrepiaram, na ânsia de ser agarrados pelas mãos fortes do licano.

Ele soltou um gemido cheio de prazer e tormento. "Quero você se abrindo todinha para mim", ele ordenou, lambendo os lábios.

Ela engoliu em seco e, ao sentir o gosto de sangue, notou que suas presas tinham se estendido e perfurado a própria boca. Seu apetite abalava todos os seus sentidos, espalhando-se pelas veias e se misturando ao desejo sexual como se fossem uma coisa só. Vash só percebeu que tinha agarrado o próprio seio e levado à boca dele quando sentiu o calor dos lábios do licano. Aquela queimação foi logo aliviada por uma sucção profunda que a fez gemer e chegar instintivamente mais para perto. A longa língua dele acariciava enlouquecidamente o bico de seu peito, provocando, fazendo com que seu ventre se contraísse de desejo de receber o mesmo.

Uma brisa leve percorria os cabelos dele, fazendo-os roçar na pele macia de Vash. Ele só a estava tocando com a boca, em sucções ritmadas que começaram a sincronizar com sua pulsação e a deixaram molhada no meio das pernas, louca de vontade de ser preenchida.

Ele a soltou, estalando a boca em uma chupada poderosa.

"Eu adoro os seus peitos", ele grunhiu com uma veemência excitante. "Vou juntar os dois com as mãos e esfregar meu pau nessas delícias até gozar bastante em cima de você."

Homem nenhum havia falado com ela daquele jeito, de forma tão descarada. Ninguém nunca tinha demonstrado tamanha coragem.

Trêmula e apreensiva, ela percebeu que domar Elijah seria impossível. Vash era uma mulher forte, mas não se sentia capaz de dominá-lo sozinho. Ele parecia ser ainda mais forte que ela.

Elijah deu uma olhadinha para ela antes de abocanhar de novo o mamilo. "Você também está a fim. Dá para sentir o cheiro do seu desejo de se entregar para mim do jeito que eu quero. Abrir mão desse comando que você exerce sobre todo mundo."

"Não fode."

"Ah... vou foder, sim, Vashti. Sem parar, e com força. É só questão de tempo."

Antes que ela pudesse responder, ele já estava chupando seu peito de novo, prensando o mamilo contra o céu da boca e massageando-o com a língua. Ela quase gozou ao sentir uma pontada enlouquecedora de dor e prazer quando ele sugou com força até as bochechas ficarem côncavas e cravou os dentes na carne frágil apenas o suficiente para fazê-la estremecer.

"*Vash*."

A voz de Salem atrás de si a fez se afastar da boca extasiante de Elijah. Ela gritou baixinho ao sentir o atrito dos dentes dele sobre seu mamilo endurecido, mais uma vez surpresa pelo fato de uma pontada de dor *quase* tê-la levado ao orgasmo.

Elijah fechou o zíper da roupa dela e a endireitou com uma velocidade espantosa. Não fosse sua respiração ofegante, não haveria nela nenhuma pista que revelasse que algo estava acontecendo. Ele pegou a mão dela e a fez sentir seu pau ereto sob a roupa, esfregando-a por toda sua extensão.

"Estamos aqui", Elijah falou, largando a mão dela e dando um passo atrás.

Eles estavam a apenas alguns metros da porta. Salem devia ter visto o licano inclinado sobre ela e sentido o cheiro da excitação dos dois.

"Preciso do seu carro", disse o capitão, caminhando de um lado para o outro na frente do galpão em vez de se aproximar. Desconcertado pelo cheiro de sexo que pairava no ar, ele passou uma das mãos pelos cabelos alaranjados, uma prova do quanto era destemido, pois sua cabeça se destacava como um alvo fácil onde quer que estivesse. "Está na hora de ir ao Santuário."

Engolindo em seco, ela olhou para Elijah, mas falou com Salem. "Eu vou com você."

O Santuário era um dos redutos mais exclusivos e secretos de Torque. Localizado em um ponto afastado da Vegas Estripa, era um refúgio para lacaios em fuga e vampiros mais velhos, proporcionando, além de segurança, uma oferta constante de sexo e sangue.

"Eu dirijo", disse Elijah, agachando-se para apanhar a chave do carro, que ela tinha deixado cair pouco antes.

Naquele momento, qualquer um dos licanos presentes poderia ter feito o que quisesse com Vash sem que ela nem se desse conta. Seu cérebro tinha entrado em colapso quando ela sentiu a boca de Elijah em seu peito. Aquilo era inaceitável. Ela precisava se recompor, antes que acabasse pagando com a própria vida. "Eu não vou dizer para você onde fica, licano."

"Não precisa." Ele se virou para o carro. "Eu já participei de caçadas por lá antes."

6

Irritado e frustrado por sua fraqueza no que dizia respeito a Vashti, Elijah não fez questão nenhuma de esconder dos dois vampiros sua luxúria transbordante. Em vez disso, continuou obstinadamente exalando feromônios no ar a seu redor, impregnando o interior do Jeep, fazendo Salem soltar um palavrão audível e ajeitar suas calças de couro. Vash tinha escolhido sentar no banco de trás, um erro pelo qual pagou sendo atingida diretamente no rosto e nos cabelos pelo cheiro do desejo dele, carregado pelo vento.

"Para com isso, Alfa", ela gritou, socando a parte de trás do assento.

Elijah viu pelo retrovisor, também de cara fechada, o olhar de irritação de Vash. Estavam ambos furiosos. Ele tinha feito questão de deixar claro que era um caçador de vampiros, que vinha observando seus hábitos e esconderijos em detalhes para poder matar aqueles que dessem um passo em falso.

Ela merecia o incômodo, por tê-lo deixado naquele estado, por tê--lo seduzido a ponto de querê-la mais do que qualquer outra coisa no mundo. No momento em que passou sua língua no corpo dela, seus sentidos todos se inflamaram como se seu corpo tivesse sido atingido por um lança-chamas. Não havia nada racional ou calculado em suas reações em relação a ela. Era um reconhecimento instintivo e primitivo à atração física poderosa e inigualável exercida por Vash. Tesão à primeira vista, exacerbado pela natureza extrema das emoções de vampiros e lupinos.

O gosto dela ainda estava em sua boca. O cheiro dela. Suas mãos ardiam de vontade de tocá-la. Dentro dele, sua fera interior urrava de vontade de ser libertada, obrigando-o a se controlar como nunca fizera antes. Porque ele... gostava dela. Por mais louco que isso pudesse parecer. Por mais louca que *ela* fosse. Controlar sua natureza animal sempre tinha sido facílimo, mas nos últimos dias havia se tornado uma tarefa exaustiva, que estava acabando com ele, rasgando-o por dentro e destruindo o que ainda restava de autocontrole depois de uma semana marcada por golpes dolorosos do destino e cheia de altos e baixos. Ela havia testemunhado todas aquelas provações e, à sua própria maneira, mostrou-se uma companhia valiosa em tempos difíceis.

Ele grunhiu. A reação de Vashti a suas investidas estava corroendo seu corpo por dentro como um câncer. Por mais durona que ela fosse, ele sabia como torná-la mais maleável e submissa, e era exatamente isso o que queria. Desejava vê-la mansa e ofegante sob seu corpo, completamente à sua mercê. Elijah não se contentaria com nada menos que isso.

A viagem de duas horas até o Santuário pareceu ter levado dois anos, e não apenas para ele. Salem saltou do carro ainda em movimento enquanto Elijah estacionava, e sumiu porta adentro em questão de segundos. Vash seguiu logo atrás, em uma fuga quase desesperada para longe do licano. Quando a porta pesada de metal bateu com um estrondo atrás dela, ele não pôde segurar o riso.

Como se uma simples porta fosse capaz de impedir o que estava prestes a acontecer. Como se as coisas se resolvessem assim tão facilmente.

Precisando se recompor antes de entrar em um refúgio de vampiros, Elijah preferiu não se apressar enquanto trancava o veículo e observava o exterior do prédio para verificar se algo havia mudado. Ele examinou a área imediatamente ao redor, relembrando as instalações industriais que funcionavam por ali, fechadas fazia tempo. O licano notou a presença de vampiros armados em cima do prédio antes mesmo que eles ostensivamente se fizessem notar. Os guardas tinham sentido o cheiro dele e, como não estava pronto para encarar uma luta, Elijah ergueu uma das mãos para tranquilizá-los.

Um deles decidiu abordá-lo, saltando com agilidade do alto da construção de três andares e aterrissando com elegância. Era um vampiro esguio, mas de costas largas, com olhos atentos e uma economia de movimentos que indicavam se tratar de um guerreiro experiente. Ambos começaram a se mover em uma trajetória circular, com passadas lentas, escancarando as presas e mostrando as garras. Nenhum dos dois desviou os olhos quando a porta se abriu e uma voz masculina gritou: “Dredge! Para com isso. Ele está com a Vashti”.

O fato de estar sob proteção da vampira irritou Elijah a ponto de provocar uma transformação parcial. Ele não precisava dela para se garantir ali, podia muito bem se virar sozinho.

“Ah, um cãozinho de estimação”, provocou Dredge, com um brilho nos olhos cor de âmbar. “Ou é uma refeição?”

Elijah abriu um sorriso. “Pode ser que ela seja a cadela neste caso.”

Dredge avançou contra ele. Já à espera desse tipo de reação, Elijah recebeu a aproximação do rosto do vampiro com um golpe de punho fechado que o lançou para cima de uma van parada no estacionamento, deixando um grande amassado na lataria com o formato do corpo do inimigo.

Sacudindo o punho para aplacar a dor, Elijah se virou para a porta aberta, com os ouvidos em alerta para qualquer movimento de retaliação que pudesse vir dos outros guardas posicionados em cima do telhado. Porém, nada aconteceu, uma prova do poder de Vash — para os vampiros, a palavra dela era lei. Ao constatar isso, o pau de Elijah ficou ainda mais duro, apesar de parecer improvável, atiçando seu desejo por ela, que cresceu exponencialmente ao longo dos dias anteriores, quando ele a viu exercer sua posição de poder. Ela exalava autoridade com o mesmo controle e a mesma habilidade com que brandia suas katanas, algo que para ele causava tanta excitação quanto o corpo dela.

Ao passar pela porta que dava para o estacionamento, ele deu de cara com outra, que se abriu no instante em que a primeira se fechou, fazendo com que se descortinasse diante dele um ambiente hipnotizado pela batida pulsante da música tecno e marcado pelo cheiro de sangue recém-derramado. O odor de sexo que pairava no ar o engolfou como uma névoa úmida, estimulando ainda mais sua ferocidade. Ele queria brigar e trepar como um louco, e a cada segundo essa vontade crescia.

Ele atravessou um corredor e se viu em um salão enorme, lotado de vampiros em movimento. Alguns estavam dançando, esfregando seus corpos ondulantes contra quem quer que se aproximasse. Outros estavam se alimentando, com a boca grudada em gargantas, pulsos e coxas. Outros ainda faziam sexo sem o menor pudor, como Salem, que fodia uma vampira por trás enquanto ela sugava o sangue da artéria femoral de uma mulher sentada de pernas abertas diante dela.

Aquele hedonismo sem limites bombardeou os sentidos hiperestimulados de Elijah, que se sentiu sufocado pelas emanações a seu redor. Excitado até as raias da loucura, ele procurava por Vash no meio da multidão. Sua fera interior gritava para se liberar, tentando fazê-lo perder o controle com o pensamento insistente de que ela estava se entregando para outro.

Ele saltou sobre uma mesa com banquetas altas e soltou um rugido que se sobrepôs à agitação do ambiente. As atenções do salão inteiro se voltaram para Elijah, e o único som que se ouviu depois disso foi o da música. Foi quando uma loira alta seguiu o exemplo dele, pulou sobre o balcão do bar, abriu a camisa com um puxão, mostrou os peitos e começou a sacudi-los enlouquecidamente, gritando: "É isso aí, caralho!".

A multidão entrou em uma espécie de frenesi. Inebriados pela endorfina, os vampiros retomaram a esbórnia, com a batida da música conduzindo o ritmo das ações como um tambor de guerra.

Elijah escalou o mezanino do segundo andar, ainda à caça de sua vampira.

Vash entrou no lounge VIP do terceiro andar e observou seus ocupantes. Ela estava procurando por alguém em especial, e havia encontrado. Ele era alto e magro. Loiro. Um olhar de desdém, e uma pose que era a personificação da insolência. Com a camisa aberta e os pés descalços, ele exibia com orgulho a pele clara e lisa. A antítese de Elijah. Mas a parte mais interessante eram os piercings espalhados pelo corpo — nas orelhas, sobrancelhas, no nariz, na boca, nos mamilos, no umbigo... E ela tinha certeza de que havia mais, em lugares menos visíveis. Isso sem contar as marcas na pele, feitas com movimentos habilidosos com a ponta de uma lâmina, formando desenhos intricados com cicatrizes que não se curavam graças a aplicações constantes de cremes e loções com prata em sua composição.

Aquele homem gostava de sentir dor. Expunha-se ao martírio de maneira deliberada, e sabia apreciar a beleza do sofrimento físico. E ela queria infligir dor a alguém que era capaz de suportá-la e ainda gostar. Porque ela estava abalada, e enfurecida. Porque ela já tinha se deparado com dezenas de corpos masculinos atraentes desde que entrou ali, mas nenhum deles foi capaz de despertar seu apetite e fazer seu sangue ferver. Porque ela se considerava morta para todos os homens desde o dia em que Charron morreu... todos menos um.

"Você", ela chamou sua presa com um movimento do dedo.

Ele se endireitou, abrindo um sorriso maroto e sensual, e partiu em direção a ela com um andar indolente e confiante. Ao chegar até Vash, ele a mediu dos pés à cabeça com um olhar cobiçoso e passou a língua pelo lábio inferior. "Estava começando a achar que você nunca ia reparar em mim."

Já com uma ponta de desinteresse, ela ergueu as sobrancelhas. "Ah, é?"

Ele inclinou a cabeça e mostrou o pescoço... revelando uma tatuagem com uma inscrição feita com tinta e prata: VASHTI, MORDA AQUI.

Ela estremeceu ao se dar conta da insanidade daquele ato. Os dois nem se conheciam, e ainda assim ele tinha marcado o próprio corpo como se fosse propriedade dela.

De todos os homens que poderiam atender a seus requisitos naquela noite, ela tinha que escolher justamente um lacaio como aquele, um zé-ninguém que ficava excitado com a ideia de servir como escravo para um Caído.

Ela quase o mandou desaparecer de sua frente — sua vida já estava complicada demais naquele momento para incluir mais um maluco. Foi quando ela ouviu o rugido de Elijah, que reverberou pelas paredes e fez tremer as taças com sangue sobre as mesas. A ferocidade do desejo que a atingiu a fez cambalear sobre os pés, como se ela estivesse programada a ceder àquela demonstração de dominação. Vash não estava em condições de ser exigente. Ela precisava de sangue para aplacar seu desejo por Elijah, e não havia tempo a perder.

Ciente de que em, no máximo, cinco minutos o licano atravessaria o mar de corpos em movimento que obstruía as escadas para o terceiro andar, Vash fez o vampiro se sentar em uma cadeira com um empurrão e se posicionou atrás dele, agarrando o queixo do lacaio e puxando-o para o lado a fim de expor o pescoço. Ela preferia o punho, para manter a transação em um nível mais impessoal, porém era preciso agir depressa, e nesse sentido nada poderia ser melhor que um bom jato de sangue arterial.

As presas de Vash se alongaram, e seu olhar se voltou para a veia pulsante na garganta dele. O estômago dela roncou de fome, e a fraqueza que sentia era mais um indício da necessidade de se alimentar com urgência. Subitamente, porém, a porta do lounge foi arrancada e arremessada sobre a massa de vampiros lá embaixo. Elijah apareceu entre os batentes retorcidos, com seu corpo volumoso, rígido e viril. Os olhos dele brilhavam sob a luz indireta das luminárias de parede.

"*Minha*." Uma única palavra, emitida com uma voz grave e assustadoramente profunda, como se tivesse sido dita pela fera interior que residia dentro dele valendo-se de sua garganta humana.

Uma onda morna começou a percorrer sinuosamente o corpo dela, uma sensação estranha e pervertida de prazer que só uma criatura tão magnificamente masculina seria capaz de despertar com uma manifestação tão poderosa de possessividade.

O olhar de Elijah se voltou para o lacaio sentado diante dela. "Suma daqui, antes que eu mate você."

"Puta que pariu, eu preciso comer!", ela gritou, tentando reprimir seu desejo por ele e se agarrando desesperadamente à esperança de que a reposição de nutrientes fosse suficiente para libertá-la daquele inexplicável fascínio.

Mas Vash também sabia que ele não permitiria que ela se alimentasse do sangue de outro homem, pelo menos não naquele momento. A alimentação dos vampiros era sexual demais, mesmo quando o único contato entre os dois corpos era o das presas com a veia e o dos lábios com a pele. Elijah era territorial demais para aceitar aquele tipo de toque, por mais impessoal que fosse. No entanto, ela sabia que não podia beber o sangue dele, pois seu instinto dizia que ela teria a mesma reação que ele ao sentir o gosto de sua pele... a demonstração de um apetite que não podia ser saciado, e que se tornaria cada vez maior.

Caso ela o provasse, certamente iria querer mais. Mais uma dose de seu poderoso sangue de licano. Mais e mais contato com ele.

Ela teria que o manter sob controle pelo menos até poder se alimentar.

Assumindo as rédeas da situação, Vash foi até ele e o agarrou pela camisa. "Vem comigo."

Ela o puxou, mas só o que conseguiu com isso foi produzir um rasgo nas costas da camisa dele. Elijah sequer se moveu — ele era forte o bastante para resistir até mesmo aos atributos físicos sobrenaturais de uma vampira. O ventre de Vash se contraiu de vontade de ser preenchido por um macho mais poderoso que ela.

Com o rosto vermelho e a respiração ofegante, ela passou por ele e saiu para o corredor, tentando retomar o controle antes que ele percebesse o quanto a estava deixando abalada. Se ela não tomasse cuidado, ele a faria implorar para fodê-la. A ideia de que ela pudesse fraquejar daquela maneira era aterrorizante. Vash tinha a obrigação de ser forte, por ela, por Char e por todos os vampiros que precisavam se manter vivos e na luta.

Elijah a seguiu tão de perto que ela quase conseguia sentir o hálito dele na nuca. Mais uma vez, ela estava sendo perseguida. E era impossível negar que parte dela estava gostando daquilo. Era o tipo de atitude que estimulava seu desejo e a deixava molhadinha de tesão.

Vash viu a luz verde acesa acima de uma porta e entrou apressada. Havia mais portas e mais luzes. A maioria era vermelha, indicando que o recinto estava trancado e ocupado. Outras eram amarelas, assinalando que o cômodo estava desocupado, mas ainda precisava ser limpo. Apenas algumas eram verdes, e ela escolheu a primeira que viu pela frente, abrindo a porta e soltando um palavrão ao notar que Elijah vinha logo atrás. Ele a pegou pela cintura e a jogou sobre a cama espaçosa, mal dando a Vash tempo de se ajeitar antes de pular sobre ela.

"Elijah", ela murmurou quando ele caiu na cama de quatro, com as mãos apoiadas no colchão acima de seus ombros e com os joelhos ao lado de suas pernas, envolvendo todo o seu corpo. Ela ficou paralisada de medo, mas não exatamente dele, e sim do desejo que a consumia por dentro. Da vontade de arquear o corpo e se oferecer a ele, um impulso que fazia seu coração acelerar enlouquecidamente e ameaçava roubar todo o ar de seus pulmões.

Os olhos de Vash se acostumaram à falta de luminosidade do ambiente — a única luz disponível era a que entrava por baixo da porta. Os olhos dele reluziam com um brilho esverdeado sobrenatural. Elijah baixou a cabeça e inspirou profundamente, expandindo por inteiro a caixa torácica para sentir o cheiro dela.

"Nós deveríamos ter vindo para cá assim que chegamos", ele disse em um áspero tom de voz. "Agora você vai poder gozar."

Elijah a beijou na boca antes que ela pudesse responder, comprimindo seus lábios e fazendo-a perder o fôlego. Ele enfiou a língua na boca dela com um grunhido, e com a mão abriu o zíper de sua roupa até o fim, já na região do púbis. Enquanto ela se deliciava com o sabor marcante e proibido do licano, ele abria o macacão dela e agarrava seu peito com a mão grande e quente.

As presas da vampira se alongaram, perfurando a língua dele. O sangue de Elijah inundou sua boca com um gosto intoxicante e exótico. Ele apertou com força o peito dela, beliscando e torcendo o mamilo endurecido. O sexo dela se contraiu em espasmos que seguiam o mesmo ritmo dos movimentos dele.

Enlouquecida, Vash sugou a língua de Elijah com a mesma voracidade com que ele tinha chupado seu peito um pouco mais cedo, fazendo o sangue dele jorrar sobre suas papilas gustativas. Ela revirou os olhos, sentindo sua capacidade de raciocinar ser definitivamente sepultada sob aquela sensação deliciosa. Ele soltou um gemido com a boca colada à dela e deixou que seu quadril se encaixasse entre as pernas da vampira, esfregando o pau endurecido em sua abertura faminta. Gemendo baixinho, ela o agarrou e o puxou mais para perto, remexendo a cintura para poder esfregar o clitóris exatamente onde queria.

Elijah ergueu a cabeça para observar os movimentos dela, e viu quando a vampira jogou a cabeça para trás como se estivesse à beira do orgasmo. "Me diz que é isso que você quer, Vashti. Que você precisa do meu pau assim como precisa de sangue para sobreviver."

Ela estremeceu ao ouvi-lo verbalizar aquilo que mais temia no mundo.

Eu não vou me deixar levar só pelo meu pau, ele tinha dito nas cavernas de Bryce Canyon em um dia que para ela parecia fazer parte de um passado remoto. Vash sentiu medo de não conseguir ser tão forte quanto ele. Ela nunca havia ficado tão desesperada por sexo como naqueles dias, e só ele era capaz de saciar seu desejo. A atração que ele exercia sobre ela era um poder imenso, e Vash temia que em algum momento acabasse cedendo ao que ele queria — uma rendição total.

Apoiando o pé no quadril dele, ela conseguiu a alavanca de que necessitava para virá-lo. Com movimentos apressados e urgentes, Vash se lembrou do motivo pelo qual o havia levado até aquele quarto. Em uma fração de segundo, ela o imobilizou, amarrando-o pelos pulsos e antebraços com um arame farpado revestido em prata. Ele rugiu ao sentir as pequenas pontas afiadas perfurarem sua carne apenas o suficiente para tirar sangue e expor seu corpo ao contato direto com o metal que exercia um efeito poderoso sobre Sentinelas, vampiros e licanos.

A cama inteira tremeu com a reação de fúria de Elijah, cujos olhos faiscantes iluminavam o recinto. "Sua vadia do caralho!"

Mas ela estava enlouquecida, molhada e inchada no meio das pernas, sentindo os seios sensíveis e pesados, com o gosto dele na boca, lutando contra a voz que lhe dizia para fugir dali caso ainda tivesse algum juízo.

"Me solta." Ele golpeou a cama com os saltos das botas. "Me tira daqui, porra... *agora*!"

Vash arrancou o macacão às pressas, livrando-se também das botas em uma espécie de frenesi. Quando já estava nua, se jogou sobre o inquieto Elijah, que se debatia o tempo todo, e tentou abrir o botão da braguilha da calça dele.

"Vashti!" Ele arqueou as costas violentamente. "Assim não, caralho. Não me amarra como se eu fosse um animal."

Como de costume, Elijah estava sem cueca, pronto para mudar de forma quando fosse necessário. Sem nada que separasse sua boca do pau dele, ela o abocanhou com vontade, percorrendo-o por inteiro com os lábios e a língua.

"Merda", ele sibilou, sacudindo os quadris em uma tentativa de afastá-la. "Tira essa boca de mim, sua sanguessuga."

Ela não conseguia. Nem se todos os vampiros presentes no refúgio aparecessem ali e a vissem chupando um licano ela pararia. Seu apetite pelo gosto dele era grande demais, e a vontade de fazê-lo se render, ainda maior. Enquanto o masturbava de cima a baixo com a mão, ela lambeu a cabeça grande e grossa e começou a sugar com força para levá-lo mais depressa ao orgasmo. Ele resistiu o tempo todo, com as pernas fortes contraídas, o peito retumbando com grunhidos furiosos e contorcendo a coluna para tentar tirá-la de cima dele.

Quando gozou, ele soltou um uivo lupino que fez a pele dela se arrepiar, um som agudo e primitivo, sem nenhum resquício de humanidade. Os olhos dela se encheram de lágrimas ao engolir o sêmen, sentindo a presença de um apelo ancestral em sua ânsia para sentir o sabor selvagem da virilidade do licano alfa.

"Maldita." Ele arfava, com o peito ofegante, enquanto ela abaixava as calças dele até os joelhos. "Maldita, traidora... Ai, caralho!"

Ela cravou as presas na artéria femoral de Elijah e perdeu o último resquício de humanidade que ainda lhe restava naquele momento. O sangue se misturou ao sêmen em sua boca, criando uma essência que era a melhor coisa que ela já havia provado. Vash agarrou a coxa musculosa dele com os dois braços, alimentando-se dele com goles furiosos.

"Vadia do caralho", ele xingou. "Sua vadia amaldiçoada do caralho. Está me roubando aquilo que eu deveria ceder por escolha própria."

Ela ouviu os ganchos na parede rangerem sob a força de Elijah, que lutava para se livrar das amarras com tamanha disposição que mal parecia sentir o efeito da prata, que era incapacitante para a maioria dos vampiros.

Inebriada, Vash removeu as presas da carne dele e fechou os furos com movimentos reconfortantes da língua.

"Eu não consigo parar", ela murmurou, sentindo uma necessidade terrível de ser preenchida por ele, apesar de todo o esforço que fazia para negar isso. Licano nenhum gostava de ser amarrado, e Elijah não era um licano qualquer. Era um Alfa. Uma aparição rara como o surgimento de um novo anjo e, em diversos sentidos, uma criatura tão frágil quanto.

Ela sentou em cima dele, de costas, com os olhos voltados para a porta. Quando saíssem por ali, eles não seriam mais os mesmos de quando entraram. A fúria de Elijah percorria o corpo dele como ondas. Ainda assim, ela não se deteve, agarrou o pau ainda ereto e o posicionou sob sua abertura sedenta.

"Não faz isso", ele avisou com um tom de voz sério e embargado.

Ela lambeu o gosto dele dos lábios subitamente ressecados. "Eu... preciso de você."

"Não assim, Vashti. Não é assim que você me quer."

Suas partes mais íntimas se tocaram. Os lábios do sexo dela envolveram o pau dele, alargando-se de leve. A mão de Vash tremia como a de um viciado em crise de abstinência. "É só assim que eu posso ter você."

Vash o recebeu por inteiro com um movimento dos quadris. Ele rugiu, e ela gritou ao ser penetrada pela primeira vez em mais de meio século. A parede de concreto atrás dele explodiu com um ruído ensurdecedor. Poeira e escombros a envolveram como uma nuvem. Ela foi catapultada para a frente com violência, seu corpo foi arremessado para a porta e depois para o chão antes de ser lançado na cama com uma força de tirar o fôlego.

Antes que ela se desse conta do que estava acontecendo, o corpo rígido e quente de Elijah estava montado sobre ela na cama, preenchendo-a com as estocadas de seu pau duro. O arame que envolvia os braços dele se arrastava no chão, produzindo um ruído que reverberava dentro dela.

Elijah enrolou os cabelos dela no pulso até o antebraço. Agarrando-os com força perto da raiz, ele a puxou para trás e murmurou em sua orelha: "Você não vai conseguir me domar".

Ele recuou os quadris, saindo de dentro dela por um instante apenas para penetrá-la de novo com ainda mais força. "Você não vai conseguir me prender."

Puxando-a pelos cabelos, ele a colocou de quatro. "E de jeito nenhum você vai conseguir me violar."

A estocada seguinte atingiu o limite do que o corpo dela era capaz de abrigar, fazendo com que uma sensação de supremacia crescesse dentro dele. Ela gritou, completamente à mercê do desejo primitivo que os fazia se entregar um ao outro. Ele a penetrou com força, chegando cada vez mais fundo e estimulando um pontinho dentro dela que a fez tremer e gemer. Ela não tinha como se mexer, estava impossibilitada de ter alguma influência sobre o ritmo das coisas. Ou pelo menos foi isso que ela disse a si mesma.

Obviamente, era mentira. Ele era mais forte, mas Vash tinha todas as condições de reagir, de feri-lo, de fazê-lo lutar para conseguir o que queria. Os dois sabiam muito bem disso. Mesmo assim, ela permitiu que ele fizesse o que bem entendesse, por razões que não conseguia explicar.

Alguma coisa pareceu ter se libertado dentro dela.

Perdida entre as próprias emoções, Vash se agarrou a Elijah como se ele fosse o único porto seguro possível em meio à tempestade que rugia dentro dela. As lágrimas começaram a cair. Seu peito começou a doer. Seu corpo ardia em ondas de prazer que pareciam vir de todos os lados, estraçalhando as barreiras que a protegeram por tanto tempo.

Ele não aliviou. Elijah a possuía como o animal que era, arremetendo contra ela com uma ferocidade implacável. Ela se entregou desamparadamente ao orgasmo, gritando o nome daquele macho que não dava trégua, que se recusava a ceder. Ele continuava a levá-la ao êxtase, e fazendo-a querer mais. Entregando-se a ela. Por inteiro. Era mais do que ela podia suportar, mais do que estava disposta a aceitar.

Quando ela desabou no colchão, com a cabeça e o ombro para fora da cama, ele se deitou sobre ela. "Você vai me ter como eu quiser", ele falou. "E vai me querer do jeito que eu sou. Ou não vai me ter de jeito nenhum."

Ele afastou ainda mais as pernas dela com os joelhos, e seu pau enorme chegou um pouco mais fundo. Com a mão que segurava os cabelos dela, ele empurrou sua cabeça para o chão, forçando-a a assumir a mais submissa das posições. Ela sentiu os dentes dele se encravarem em sua nuca, os caninos inumanos, a pressão suficiente para romper sua pele sem rasgar.

Dominada e entregue em todos os sentidos, Vashti gozou de novo e de novo, soluçando de prazer, vergonha e culpa. Implorando para que ele a perdoasse. Que a aniquilasse. Que a preenchesse.

E foi isso o que ele fez durante horas, penetrando-a com toda a fúria e o tesão que ela lhe despertava, esvaziando-se dentro dela com um grunhido embargado que parecia um gemido provocado por uma dor deliciosa.

7

De seu ponto de vista privilegiado no alto do morro, Adrian Mitchell vigiava a vampira loira neófita que tentava pegar de surpresa três dos anjos mais temidos, entre eles seu braço direito e tenente. Eles estavam de costas para ela, concentrados nos papéis espalhados sobre uma mesa de madeira.

O dia já estava claro, o sol se erguia alto no lado leste do céu. O brilho dourado que torraria a carne de qualquer lacaio acariciava a pele clara dela assim como os lábios de Adrian tinham feito algumas horas antes. Atrás dela, sua casa se equilibrava na encosta do morro de uma maneira que parecia desafiar a gravidade, com seus três andares emergindo das rochas pontudas e sua gasta fachada de madeira e pedra que parecia parte integrante da paisagem do sul da Califórnia.

Ele observou e esperou, com as asas com manchas vermelhas encolhidas junto às costas para evitar qualquer movimento em função do vento. Adrian admirou a tentativa da vampira, apesar de reconhecer que era inútil. Ela não dava conta nem de um de seus Sentinelas — três, então, era impossível.

Agachada, ela atravessou a varanda larga com uma lâmina estreita na mão. Quando deu o bote, ele apreciou a graça e elegância dela, quase comparáveis às de Damien quando se virou no último instante e agarrou a mão que empunhava a lâmina, uma prova de que já estava pressentindo sua aproximação.

Era previsível que a ação terminasse por ali, mas ela surpreendeu a todos usando o aperto do Sentinela em seu braço para apoiar seu peso enquanto com um chute derrubava os dois outros anjos que ladeavam Damien sobre a mesa, fazendo a papelada voar pelos ares.

Adrian saltou de onde estava, abrindo as asas de quase dez metros de envergadura para capturar uma corrente de ar que o projetasse para cima. Ele subiu e mergulhou logo em seguida em movimentos espiralados, deliciando-se com o vento nos cabelos e nas penas. Ele deu um rasante na varanda de madeira, tocando suas tábuas com a ponta das asas, antes de subir mais uma vez, usando a força da gravidade para diminuir o impulso vertical ascendente e aos poucos voltar ao chão.

Sem nenhum esforço aparente, ele aterrissou sobre os pés descalços, carregando consigo sua mal comportada parceira.

Ela o agarrou com força pelo pulso, abrindo sua mente para que ele lesse seus pensamentos. *Ver você voar me deixa com tesão.*

"Ver você caçar causa esse mesmo efeito em mim." Em respeito a seus homens, o rosto e o tom de voz de Adrian não denotavam nenhum sentimento em relação a ela, mas a maneira como a acariciou na palma da mão com os dedos foi reveladora.

Malachai e Geoffrey se levantaram de suas posições constrangedoras.

"Isso é trapaça", reclamou Malachai, estendendo e flexionando suas asas, que tinham a cor do nascer do sol — um amarelo pálido enfeitado com pontas alaranjadas.

Lindsay abriu um sorriso radiante. "No corpo a corpo o prejuízo é todo meu, mas acho que contra um grupo eu me saio melhor. Posso usar um para distrair os outros."

"Isso é loucura", repreendeu Geoffrey, com uma expressão irritada. Pouco tempo antes ele a havia comparado a uma gata doméstica um tanto neurótica, que ia se esgueirando de móvel em móvel e atacava os pés do primeiro infeliz que passasse por perto. Mas, na verdade, ele admirava seus esforços incessantes para se aprimorar e se tornar alguém mais útil. Porém, por mais que fosse uma mestra na produção de armas e lâminas e estivesse treinando para melhorar na luta mano a mano, ela ainda era uma jovem vampira neófita. Ainda não podia contar com a força e a resistência que só o tempo era capaz de conferir. Em seu íntimo, ela ainda era vulnerável demais.

Damien suspirou. "Não, isso é a Lindsay. Foi culpa nossa não estarmos preparados para ela."

O tenente estava preocupado com o impacto de Lindsay sobre Adrian e a missão dos Sentinelas, mas nem por isso deixava de admirá-

-la como guerreira. O braço direito original de Adrian, seu grande amigo Phineas, era um estrategista, e Jason, seu sucessor, era um motivador. Já o ponto forte de Damien eram suas habilidades de combate, e era isso o que ele mais admirava nos outros.

Lindsay guardou a lâmina na bainha que trazia amarrada na coxa. "Eu entrei em contato com todas as matilhas internacionais durante a noite. O acesso aos meios de comunicação está cortado, os licanos alocados no exterior estão cem por cento sob controle. Eles não fazem ideia de que as matilhas da América do Norte se rebelaram."

"Pelo menos alguma coisa o Criador fez por nós", murmurou Malachai.

"Mas não podemos nos arriscar a usar esses licanos para conter os fugitivos", argumentou Geoffrey. "Apesar de alguns deles quererem fazer isso de bom grado."

Adrian desviou os olhos para uma construção que ficava a mais ou menos oitocentos metros dali — o alojamento dos licanos, que costumava abrigar sua matilha, mas que naquele momento era o lar de umas poucas dezenas de fugitivos que se entregaram ao longo dos últimos dez dias, quando o comando sobre as matilhas começou a desmoronar como um castelo de cartas. Mais e mais licanos voltavam para ele todos os dias, e quando Adrian lia seus pensamentos, assim como fazia com Lindsay, só o que encontrava era medo, confusão e lealdade, o que o deixava comovido.

O desmoronamento da ordem que ele tanto havia trabalhado para estabelecer era em parte um castigo por seu amor por Lindsay, Adrian tinha ciência disso — a perda dos licanos, a culpa por saber que outros vinham pagando o preço por erros seus, a tensão inerente à função de tentar manter o equilíbrio entre vampiros e mortais. Apesar de ter cometido o mesmo pecado que os Caídos, seu castigo era diferente. A suspeita de Adrian era a de que ele fosse útil demais para ser descartado. No entanto, ele sofria as consequências de seu erro de outras maneiras, e em todos os dias de sua vida eterna. Durante séculos, ele testemunhou as diversas mortes de Shadoe, um sofrimento que continuaria atormentando-o para sempre. "Precisamos mandar reforços para os Sentinelas que ainda controlam suas matilhas. Aqui nos Estados Unidos estaremos em desvantagem, e temos um problemão para resolver."

Eles estavam absurdamente inferiorizados numericamente. As matilhas de Jasper e Juarez ainda estavam sob controle, mas as demais tinham sido perdidas. Ele olhou para a bela vampira a seu lado, o corpo que costumava abrigar a alma de Shadoe, mas que àquela altura pertencia exclusivamente à mulher que era a dona de seu coração. O vampirismo lhe dava uma chance muito maior de sobrevivência do que no caso de uma mortal, mas ela ainda estava fraca, precisava se alimentar com frequência. O sangue poderoso de Adrian era a única coisa que ela bebia, o que lhe permitia suportar a luz do dia, mas isso significava que os dois não podiam passar muito tempo separados. A fragilidade dela representava uma tremenda desvantagem para ele.

Ele cerrou os punhos ao sentir vontade de tocá-la, uma demonstração de carinho que não seria bem recebida por ela, não na frente dos demais Sentinelas. Lindsay era sempre cautelosa na hora de demonstrar o amor que os consumia, sabia do risco que o reconhecimento público da união dos dois representava. Os anjos em teoria não precisavam de ninguém que os completasse. Eles deveriam estar acima das veleidades dos mortais, mas ele não era tão perfeito assim. Adrian desejava Lindsay com uma ferocidade incontrolável, e não sentia nenhum arrependimento com relação ao que tinha feito com ela. Afinal, ele não podia cair na hipocrisia de confessar seu amor por Lindsay em um momento e, no seguinte, implorar perdão por seu pecado. Além disso, ele não estava nem um pouco disposto a se afastar ou virar as costas para ela. Lindsay era tudo para ele, sua razão para continuar se levantando e lutando todos os dias, apesar de todas as dificuldades.

Respirando fundo, ele olhou para o céu em busca de respostas, mas não obteve nenhuma. "Não temos recursos para caçar os licanos e também os vampiros. Precisamos escolher. No caso dos vampiros, nós sabemos com que estamos lidando. Já os licanos são um mistério."

"Eles podem expor nossa existência para os mortais", disse Damien.

"Ou podem vir atrás de nós a fim de eliminar o risco que representamos para eles", sugeriu Malachai.

"Eles podem se aliar aos vampiros", interferiu Geoffrey. "Syre seria bem capaz disso."

Adrian balançou a cabeça afirmativamente, ciente de que Syre estava sofrendo, pois sabia que Shadoe jamais voltaria depois de ser exorcizada por Lindsay. "Essa é a hipótese mais provável das três."

Os três Sentinelas não sabiam o que era sofrer uma perda — eles não tinham sido impregnados pelas emoções humanas como Adrian e Syre. Adrian não duvidava que o líder dos vampiros queria atacá-lo para descontar sua raiva, e a rebelião dos licanos era a oportunidade perfeita para isso.

Os olhos de Lindsay perderam o brilho por um momento. Ela sacudiu a cabeça com veemência. "Acho isso impossível. Elijah vive para caçar vampiros, e quer a cabeça de Vashti depois do que ela fez com Micah."

"E Syre, Torque e Vashti querem a dele, depois do que aconteceu com Nikki", argumentou Adrian, "mas a vingança sempre pode ser adiada, a depender dos benefícios oferecidos." Ele atenuou o tom de voz, pois sabia que ela considerava aquele licano um amigo. "Você nunca imaginou que ele fosse se rebelar, e foi isso que aconteceu."

Ela mordeu o lábio inferior, com um olhar preocupado. Em nenhum momento ela deixou de pensar no bem-estar do Alfa.

Adrian penetrou em sua mente de forma discreta, para acalmá-la, pois não gostava de vê-la perturbada daquela maneira. O motivo da ansiedade dela não era apenas Elijah, mas também Syre. Ela podia não ser a filha do líder dos vampiros por parentesco sanguíneo, mas o fato de ter carregado a alma de Shadoe dentro de si deixou uma marca — ela havia sido exposta às lembranças que Shadoe tinha de Syre, à maneira carinhosa como a filha se recordava do pai. Apesar de aquelas reminiscências não serem dela, Lindsay as sentia como se fossem, e lamentava a perda de ambos.

Ela lançou para Adrian um olhar de desagrado, para lembrá-lo do pedido de não bagunçar a mente dela. Ele fez um sinal afirmativo, mas não deixou de oferecer seu conforto, pois não via aquilo como algo invasivo. Pelo menos não do ponto de vista dele.

Lindsay agarrou seu pulso e imaginou a si mesma mostrando a língua para ele, um pensamento que o Sentinela conseguiu captar com notável clareza. Adrian riu por dentro. Apesar de todos os revezes que havia sofrido, ela mantinha uma vitalidade impressionante e um senso de humor admirável. Muito diferente dele, que havia sido criado para castigar, aprisionar, ferir e matar. No entanto, ela estava lhe ensinando uma nova maneira de pensar, mudando-o pouco a pouco, trazendo um pouco de luz para sua existência penumbrosa. Ele, por sua vez, fazia um esforço tremendo para aprender e evoluir, para ser capaz de algum dia pôr um sorriso no rosto dela e fazê-la feliz. Ela era sua alma. Quem seria ele não fosse o amor que sentia por ela, acima de qualquer razão ou instinto de preservação?

O telefone do escritório de Adrian começou a tocar. Todos os presentes ouviram, apesar da distância e das portas de vidro fechadas. Lindsay franziu a testa e se virou, ainda desacostumada com seus sentidos vampirescos aguçados.

Adrian se afastou na direção do corredor. A porta de vidro deslizou para o lado quando ele se aproximou, recolhendo as asas. Elas se dissiparam como uma neblina sob o vento assim que ele entrou, permitindo que ele se movimentasse sem dificuldades em um ambiente fechado e também se misturasse tranquilamente aos mortais. O telefone foi atendido no terceiro toque, e quando ele se sentou estava com os olhos cravados em Lindsay.

"Mitchell", ele atendeu.

"Capitão. É Siobhán."

Ele se inclinou e se ajeitou na cadeira. Adrian havia encarregado Siobhán de estudar a doença que estava aniquilando as fileiras dos vampiros, e ela vinha trabalhando sem parar nessa missão fazia semanas. Foi ela que, sem querer, descobriu que o sangue dos Sentinelas curava os infectados, quando um Sentinela com quem trabalhava foi mordido por um doente que mais tarde voltou a seu estado vampiresco normal. Considerando o número de vampiros existentes apenas na América do Norte, que chegava às dezenas de milhares, e os poucos mais de duzentos Sentinelas ainda vivos, tratava-se de uma informação que não podia ser revelada de jeito nenhum enquanto uma cura alternativa não fosse descoberta. "Como está indo?"

"Devagar e sempre. Temos uma dezena de infectados em condição estável. Estão sendo mantidos vivos com transfusões de sangue constantes, mas, sem os sedativos, ficam incontroláveis."

Adrian havia testemunhado todas aquelas monstruosidades em primeira mão. Ele sabia como os infectados podiam ser violentos. "Em quanto tempo eles perdem as funções cerebrais mais importantes?"

"Como é que eu posso saber?", ela rebateu, desanimada. "Quando eles chegam até mim, já estão infectados. Se você quiser um quadro passo a passo da evolução da doença, eu vou precisar infectar deliberadamente indivíduos saudáveis."

"Faça isso. Nosso sangue é a cura, então esse dano pode ser revertido." Foi uma ordem brutal, que ele não gostou nem um pouco de dar, mas os fins justificavam os meios. Quando Nikki o atacou e quase tirou sua vida, ela ainda estava lúcida o bastante para continuar se comunicando com coerência. Quando ela teria sido infectada? Ela era um exemplo de indivíduo recém-exposto à enfermidade? Ou já estava doente fazia tempo? "Você conseguiu detectar algum padrão de velocidade de progressão da doença?"

Alguns vampiros morriam em poucos dias, outros duravam apenas algumas semanas e outros ainda pareciam ser imunes. Por quê?

"Acho que estou chegando perto disso." A empolgação na voz dela se tornou perceptível. Aquela pequena e delicada Sentinela tinha uma tremenda sede de conhecimento. "Ainda não tenho certeza, mas parece que o avanço depende da distância do lacaio em relação aos Caídos na hierarquia vampiresca. Por exemplo, Lindsay é descendente direta de Syre. A infecção no caso dela seria bem mais lenta do que no de uma lacaia transformada por ele, que seria descendente indireta de Syre. E por aí vai."

Ele deixou os cotovelos caírem sobre os apoios da poltrona e juntou os dedos. "Você precisa testar o sangue dos Caídos."

"Pois é, isso seria muito útil", ela concordou, na certa pensando na dificuldade que teria para obter aquilo. “Eu poderia ver se pelo menos a velocidade no desenvolvimento da doença diminui.”

“Eu sou sua melhor chance de conseguir isso”, interrompeu Lindsay. “Como sou uma vampira, poderia me infiltrar em qualquer lugar em que eles se reunissem.”

A resposta de Adrian foi imediata. “Não.”

Ela ergueu as sobrancelhas e lançou um desafio a ele com seus olhos cor de âmbar — a cor que distinguia as íris de um vampiro. Lindsay podia frequentar diferentes ambientes sem dificuldades, mas era frágil em diversos sentidos. O sangue de Sentinela de Adrian era capaz de protegê-la da doença, e ela sabia lutar e matar, porém ainda era vulnerável demais sem ele por perto para protegê-la. E havia outro problema: apesar de a maioria dos lacaios não saber quem ela era, alguns Caídos a conheciam, por causa de Syre e de Shadoe. Lindsay não podia desfrutar do anonimato total.

Ele não poderia se arriscar a perdê-la. “Não”, repetiu, impondo sua negação aos pensamentos dela para dar ainda mais ênfase.

“Fique fora da minha cabeça, anjo”, ela grunhiu.

A voz melodiosa de Siobhán surgiu do outro lado da linha. “Eu também vou precisar de mais sangue de licano.”

“Sem problemas.” Adrian tinha uma boa quantidade de material criogênico armazenado, para propósitos de identificação e de pesquisa genética. “Mais alguma coisa?”

“Talvez...” Ela hesitou por um instante. “Talvez mais amostras de sangue de anjo. De um *mal'akh* ou até mesmo de um arcanjo. De preferência dos dois. Talvez não sejam só os Sentinelas que carregam a cura em suas veias.”

“Só isso?”, Adrian perguntou, sarcástico. Apesar de os *malakhim* — a fileira menos elevada dos anjos da esfera mais baixa — serem os mais numerosos, arrancar seu sangue não era uma tarefa fácil. “Vou ver o que posso fazer. Me mantenha informado.”

“Sim, capitão. Claro.”

Ele desligou, sem tirar os olhos de Lindsay. Ela sempre tomava o cuidado de não desafiá-lo na frente de seus subordinados, algo que ele sabia apreciar. Em particular, porém, ela o desafiava o tempo todo. Ele jamais confessaria que ficava excitado toda vez que ela fazia aquilo. Era só continuar demonstrando o contrário...

"Precisamos de um plano B, Lindsay. Concentre seu foco nisso."

Elijah passou as mãos pelos cabelos, com o coração batendo em disparada, olhando para a mulher esparramada sobre a cama. Os cabelos de Vashti formavam uma nuvem vermelha ao redor dela, com suas mechas brilhantes caídas sinuosamente acima dos ombros e da cabeça. Ela estava virada para ele, de boca aberta, com a respiração ofegante. Agarrava com força o lençol com as mãos, e as marcas de lágrimas eram visíveis em seu rosto pálido. Não por causa dele, mas pelo pesadelo que a abateu pouco antes e o fez acordar.

Não... por favor... para... O tempo todo, em uma ladainha contida. Resmungos e gemidos de dor. Choros de agonia que apelavam aos instintos mais primitivos dele.

Ele jamais se esqueceria do grito apavorante que o fez pular da cama como um homem e aterrissar no chão como um licano.

Contra sua vontade. Sua fera interior fugiu do controle pela primeira vez na vida. Por causa dela. Porque ela gritou de medo, perdida em seus pesadelos.

E ele só conseguiu se transformar de novo quando se certificou de que ela estava bem. Elijah ficou andando de um lado para o outro no quarto, farejando as aberturas nos vãos da porta, rugindo por não saber que nada além de uma caçada seria capaz de aplacar sua fúria. Quando enfim se convenceu de que nada naquele ambiente representava uma ameaça para ela, voltou para a cama, acariciou a cabeça dela com o nariz e lambeu as lágrimas sobre sua pele. Ela se acalmou e voltou a dormir. Somente então ele reassumiu sua forma humana.

Estavam todos enganados — ele não era um Alfa, caso contrário jamais se transformaria contra sua própria vontade. Ou seja, ele precisava descobrir o que realmente era. E depressa.

Enquanto isso, Elijah só conseguia pensar em Vashti. Obsessivamente. O sexo primitivo entre os dois havia produzido como consequência muito mais do que orgasmos explosivos. A maneira como ele reagia a ela tinha se transformado, minando seu autocontrole e seu bom senso. Naquela manhã, ele mal tinha sido capaz de reconhecer a si mesmo. Qual era o problema com ele?

Seu maior medo era o de saber a resposta. Aqueles momentos intermináveis em que ele ficou imobilizado, incapaz de impedir que ela vertesse seu sangue e seu sêmen com a boca, motivada pelo desejo feroz de receber seu pau nas profundezas mais recônditas do corpo dela... Aquilo tudo o havia modificado por dentro. E quando ele assumiu o controle da situação e ela sucumbiu, Elijah aceitou a rendição daquela mulher poderosa e fatal com um sentimento profundo de deslumbramento e gratidão.

Alguém bateu na porta, e Elijah a escancarou, com cara de poucos amigos por não querer perturbar o descanso de Vashti.

"O que você quer?", ele perguntou para Salem, parado no corredor. Elijah não se importou com o fato de estar totalmente nu. O vampiro também não.

"Você viu a Vashti?", Salem questionou por sua vez. Foi quando seu nariz detectou o cheiro que pairava no ar. Ele arregalou os olhos ao compreender a relação que Elijah havia estabelecido com ela.

"Vi, sim. Se manda."

"Cadê ela?"

"Está dormindo. Volta mais tarde." Elijah recuou e bateu a porta.

Salem impediu que a porta se fechasse com a palma da mão. "*Dormindo*?"

"Você sabe como é. Olhos fechados. Inconsciente. Entendeu? Se manda."

Salem forçou a abertura da porta. "Sai da frente, licano."

Entediado com aquela conversa, e ainda abalado pelo pesadelo de Vash, Elijah saiu para o corredor e fechou a porta com cuidado atrás de si. Ele empurrou o vampiro em direção à parede oposta. Salem caiu na soleira de um quarto lotado. Elijah viu uma quantidade suficiente de membros e pescoços arqueados para identificar pelo menos quatro corpos.

Salem se levantou em uma fração de segundo. "Você está me irritando, seu cão. Vash nunca dorme."

"Quando está cansada, ela dorme, sim."

Com seus olhos cor de âmbar faiscando, Salem baixou a voz a um tom ameaçador. "O que você fez com ela?"

"Está falando sério?", Elijah rebateu com aspereza. "Isso não é da sua conta."

"Se ela estiver machucada..."

Elijah deu risada, mas sem demonstrar nenhum senso de humor. Ele havia sido amarrado e atacado, e aquele vampiro estava preocupado com Vash. "Ela sabe se virar muito bem sozinha."

Salem o encarou com firmeza. Elijah bocejou.

"Ela não dorme faz décadas", o vampiro falou.

"Bom, vai ver isso explica por que ela é tão mal-humorada." O tom de voz de Elijah mudou, ficou mais grave. "Mas antes mal-humorada que fragilizada."

O vampiro cerrou os maxilares.

"O que aconteceu com ela, Salem?"

"Pergunte você mesmo, licano", Salem abriu um sorriso cruel. "Enquanto ela não se abrir, só o que vai existir entre vocês é o sexo. Você vai ser apenas um objeto para ela."

Elijah estava prestes a esmurrar o rosto desdenhoso do vampiro quando Salem se virou e voltou para o quarto em que tinha entrado por acidente, levantando a porta do chão e a recolocando de volta na moldura.

O licano precisou respirar fundo várias vezes para conseguir se recompor e voltar para o quarto em que estava com Vash. Ele abriu a porta devagar, e apenas o suficiente para que seu corpo passasse. O que ele viu o deixou paralisado.

Vashti estava sentada à beira da cama, pressionando a camisa dele contra o nariz. Ela a jogou de lado quando ele entrou, como se tivesse sido pega fazendo algo que não deveria. As mãos dela ficaram sobre as coxas, expondo seus belíssimos seios.

Ela se levantou, agitada. "Que horas são? Nós precisamos ir."

"São sete e pouco." Ele não precisou nem consultar o relógio para dizer isso. Seu ritmo diário era ditado instintivamente pela Lua, em qualquer parte do mundo que estivesse, graças ao sangue de lobisomem presente em sua linhagem. Ele se aproximou com cautela, como se ela fosse um animal arisco.

Os olhos dela eram enormes, e brilhavam apesar da falta de luz do ambiente. O cheiro do medo e da dor ainda estavam impregnados na pele da vampira, o que explicava por que ela preferia sentir o odor da roupa dele. Ou talvez ela simplesmente gostasse do cheiro dele, assim como ele gostava do dela. Ele podia lutar contra aquele desejo, e até mesmo odiar a si mesmo por isso, mas ignorá-lo seria muito mais perigoso, e o deixaria exposto e instável demais para exercer o controle necessário para um líder. Elijah era uma criatura movida por instinto, e ela mexia com ele de uma forma que era impossível ignorar ou minimizar.

"Já deveríamos ter voltado", ela falou, fazendo menção de se virar como se fosse pegar as roupas.

Ele a agarrou de leve pelo cotovelo, sentindo com os dedos sua pele macia como cetim, que lhe produziu um sobressalto. "Vem cá."

"Elijah..."

Puxando-a mais para perto, ele a pegou pela nuca e posicionou o rosto dela contra seu pescoço, onde ele sabia que estava concentrado seu cheiro. Ela respirou fundo e soltou o ar com força. Uma fração de segundo depois, Vash estava acariciando a pele dele com a dela, abrindo os lábios sobre sua pulsação acelerada. Ele se perguntou se ela imaginava o quanto aquele gesto era capaz de dar prazer a um licano, e chegou a conclusão de que não, o que era melhor no fim das contas. A munição da qual ela já dispunha contra ele bastava.

Fechando os olhos, ele absorveu a luxúria exalada por ela e, pela primeira vez, a ausência de tensão entre os dois. A altura dela era a ideal, assim como as curvas do corpo, que faziam com que ambos se encaixassem como duas metades de um mesmo todo. Uma combinação perfeita... com a mulher mais inadequada possível. "Com que você estava sonhando, Vashti?"

Ela se endireitou e tentou se afastar, mas ele a deteve, já esperando por isso.

"Me solta", ela falou, irritada.

"De jeito nenhum."

"Eu posso me soltar à força."

Ele agarrou com força os cabelos dela, puxando-a para trás e obrigando-a a encará-lo. "Você pode me pedir com educação, e eu posso pensar a respeito."

"Vai se foder."

"Bom, não é a maneira mais educada de pedir, mas tudo bem."

Ela soltou um riso breve, logo interrompido, mas delicioso enquanto durou. Áspero e profundo, parecia um ato um tanto incomum, mas denso e expressivo como só ela sabia ser.

Elijah a agarrou pelas pernas e apoiou um joelho na cama, depois o outro, até que ela estivesse posicionada onde ele gostaria. Ele se deitou ao lado dela e apoiou a cabeça sobre uma das mãos. A outra ficou sobre a barriga firme e macia da vampira, segurando-a sem fazer muita força enquanto a interrogava.

"Quem foi que machucou você, Vashti?"

Ela sacudiu a cabeça. "Não é da sua conta."

"Claro que é. Se eu não souber quem eles são, como posso matá-los?"

"Isso não é problema seu."

"Não o cacete."

"Nós transamos uma vez. Não vá pensando que isso significa muita coisa."

"Na verdade", ele abriu um sorriso, "nós transamos umas dez vezes. Mais ou menos."

"Esquece isso, cãozinho."

"Não dá."

Ela estreitou os olhos. "Puta merda. Você é mesmo metido a herói, não? Quer resolver todos os problemas do mundo."

"Para ajudar a encontrar quem matou seu companheiro, eu presto, mas não para saber quem foi que machucou você? Como é que você me vê de verdade, Vash?", ele provocou. "Você se sente vulnerável quando está comigo?"

"Não força a barra."

"Então me diz qual é a realidade."

Vash respirou fundo, fazendo com que seu abdome musculoso se expandisse sob a mão dele. "Syre já cuidou disso."

"Do quê?"

"Eu não quero falar a respeito, Elijah. É um assunto encerrado, que ficou no passado."

"Ah, mas você vai me contar, sim." Ele levou a mão à boca dela, passando o polegar pelo lábio inferior. Quando ela fez menção de reclamar, ele o enfiou entre seus lábios. "Talvez não hoje, mas algum dia."

Ele grunhiu ao senti-la chupando seu dedo, mordendo com os dentes de baixo. Seu pau aumentou de tamanho, ficou mais grosso, e ele se lembrou da sensação de tê-lo dentro da boca dela. Vash havia tomado à força algo que ele lhe daria por livre e espontânea vontade, mas o prazer proporcionado tinha sido o mesmo — seu apetite por ela era tamanho que ele a aceitaria fosse como fosse. No entanto, o que ele sentia que precisava fazer era ser carinhoso com ela, e ela precisava daquele carinho, apesar de resistir tanto.

Com um puxão para baixo com o dedo, ele abriu a boca dela e inclinou a cabeça para acariciá-la com a língua, de leve, apenas o suficiente para que ela o sentisse. Ao contrário da noite anterior no estacionamento, quando queria devorá-la avidamente, ele desejava algo mais terno e afetuoso para aquele momento.

Ela segurou seu pulso com os dedos. "Nós não temos tempo para isso. Ainda existe muita coisa a ser feita."

Agarrando o rosto dela com a mão, ele tomou a boca da vampira com um beijo profundo e molhado. Ele procurou manter um ritmo bem lento, resistindo com movimentos suaves com a língua quando ela tentou acelerar com gemidos e demonstrações explícitas de entusiasmo. Elijah continuou em sua cadência impassível, movendo com suavidade os lábios colados aos dela.

Ela suspirou e apoiou uma das pernas compridas e finas sobre o quadril dele. "Não me provoca."

Elijah rolou para cima dela e a imobilizou com seu corpo. Com os dedos dos dois entrelaçados, ele posicionou as mãos em ambos os lados da cabeça dela. "Nós precisamos disso, Vash. Eu preciso. Depois dessa última semana... Desse último mês inteiro, na verdade."

Ela o encarou, parecendo mais jovem e mais frágil do que nunca. Ela era imune à passagem do tempo, um anjo caído cuja existência se estendia por milênios. Já havia matado inúmeros seres vivos, alguns de forma violenta, como Micah, e ainda faria isso muitas vezes. No entanto lá estava ela, tranquila e relaxada entre seus braços, acessível e receptiva, e até fragilizada por um momento, depois de encarar um pesadelo que vinha evitando fazia décadas. Ele se perguntou se algum dia a veria de novo daquela maneira, ou se ela seria sempre como se mostrou na noite anterior, determinada a tratá-lo como um objeto.

E depois ainda se questionou como se sentiria quando a matasse.

"Você gosta de mim", ele murmurou, passando a língua pelo lábio inferior da vampira, que estava vermelho e inchado por causa dos beijos.

"Eu sinto *desejo* por você. É diferente."

"Eu *gosto* de você."

Vash virou a cabeça para o outro lado. "Para com isso."

"Pode acreditar, eu bem que gostaria que não fosse assim." Ele se ajeitou confortavelmente no meio das pernas dela. "Não precisa ter medo de gostar de mim. Eu não vou usar isso contra você, a não ser quando quiser trepar. E você vai gostar disso também, agora que já viu como funcionam as coisas entre nós sem aquela palhaçada que você fez ontem à noite." Ele esfregou o nariz entre os seios dela, sentindo um cheiro que era a mistura do odor dos dois. "O fato de gostarmos um do outro não muda em nada nosso acordo. Sei que você valoriza isso em mim... que eu mantenha a minha palavra."

Ela passou as mãos pela cintura dele, que soltou um ruído de aprovação. Ele era um licano, adorava ser tocado. Acariciado.

"Você está tentando me *irritar*", ela falou antes de cravar uma de suas presas na orelha de Elijah.

A pontada de dor fez o pau dele endurecer até doer. Sentindo-se provocado, ele remexeu os quadris, esfregando-se contra o sexo dela. "Por que eu faria isso?"

"V-você sabe por quê." Ela o enlaçou com os braços compridos. "Eu sei por quê."

Porque, quando Vashti estava irritada, ele sabia lidar com ela. A vampira atormentada e frágil que ele havia acabado de descobrir o deixava abalado demais. Ela era poderosa e destemida. Ver uma mulher tão admirável se comportar como uma criaturinha assustada o incomodava profundamente, fazia com que sentisse uma vontade tremenda de destruir alguma coisa — ou alguém.

Os dedos dela desceram por suas costas, provocando um grunhido baixinho de prazer. "Obrigada por me irritar."

"Prefiro que me agradeça com gestos. Quero sentir você me tocar, Vashti."

"Onde?"

"Onde você quiser." Ele não era capaz de verbalizar o tamanho de seu desejo por ela, principalmente depois da explosão de violência da noite anterior. Elijah conseguia aceitar o fato de querê-la, de gostar dela, mas aquela ânsia desesperada era insuportável. Não fazia o menor sentido. Por outro lado, ele não estava vivendo seus melhores dias. Em certo sentido, a rebelião dos licanos talvez tivesse acentuado sua sensibilidade além da conta.

Ela gemeu ao sentir a mão dele agarrando seu peito, e assoviou baixinho quando ele abocanhou um mamilo e começou a passar a língua bem de leve.

Ele também gostava muito de lamber.

"Humm..." Ela arqueou as costas, inclinando-se com vontade na direção da boca dele. "Então é dos meus peitos que você gosta."

Ele gostava do corpo dela inteiro, mas preferiu não dizer nada. Em vez disso, respirou fundo e se deliciou com aquele aroma adocicado de cereja que o levava à loucura. Ela retribuiu enfiando os dedos entre os cabelos dele e puxando-os com força, trazendo-o mais para perto. Ele fechou os olhos e grunhiu. Seu corpo inteiro estremeceu.

"É tão fácil assim proporcionar prazer para você, licano?", ela perguntou baixinho.

"Por que você não continua e vê o que acontece?"

8

"Pai."

Syre olhou para o filho, parado diante da porta, e deu um último gole do punho que mantinha colado junto à boca. Ele lambeu as feridas para fechá-las e levantou a cabeça, encarando os olhos azuis e vidrados da morena sensual de cujo sangue se alimentava. "Me traz um suco de laranja, Kelly, e depois fica deitadinha por uma ou duas horas."

Ela piscou os olhos, tentando recuperar a consciência, abrindo um sorriso ao dar de cara com ele, ignorando totalmente o fato de que tinha acabado de colaborar com uma boa quantidade de sangue para sua dieta. "Vem comigo."

"Eu vou logo depois", ele prometeu, e de fato estava ansioso para isso. Kelly estava louca para ser comida, tinha ido a Raceport com o propósito explícito de aproveitar todas as chances que aparecessem para encher a cara e fazer sexo. Syre havia feito de tudo para que Raceport se tornasse um destino muito procurado por motoqueiros e suas garotas, pois precisava de um fluxo constante de gente ousada e destemida para alimentar o crescimento dos agrupamentos e das facções locais. A abundância de parceiras sexuais disponíveis era algo que ele nem considerou a princípio, mas certamente via com bons olhos.

O sexo era uma das poucas coisas que faziam com que ele se sentisse... humano. Por um tempo.

Ela ficou de pé e jogou o cabelo por cima do ombro. Com o top e o shorts curtos, boa parte da pele dela estava bem visível. Os braços eram cobertos de tatuagens, e no umbigo havia um pequeno anel de prata. Syre gostava do que via, apesar de não se sentir verdadeiramente inspirado nem nada do tipo. Ele preferia outro tipo de mulher, mais madura e decidida, mas já tinha percebido fazia tempo que só o que trazia para a vida delas era transtorno — Syre não tinha nada a oferecer além do prazer físico, que com o tempo se transformava quase sempre em sofrimento. Sendo assim, ele decidiu não se envolver mais com as mulheres com quem combinava tão bem, apesar de só aparecerem raramente em sua vida.

"Quanto mais cedo você sair, Kelly", argumentou Torque asperamente, "mais cedo vai tê-lo só para você."

Ela se virou e se deu conta de que os dois não estavam sozinhos na sala de Syre. Por um momento, Kelly pareceu irritada. Logo em seguida, porém, seu olhar percorreu o corpo de Torque com uma expressão de interesse.

As semelhanças entre Syre e Torque eram tão sutis que às vezes pareciam nem existir. Assim como sua irmã gêmea Shadoe, Torque tinha puxado à mãe em termos de aparência. Era uns trinta centímetros mais baixo que Syre, tinha a cintura fina e os quadris estreitos, em contraste com as coxas, o peito e os braços musculosos. Os cabelos curtíssimos eram espetados em todas as direções, e tingidos de verde nas pontas. Era um estilo que combinava com seus olhos puxados e também com seu estilo de vida agitado. Torque administrava uma cadeia de casas noturnas que eram o paraíso tanto dos jovens lacaios como dos vampiros mais velhos.

Lambendo os lábios, Kelly sugeriu: "Por que você não se junta a nós também?".

Apesar de manter uma aparência impassível, o coração de Torque ainda estava magoado demais pela perda de Nikki, sua companheira, para sequer pensar em sexo. "Sinto muito. Dividir alguém com Syre na cama é incestuoso demais para o meu gosto."

"Incestuoso?" Ela franziu a testa e olhou para Syre, que parecia ser no máximo dez anos mais velho que Torque, que por sua vez aparentava estar na casa dos vinte e poucos. "Não vai me dizer que vocês são parentes?"

Syre a encarou e murmurou: "Pode ir".

Ao sentir que aquele pedido encontrou um eco profundo em sua mente, ela acenou com a cabeça e saiu do quarto, abrindo um sorriso deslumbrante.

"Elas nunca acreditam em mim", disse Torque, entrando e se acomodando em uma poltrona de couro preta.

"Como você está?"

"Você pergunta isso o tempo todo."

"Porque você nunca responde." Ele tinha ciência da dor do filho, pois havia experimentado a mesma coisa quando sua companheira morrera, muito, muito tempo antes. Torque era um nefil, um dos membros da linhagem que ele e outros Caídos tinham criado com os mortais antes de perderem as asas. Os nefilim eram mestiços, parte anjos e parte mortais. Ao contrário dos Caídos e dos lacaios, eles tinham alma. Sentiam alegria e tristeza com uma intensidade ainda maior. O sofrimento de Syre era apenas uma sombra do que seu amado filho era capaz de sentir.

"Estou muito mal", Torque respondeu sem se alterar. "O que o Alfa disse para Vashti era verdade: havia anticoagulante no sangue que encontramos no local da captura de Nikki, o que pode significar que armaram para cima dele. Estou de volta à estaca zero na investigação sobre a morte dela."

"Nós vamos encontrar os responsáveis", prometeu Syre, sentindo a vingança corroer suas veias. Era o sentimento mais recorrente em sua vida nos últimos tempos. O mundo que ele tanto se esforçou para construir estava desabando a seu redor.

"Não conte com isso. O agrupamento de Anaheim foi aniquilado. Não sobrou ninguém."

Syre soltou o ar com força. "Tem um anjo em algum lugar fazendo uma queima de arquivo. De que lado eles estão? Eles roubaram Lindsay de Adrian e entregaram nas minhas mãos, e depois deram sumiço nos vampiros que testemunharam a entrega."

"Quem é que sabe?" Torque batia nervosamente com a bota no piso de madeira. "Mesmo que seja de fato um *anjo*, nada garante que seja um Sentinela. Pode ter sido algum demônio alado que a raptou da Morada dos Anjos."

"Quem mais tem acesso ao sangue dos licanos além dos Sentinelas?" Os depósitos criogênicos de Adrian eram todos vigiados por Sentinelas. Nem mesmo os próprios licanos tinham acesso a seu sangue.

"Está me dizendo que o mesmo indivíduo é responsável pelos sequestros de Nikki e de Lindsay?"

"Se pensarmos no princípio da Navalha de Occam", murmurou Syre, examinando mentalmente os fatos.

"Occam o caralho. Por mim, eu enfiaria essa navalha no cu dele."

Syre ergueu as sobrancelhas e olhou bem para o filho. "Tente transformar essa sua raiva em uma coisa mais produtiva."

"Ninguém sabe o que está acontecendo, pai. Estamos todos perdidos." Torque respirou fundo. "Mas eu só interrompi o seu lanchinho da tarde para falar sobre a Vashti. Acabei de sair do telefone com Salem, ele está preocupado com o Alfa."

"Eu também." Ele jamais se esqueceria da imagem de Vash prensada contra uma árvore por um licano ofegante e furioso — uma linhagem que ela sempre fez questão de desprezar.

"Ela deu pra ele ontem à noite."

Um longo instante se passou antes que o cérebro de Syre processasse um fato que parecia impossível. "Vê direito como você fala sobre ela."

"E de que outro jeito eu posso dizer isso?" Inclinando-se para a frente, Torque apoiou os cotovelos nos joelhos e juntou as mãos. "Eu sei o que ela pensa dos licanos, e esse em particular ainda é um dos suspeitos pelo rapto da Nikki."

"Mas pelo jeito acabamos de descobrir que ele não estava envolvido."

"Nós não podemos nos esquecer do licano que ela torturou para obter informações. Quais são as chances de o Alfa não saber que ela estava atrás dele quando fez aquilo? Você já ouviu falar de algum licano que não quis vingar a morte de um companheiro de matilha?"

"Você acha que ela foi forçada a fazer isso? Ou coagida a colaborar de alguma forma? Foi isso o que Salem disse?" Apesar de falar baixo, o tom de voz de Syre revelava toda a sua fúria. Aquele pensamento perturbou sua cabeça, despertando uma fúria assassina.

Ele era capaz de destruir meio mundo para proteger Vashti. Ela era seus olhos, sua consciência, sua mão de ferro, sua embaixadora e, em muitos sentidos, uma extensão de si mesmo. Era a mulher mais forte que ele conheceu na vida, mas isso não significa que Syre nunca a tivesse visto em um momento de vulnerabilidade. Absolutamente arrasada e entregue. Ela conseguiu se recuperar ao longo dos anos seguintes, mas as cicatrizes ainda estavam lá. Apesar de muitos acharem que ela estivesse mais firme e inviolável do que nunca, Syre sabia que Vash tinha seus pontos fracos. Foi por isso que forçou a si mesmo — contrariando os próprios instintos — a mantê-la na linha de frente. Caso notasse que era vista com certas reservas por causa do trauma que havia sofrido, ela jamais se recuperaria do golpe. A demonstração de confiança de Syre fez com que ela voltasse a acreditar em si mesma.

"Salem não está entendendo nada, foi por isso que ele ligou. Ele só sabe que rolou uma transa, e que o Alfa não permitiu que eles conversassem hoje de manhã, disse que Vash estava dormindo."

Syre se levantou, ciente de que Vash não dormia fazia décadas.

"Ela não foi tocada por ninguém depois de Charron", Torque comentou, como se fosse preciso. "Você acha que ela abriria uma exceção justamente para um licano?"

"Prepare o meu avião." Syre se dirigiu a seu quarto para fazer as malas. Ele já tinha ouvido o suficiente. "Quero decolar em uma hora."

Vash piscou os olhos ao ser atingida pela luz do sol ao sair do Santuário. Atrás dela, Elijah grunhiu ao sentir o calor de Las Vegas, apesar de ainda não ser a hora mais quente do dia. Os licanos eram criaturas sensíveis, algo que — caso ela estivesse raciocinando com clareza — a ajudaria a entender o quanto Elijah gostava de ser tocado. Àquela altura, Vash já tinha noção disso e lamentou não tê-lo agradado o tanto quanto poderia por causa da falta de tempo. Ele estava a ponto de bala quando Salem apareceu de novo, batendo na porta. O capitão dos vampiros tinha voltado apenas meia hora depois, tempo suficiente para ganhar uma chupada enquanto ligava para Torque, em uma demonstração extrema de multifuncionalidade.

Se ela pudesse... se tivesse mais tempo... dispensaria Salem e faria Elijah terminar o que havia começado. Ao se lembrar do que fez na noite anterior, motivada principalmente pelo medo, Vash sentiu vergonha. Sua fraqueza com relação a ele a tornava altamente vulnerável, o que, além de deixá-la apavorada, impedia que ela percebesse que a relação entre os dois era uma via de mão dupla. O fato de Vash, uma mulher que havia aprendido fazia tempo a usar sua aparência para manipular os homens, não ter percebido que Elijah também estava de quatro por ela era uma grande prova do quanto estava se sentindo abalada. Seria um grande alívio para seu corpo e sua mente começar tudo de novo, iniciar o dia com um sexo gostoso pela manhã para apagar a fúria da noite anterior e reassumir o controle sobre si mesma e sobre a situação que estava vivendo.

Soltando um suspiro, Vash tentou não pensar mais em Elijah. Ela só percebeu que o Alfa não estava por perto quando chegou ao carro com Salem. Olhando ao redor, ela procurou por ele e o encontrou escrutinando o espaço ao redor com a cabeça levantada, farejando o ar. Alguma coisa na postura corporal dele a deixou preocupada. Ela apanhou uma de suas katanas e seu celular no banco traseiro do Jeep e se virou de novo para ele.

"O que foi?" Vash respirou fundo mais uma vez, porém seu olfato não era tão aguçado como o de um licano.

Quando guardou o telefone no decote, ela percebeu que ele a estava encarando com uma expressão bem séria no rosto. "Um infectado. A no máximo umas duas quadras. Em algum lugar ao norte daqui."

Ele arrancou a camisa, descalçou as botas e despiu as calças. Um instante depois estava transformado em um lobo, um animal bonito e imponente. Logo em seguida, já não estava mais lá.

Ela partiu logo atrás, sentindo o cheiro dele dominar todos os seus sentidos. Instintivamente, ela sabia que Salem estava a seu lado. Eles caçavam juntos fazia tanto tempo que tudo se dava com a maior naturalidade. Ele seguia pelo flanco oposto, contornando obstáculos como lixeiras e caixas de papelão vazias. Sem que nenhum sinal fosse feito, eles começaram a correr pelas paredes do beco, cada um de um lado. Os cabelos dela balançavam ao vento, esburacando o reboco com os saltos das botas e espalhando fragmentos de cimento pelo chão logo abaixo.

No fundo de sua mente, havia a certeza de que Elijah tinha partido na perseguição de um vampiro sem pensar duas vezes. Um de seus semelhantes, um membro de seu povo. Como se fosse algo natural, quando na verdade era uma questão de treinamento. Um comportamento imposto por Adrian.

Por que ela vinha deixando de lado esse detalhe?

Antes de contornar uma esquina, ela ouviu o som de vidro se partindo, e a cauda de Elijah desaparecendo por uma janela quebrada, deixando no ar seu odor para que Vash pudesse segui-lo. Era um prédio em construção — a maioria das janelas ainda estava com o adesivo do fabricante. Salem entrou primeiro, alargando a abertura. Vash saltou logo atrás, rolando no chão e ficando de pé assim que caiu. A cena que encontrou a deixou paralisada.

Os operários que deveriam estar trabalhando a todo vapor na obra estavam todos no chão. Em pedaços.

Salem soltou um palavrão. Elijah se agachou e rosnou.

As paredes e o chão de concreto sem acabamento estavam cobertos de sangue e entranhas. Membros e cabeças jaziam espalhados pelo chão, ou então eram vistos nas bocas espumantes e famintas de pelo menos uma dezena de espectros. Seus olhos injetados brilhavam, com as narinas alargadas pelo cheiro de carne fresca.

Vash já tinha visto uma carnificina como aquela antes, quando um lacaio nômade, enlouquecido pela deterioração de sua alma mortal, submeteu sua família inteira à Transformação. Entregues ao apetite furioso dos neófitos, eles destroçaram a vizinhança inteira.

Era uma cena com a qual ninguém nunca seria capaz de se acostumar.

Um dos espectros se afastou dos demais. Cambaleante e com o corpo encurvado, começou a andar de um lado para o outro, deixando um rastro semicircular de sangue no chão. Seu olhar estava vidrado em Elijah, que se movia o tempo todo, inquieto. Com as orelhas abaixadas, coladas à cabeça, o Alfa rosnou ameaçadoramente.

O vampiro infectado se virou para Vash e Salem. "Vão embora."

As palavras foram emitidas em meio a um ruído gutural, e ela precisou de um tempo para decifrar a mensagem. "Que beleza. Aquele espectro está *falando*?"

Enquanto ela pensava nas implicações da possibilidade de que as funções cerebrais mais complexas dos infectados pudessem se manter intactas, o espectro deu um salto de uns seis metros para a frente... na direção dela. Assustada, Vash ergueu sua katana, ciente de que havia reagido com uma fração de segundo de atraso e já se preparando para o impacto.

Elijah deteve o ataque em pleno ar, com as mandíbulas, mordendo o espectro na junção entre o ombro e o pescoço. O som de ossos se quebrando reverberou pelo ar, provocando uma reação inesperada — os vampiros sanguinários abandonaram suas caças e atacaram o licano todos ao mesmo tempo.

Vashti entrou na briga com um grito de fúria, cortando com a espada tudo o que aparecesse à sua frente. Salem partiu para a luta com as mãos nuas, arrebentando cabeças e pescoços a socos e pontapés à medida que avançava. Nenhum dos espectros avançou contra eles. Continuaram todos aglomerados sobre Elijah, ignorando os vampiros que se aproximavam, sem demonstrar o menor senso de autopreservação. Sacudindo a cabeça para os lados, Elijah aos poucos ia se livrando dos corpos que se contorciam a seu redor, arremessando-os para longe e soltando latidos e grunhidos abafados em meio aos guinchos ensandecidos de seus agressores.

Vash conseguiu chegar ao olho do furacão, e sentiu seu coração disparar ao perder Elijah de vista. O sangue que jorrava abundantemente obscureceu sua visão quando ela tentou chegar mais perto. Ela enxugou os olhos com as mãos, tentando encontrar o licano no meio da carnificina, gritando o nome dele.

O ganido de dor que ele soltou a fez perder o fôlego. E o uivo de agonia que veio logo em seguida a deixou paralisada. “Salem! Puta que pariu. *Ajuda ele*.”

“Estou tentando, porra! Mas não consigo chegar até lá.”

Agarrando-os pelos cabelos brancos, ela aos poucos foi tirando os espectros de cima do licano, arrancando suas cabeças e sentindo um frio na barriga ao ver suas bocas espumantes cheias de sangue e pelos.

Um grito de agonia ressoou pelo ar, seguido de outro logo após.

Não era Elijah. Era um tom de voz diferente. Em pânico, ela sentiu o prédio inteiro começar a girar a seu redor.

Removendo mais um espectro de seu caminho, ela encontrou Elijah. O corpo do espectro que ela segurava começou a se sacudir violentamente em suas mãos, convulsionando. Um outro que estava por perto começou a fazer o mesmo. E depois outro.

De um momento para o outro, os infectados que restaram perderam o interesse no licano ferido. Caídos no chão, debatendo-se como peixes fora d'água, eles se contorciam, espumando pela boca e revirando os olhos. Aquele que tinha falado agarrou a própria cabeça, gemendo de dor. De repente, ele ficou imóvel e desabou sobre o chão como se estivesse se fingindo de morto.

Ou como se estivesse morto de fato.

Quando nada mais parecia se mexer no meio da poça de sangue, Vash largou sua lâmina e se ajoelhou ao lado de Elijah, que estava caído de lado, arfando, com enormes buracos na pelagem e na carne. Ela estendeu a mão em uma tentativa um tanto incerta de confortá-lo.

"Não encosta nele!" Salem gritou enquanto removia os corpos de seu caminho a pontapés.

Elijah rosnou.

"Ele é um animal ferido, Vash. Você sabe."

Sim, ela sabia. Quanto mais vulneráveis ficavam, mais ferozes os licanos se tornavam. Porém, ao olhar nos olhos verdes do lobo, o que ela viu foi um homem. O homem que a havia dominado durante uma longa noite, e depois se rendido a seu toque ao amanhecer.

"Você consegue mudar de forma?", ela perguntou baixinho, ciente de que isso poderia fazer alguns ferimentos se fecharem e conter o derramamento de sangue que estava drenando o corpo dele.

Os olhos do licano se fecharam, e ele soltou um suspiro trêmulo. Ele ficou tanto tempo imóvel que ela temeu que o tivesse perdido.

"Elijah!" O desespero transformou sua voz em um grito agudo. Sem se importar com o perigo, ela tocou a cabeça dele e o acariciou com a mão trêmula. Ele abriu lentamente as pálpebras, revelando os olhos perdidos e sem foco. "Muda de forma. Agora. Você consegue, seu cretino arrogante. Você é orgulhoso demais para deixar que um bando de vampiros moribundos acabem com a sua vida."

Seu rosnado saiu mais forte do que antes, o que a encheu de esperança.

"Vash..." Salem pôs a mão no ombro dela.

Elijah levantou a cabeça e arreganhou os dentes.

Salem tirou a mão dela. "Seu cachorro louco."

"Se você não puder cuidar de mim, Salem vai fazer isso no seu lugar", provocou Vash, lutando contra mais um acesso de pânico. "E Raze também. E talvez até aquele vampirinho que eu quase mordi ontem à noite..."

Os olhos de Elijah faiscaram. Ele começou a estremecer, como se seu corpo estivesse borbulhando por dentro. Por um instante, ele se manteve nesse estado oscilante, alternando entre a forma humana e a lupina. Por fim, com um suspiro trêmulo, ele se confirmou como um homem nu e gravemente ferido.

"Vai buscar o carro", Vash falou por cima do ombro, puxando Elijah para si e posicionando a cabeça dele em seu colo.

Salem saiu correndo tão depressa que provocou um deslocamento de ar. Ao seu redor, os corpos dos espectros começaram a tremer e gorgolejar. Ela observou horrorizada enquanto eles se desintegravam em pequenas poças de uma substância viscosa parecida com piche. "Eca."

"Ei. Eu não estou... tão mal quanto pareço", Elijah murmurou, com os olhos ainda fechados.

"Claro que não." No entanto, o sangue que não era dele estava demarcado mais distintamente por sua coloração escura, deixando visíveis mais marcas vermelhas do que seria desejável. O sangue escorria do colo dela, formando rios escarlates em meio à gosma negra. "Seu idiota metido a herói. Para de querer me proteger. Eu sei me cuidar sozinha."

"E ficar de fora da parte mais divertida?"

Vash sentiu uma dor aguda no peito. Ela levou o pulso até a boca, perfurou a veia com as presas e ofereceu para Elijah beber. Ele engasgou, tentou resistir, mas ela insistiu, tapou o nariz dele e o forçou a engolir. Um gole. Dois. Três. Os protestos dele ganharam força e ela parou, fechando o ferimento com a língua.

"Se me transformar em um vampiro", ele disse com a voz áspera, "você vai ser a primeira que eu vou sugar até não sobrar mais nada."

"Você teria que me derrubar primeiro." Ela afastou da testa dele os cabelos molhados de sangue e suor. O coração do licano estava acelerado demais, o que impedia a Transformação, mas e se ela esperasse mais alguns minutos...? Ela tentou afastar aquele pensamento.

"Esse cuidado todo comigo... é o mesmo que dizer que gosta de mim."

"Ha!" Os olhos dela ardiam, mas ela tentou se convencer que era por causa do sangue que manchava seu rosto. Ela não conseguia tirar as mãos dele, acariciando-o com a ponta dos dedos, ajeitando seus cabelos. "Foi você que se meteu nessa enrascada só para ganhar a minha compaixão."

"Não é culpa minha se você é uma enfermeira tão gostosa." Ele respirou fundo, fazendo seu peito se expandir.

Aquela encenação toda estava partindo o coração dela, por saber o quanto estava sendo custoso para ele fingir que estava tudo bem. Mas ela não se deixou abater. Por mais desagradável que fosse, era a dor que estava mantendo a pulsação dele acelerada, o que facilitava a ação do sangue dela em suas veias. Não tinha metade do poder do sangue de um serafim, mas aceleraria a cura do licano da mesma forma.

"Quem diria que eu era assim tão popular?", ele disse com ironia. "Deve ser por sua causa, gracinha. Você me quis... agora todos eles querem."

O espectro cujas funções cerebrais ainda estavam ativas armou uma emboscada para Elijah. Ela tinha certeza disso. Foi ele que o atraiu até aquele lugar e depois atacou a mulher que estava impregnada com o cheiro do licano.

As atividades cerebrais mais sofisticadas são substituídas pelo instinto puro e simples. Foram essas as palavras de Grace.

"Não foi imaginação minha, né?", ela perguntou, notando que, ao contrário dos demais, a poça de gosma do espectro inteligente ainda mantinha sua forma, como se sua deterioração fosse mais lenta. "Ele falou, não foi?"

"Falou. Filho da puta."

"O que me disseram foi que o cérebro deles desligava. Como se a luz estivesse acesa, mas ninguém estivesse em casa."

"A sua amiga Nikki... ela falou."

Vash ficou tensa. "O que ela disse?"

"Nada de mais, mas dava para entender tudo."

"Ah." Ela tomou um susto quando seu celular tocou.

"Seus peitos estão tocando."

Ela sacou o telefone e viu o nome de Syre na tela. Ela aceitou a chamada de vídeo. "Syre."

O rosto bonito dele apareceu, mas logo se contorceu em uma careta. Ele ficou pálido. "Minha nossa... o que aconteceu? Onde você está? Aquele licano *já era*, Vashti. Eu vou acabar com a raça dele."

"Pega uma senha e entra na fila", murmurou Elijah.

Dando-se conta de que deveria estar coberta de sangue, ela se apressou em se explicar. "Encontramos uns espectros em Vegas e a coisa ficou feia, mas eu estou bem."

"Me diz onde está que eu chego aí em menos de meia hora. Tem um helicóptero à minha espera."

"Onde você está?"

"No McCarran. Acabei de pousar."

"Ótimo." Ela soltou um suspiro de alívio. "Pode ficar por aí mesmo. Vou mandar Salem ao aeroporto com Elijah, para você levá-lo até o galpão. Ele precisa de tratamento médico, e lá existe a estrutura para isso."

Syre estreitou os olhos. "O Alfa?"

"Sim."

"E você, para onde vai?"

Vash não queria verbalizar suas intenções, com medo de que isso estragasse seus planos. "Eu tenho que cuidar de algo."

"De mim", disse Elijah, abrindo os olhos para encará-la.

Isso mesmo, ela pensou. *De você*.

9

Lindsay acordou quando o ruído do motor do carro e do ar-condicionado cessou. Erguendo a cabeça apoiada no assento, ela piscou na direção de Adrian, que estava ao volante. "Eu caí no sono."

"Pois é", ele concordou, com um olhar afetuoso, pegando na mão dela e entrelaçando os dedos dos dois.

"Desculpa." Ela se ajeitou no assento e olhou ao redor, notando que estavam na entrada de um sobrado de dois andares em um tranquilo bairro residencial. Em vez de grama, o jardim da frente era coberto de cascalho branco, o que era muito comum em Las Vegas. "Puxa... e nós viemos de carro porque você queria conversar."

Como vivia sempre ocupado em cada minuto de sua vida eterna, Adrian geralmente se deslocava como passageiro de um lugar para outro, o que lhe permitia continuar trabalhando mesmo quando estava em trânsito. Além de suas funções como líder dos Sentinelas, ele era o dono da Mitchell Aeronáutica, ou seja, tinha dois empreendimentos simultâneos para tocar. Não fosse a sorte de nunca precisar dormir, ele estaria fadado a jamais terminar nada do que se propunha a fazer.

Ela passou a mão livre pelos cabelos curtos dele e pediu desculpas com o olhar para seu amante. Os Sentinelas tinham uma audição aguçadíssima. Privacidade era uma palavra desconhecida na Morada dos Anjos. Qualquer ruído ou palavra emitidos em um raio de um quilômetro e meio poderiam ser ouvidos tranquilamente por todos os Sentinelas. Quando queria conversar com ela em particular, ele a levava voando para longe dos ouvidos indiscretos, até uma das colinas remotas que cercavam a Morada. A ideia de pegar a estrada para uma viagem de cinco horas até Las Vegas havia sido dele, dispensando o motorista e as aeronaves que tinha à disposição para aproveitar a rara oportunidade de ficar mais tempo com ela.

Ele soltou um gemido baixinho e acariciou o rosto dela com um dos dedos. "Ver você dormir também é uma alegria para mim, *neshama*."

Minha alma. Um jeito carinhoso de chamá-la que sempre a deixava perplexa. Como ela poderia ser a alma daquele homem... daquele *anjo*? Ela percorreu com os olhos o corpo que tanto amava, e seu peito se contraiu diante da beleza misteriosa e sedutora dele. Os cabelos negros emoldurando um rosto de uma masculinidade tão marcante que só de olhá-lo ela já ficava com tesão. As sobrancelhas arqueadas e os cílios grossos ressaltavam os olhos de um azul sobrenatural — do tipo que se encontrava apenas no coração de uma chama.

Várias vezes ela parecia se esquecer de quem ele era, um ser alado e poderoso de outro mundo. Quando percorria com as mãos e a boca seu corpo perfeito, apreciando sua pele morena esticada sobre a musculatura bem definida, quando sentia sua reação impetuosa, que o tornava tão humano. Quando eles conversavam sozinhos, frente a frente e dentro da cabeça dela. Quando ele a tocava... se esfregava nela... envolvia o corpo dela com o seu quando iam para a cama... Para ela, ele era um homem. Mundano, delicioso e dolorosamente passional.

Adrian, meu amor, ela pensou, vendo sua felicidade ameaçada por um sentimento de culpa e lamento. Ele era o maior presente que ela já havia recebido na vida, seu conforto e seu maior prazer. E ela retribuiu tudo isso sendo a grande tragédia da vida dele, uma fraqueza e um pecado que algum dia cobrariam um preço altíssimo.

"Para com isso." Por sua própria natureza, a voz dele causava deslumbramento mesmo quando expressava uma reprimenda.

Envergonhada por ter sido surpreendida em um momento patético de autocomiseração, Lindsay tentou puxar a mão de volta para romper a ligação com ele. Adrian não deixou, e sua boca sedutora deixou de ostentar um sorriso para se contorcer em uma linha reta e estreita. "Talvez eu não esteja conseguindo demonstrar o quanto você me conforta e me dá prazer. Acho que você já se esqueceu da última vez que arrancou de mim até a última gota. Vou me esforçar mais da próxima vez, para produzir uma recordação mais vívida."

Ela estremeceu, e seus olhos focalizaram a veia grossa que pulsava no pescoço dele. Ela lambeu os lábios, sentindo o sangue ferver de desejo. Lindsay havia se alimentado do pulso dele antes de dormir, mas seu apetite já se fazia notar novamente, e não só pelo sangue, mas pelo corpo todo de Adrian.

"Sexo", ela murmurou, surpreendida pela vontade repentina. A temperatura elevada no interior do carro só fez crescer seu desejo. A evolução constante de sua Transformação a tornava uma criatura cada vez mais táctil, que reagia de maneira intensa, e às vezes até inesperada, aos estímulos externos. Quando aquele primeiro estágio passasse, ela estaria imune a fatores como a temperatura externa, mas enquanto isso não acontecia qualquer coisa era capaz de deixá-la desconfortável.

"Amor", ele corrigiu, oferecendo os lábios para ela. "Um amor que se expressa fisicamente."

"O tempo todo."

"Ah, sim", ele disse baixinho, encostando a boca na dela. "Você está me ensinando a amar todos os dias, e de várias maneiras diferentes. Eu pensei que já tinha aprendido a lição, mas estava errado."

Ela sentiu uma pontada de ciúme ao pensar em Shadoe, a filha nefil de Syre, que Adrian amou durante séculos. Por várias encarnações. A última delas era a própria Lindsay. Mas, quando enfim surgiu a chance de ter Shadoe para sempre, ele escolheu Lindsay. Ela se perguntou se algum dia seria capaz de entender o motivo disso.

Os lábios dele começaram a se mexer junto aos dela. "Porque você me mostrou o que é o amor quando abriu mão do seu sem pensar duas vezes. Eu não fui feito para amar. Não é uma coisa que pulsa dentro do meu ser. Eu não sabia o que ele era, o que eu estava procurando. Não tinha nenhuma referência, nenhum exemplo, nada. Até conhecer você."

Adrian a beijou com luxúria e sentimento, esfregando a língua contra a dela em um ritmo indolente, estabelecendo um clima de erotismo que era uma promessa de momentos muitos prazerosos pela frente.

Ela soltou um gemido que parecia ao mesmo tempo uma súplica e uma rendição.

Erguendo a cabeça, Adrian a encarou com os olhos semicerrados, acariciando com o dedão os lábios e as presas de Lindsay. "Shadoe me tomou para si. Eu me deixei levar pelo desejo dela de me possuir. Eu estava vivendo em um vazio, *neshama*. Era um ser sem emoções. Quando surge alguma coisa nesse vazio, é impossível saber se é bom ou ruim. Só o que dá para saber é que, caso essa coisa seja perdida, o vazio vai se estabelecer de novo. Ela me proporcionou sofrimento emocional e prazer físico, e eu me apeguei a isso mesmo nos momentos em que minha verdadeira vontade era voltar atrás e fazer uma escolha diferente."

"Não precisa dizer mais nada." O tom atormentado da voz de Adrian provocou um aperto no coração dela.

"Mas você, Lindsay, meu amor, é um deleite para mim. Você supre um vazio dentro de mim que eu nem sabia que existia. O prazer do seu toque é deliciosamente agoniante porque nunca me satisfaz. Eu nunca vou me sentir saciado de você. Por mais que eu tenha você, sempre vou querer mais. O que eu sinto por você me consome. É algo de que eu não consigo abrir mão. Eu não conseguiria viver sem você."

Lindsay encostou sua testa à dele. "Eu também estou aprendendo. Mais devagar que você, mas acabo chegando lá."

"Você fez de mim um homem", murmurou Adrian, passando a língua pelo lábio inferior dela. "Fez de mim um humano."

Ela chorou ao ouvir aquilo, deixando as lágrimas caírem livremente. Era exatamente o que ela mais temia, que ele tivesse sido corrompido de maneira irreversível.

Você me tornou mais forte do que nunca. Ela me derrubou; você me levantou. Por que você não entende isso, neshama*? De que maneira eu posso explicar melhor?*

"Você já explicou. Lindamente. É a Transformação, Adrian. É como uma TPM, só que mil vezes pior. Estou sofrendo com as mudanças de humor. Sinto desejos. Meu apetite sexual está descontrolado. Minha nossa, como é que você me aguenta?"

"Com prazer." Com seus dedos habilidosos, ele a acariciava com movimentos circulares em torno da orelha. "Eu não mudaria nada em você."

Ela o encarou e viu a convicção estampada em seus olhos. "Eu te amo."

"Eu sei." O sorriso de Adrian era tão abertamente sensual e afetuosamente terno que a deixou toda excitada.

"E eu quero você de novo. Agora."

"E sempre. Eu sou seu." Ele olhou para o relógio no painel. "Ainda temos um tempinho antes que eles cheguem."

Adrian e Lindsay tinham saído uma hora e meia antes dos dois licanos que os acompanhavam, para que pudessem ter privacidade. E ela estragou tudo caindo no sono logo depois de pegar a estrada.

Ela franziu o nariz. "E quando eu não precisar mais dormir, como você vai fazer? Eu vou querer você o tempo inteiro."

Ele desceu do carro, contornou-o pela frente e se posicionou à porta ao lado dela em um piscar de olhos. Adrian estendeu a mão para ajudá-la a descer e, em seus pensamentos, ela notou que ele estava rindo. "O que vamos fazer com nossas noites sem dormir não me preocupa nem um pouco."

Olhando para a casa bonita, mas nada opulenta, ela perguntou: "Onde nós estamos?".

"Na casa de Helena."

Lindsay apertou a mão dele. Ela sabia o quanto Adrian havia sentido a perda de uma de suas Sentinelas mais queridas.

"Nós vamos ficar aqui? No Mondego não seria melhor?", ela sugeriu, referindo-se ao glamoroso hotel e cassino de Raguel Gadara, um magnata do entretenimento com propriedades espalhadas pelo mundo todo. Nos círculos celestiais, ele era conhecido como um dos sete arcanjos terrestres, e seu território abrangia toda a América do Norte. Apesar de se encontrar duas esferas e vários níveis abaixo de Adrian, Gadara era ambicioso em ambos os aspectos de sua vida.

"Depois do que ele aprontou da última vez? Não." Apesar do tom de voz impassível, a motivação por trás daquelas palavras era inequívoca. "Raguel está me dando mais trabalho do que deveria. Eu só quero o sangue dele."

Lindsay sentiu um frio na espinha. Adrian não deixou claro se estava falando de maneira figurativa ou literal, mas, fosse como fosse, Gadara estava encrencado. Ela imaginou se a inimizade entre os dois teria alguma coisa a ver — ou tudo a ver — com a ajuda que Gadara lhe ofereceu para escapar de Adrian e de sua paixão proibida por ele semanas antes.

"Raguel não precisa da ajuda de ninguém para se meter em encrenca", respondeu Adrian. Com os dedos entrelaçados, eles caminharam até a porta da casa.

A maneira como ele apertou a mão dela não era uma indicação de desconforto, mas Lindsay sabia que voltar àquele lugar não deveria ser nada fácil. Helena era especial para ele. Era uma Sentinela que Adrian considerava pura e incorruptível em sua fé. Para ele era a prova de que os Sentinelas não estavam destinados a fracassar em sua missão, que as transgressões dele com Shadoe eram uma questão unicamente pessoal.

Mas Helena se apaixonou por seu guarda-costas licano e abriu mão de sua missão para viver esse romance, destruindo as esperanças dele.

Adrian abriu a porta para que eles entrassem. Enquanto ele digitava a senha do alarme, ela franziu a testa. "Tem alguém hospedado aqui?"

Ele esquadrinhou a sala com os olhos. "Boa pergunta. Está bem fresquinho aqui, não é?"

"Pois é, foi bem nisso que eu pensei... Por que o ar-condicionado está ligado?"

Passando por ele, Lindsay se dirigiu até o fundo da sala. Uma passarela de vidro marcava a divisão do telhado bipartido, ligando os quartos que ficavam sobre a garagem aos que ficavam sobre a cozinha. Janelas quadradas bem perto do teto permitiam que a luz entrasse em abundância, criando uma sensação de espaço aberto na casa pequena e confortável.

Ele franziu o nariz, e ela o agarrou pelo pulso, para que pudesse ouvir seus pensamentos. *Não está com cheiro de umidade, como era de esperar de uma casa fechada. As plantas também estão muito bem cuidadas.*

Ondas de fumaça apareceram nas costas dele, assumindo em seguida a forma e a substância de asas. Belíssimas asas manchadas de sangue. Eram macias ao toque, mas ao mesmo tempo letais, capazes de cortar qualquer coisa com a precisão das melhores lâminas. Caso ela se esquecesse em algum momento do quanto ele podia ser perigoso, as asas certamente valeriam como um belo lembrete, pois eram capazes de deter até projéteis de armas de fogo. Adrian havia sido criado para guerrear, detentor de tamanho poder que seu punho era a expressão da ira divina.

Vou examinar o andar de cima, ele comunicou em pensamento. *Toma cuidado, por favor*.

Pela enésima vez, Lindsay se perguntou se ele tinha alguma confiança em sua capacidade de se defender sozinha. Ele era um homem possessivo e terrivelmente preocupado com seu bem-estar, mas sabia que se a colocasse em uma redoma e a protegesse do mundo só a deixaria infeliz. Eles não estavam em condições de igualdade, e jamais estariam, mas nem por isso ela se esconderia o tempo todo atrás das asas dele. Por mais que suas habilidades de combate estivessem em níveis diferentes, eles precisariam lutar lado a lado se quisessem dar certo como um casal. Adrian entendeu isso e fez concessões para manter o delicado equilíbrio entre eles, uma decisão que ela sabia que não era nada fácil.

Fazendo força para se concentrar, ela fez suas presas e suas garras se alongarem. Lindsay ainda estava se acostumando a sua nova condição — a de uma das criaturas chupadoras de sangue que havia treinado tanto para aprender a matar a fim de vingar o assassinato de sua mãe. Na maior parte do tempo, aceitar essa nova identidade era difícil, mas em determinadas ocasiões — como aquela — ela era obrigada a admitir que havia certos benefícios.

Adrian se movia rápida e silenciosamente. Em um instante estava ao lado de Lindsay, no outro, no alto do mezanino. Caso alguém estivesse observando a casa de fora para dentro, levaria o maior susto de sua vida. Ou talvez aprendesse que não se deve ficar espionando a vida dos outros.

Lindsay entrou na sala de estar conjugada com a cozinha através de uma arcada sem porta. Era um espaço pequeno, mas aconchegante. Havia uma pequena mesa de jantar ao lado da janela que dava para o quintal, e um sofá diante de uma tevê de tela plana pendurada sobre uma lareira a gás. Uma fragrância familiar pairava no ar, acalmando-a a ponto de recolher as garras contra a própria vontade. Quando ela começou a pensar a respeito de sua falta de controle sobre seu corpo, acabou se distraindo ao ver uma fotografia de Adrian com Helena sobre a moldura da lareira. Foi um lapso que lhe custou caro.

"Olá, Lindsay."

Uma pontada agoniante de dor no ombro a fez cair de joelhos no chão com um grito agudo. Desnorteada, sentindo sua carne queimar, ela olhou para a pequena faca encravada no ombro. Quando ergueu a cabeça de novo, deu de cara com um rosto que habitava seus piores pesadelos. "Vashti."

As lembranças de Lindsay da morte de sua mãe eram nebulosas — baseavam-se mais em impressões e sensações do que em imagens —, mas Vash não era o tipo de mulher da qual era possível se esquecer facilmente. Seus cabelos ruivos e seu gosto por roupas pretas e justas a transformavam em uma espécie de caricatura de personagem de história em quadrinhos. No entanto, quando mordeu a garganta de Vash, Lindsay foi exposta às memórias que o sangue da vampira carregava, e o assassinato brutal de Rachel Gibson não estava entre elas. Vash era a imagem cuspida e escarrada da assassina de sua mãe, e nada além disso. Ainda assim, Lindsay não conseguia evitar o terror que tomava conta de seu corpo toda vez que a via.

Foi esse medo residual que lhe deu força para arrancar a lâmina do braço, mas com movimentos lentos demais. Em uma fração de segundo, ela estava de pé de novo, com Vash às suas costas, pressionando uma adaga de prata contra sua garganta.

"Solta ela, Vashti." A voz de Adrian soou ameaçadoramente tranquila, e seu rosto se mostrou impassível quando ele surgiu sob a arcada que demarcava a separação entre a sala e a cozinha.

Lindsay não se deixou enganar por aquela calma aparente. Com seus sentidos aguçados, ela era capaz de sentir a fúria dele no ar — uma tempestade que estava só começando.

"Que surpresa inesperada encontrar vocês aqui", comentou Vash, falando por cima do ombro de Lindsay, com o rosto quase colado ao dela. "Eu estava esperando por Helena, mas acho que acabei me dando bem."

"Solta ela", repetiu Adrian, dando um passo à frente. "Eu já avisei você, Vash, e não vou falar de novo."

"Ela é como uma criança." Vash se posicionou melhor, fazendo com que o balcão da cozinha se interpusesse entre elas duas e Adrian. "Os neófitos são como bebês, sabe. Perdidos no próprio corpo, bombardeados pelos próprios sentidos, frágeis ao extremo. Ela deveria estar conosco. Nós podemos ensiná-la a sobreviver."

"Que parte da frase 'ela é minha' você ainda não entendeu?"

"Por mais que você abomine a ideia, ela é minha também, e no momento é uma lacaia nômade. Eu tenho o direito de tirar a vida dela. Nós também policiamos nosso próprio povo, você sabe disso."

"E fazem um trabalho de merda."

"Nós precisamos deixar alguma coisa para vocês fazerem também."

Ele respirou fundo, e soltou o ar com força. "O que você quer, Vashti?"

"E eis que o grande e poderoso Adrian se deixa dobrar... por uma vampira. Eu queria ter mais tempo para curtir este momento." Vash pegou alguma coisa de cima do balcão e atirou para Adrian, que agarrou com firmeza. "Mas eu estou com pressa. Pode começar a encher isso aí."

Lindsay se inquietou quando viu o que era.

Uma bolsa de sangue.

"Não faz isso", pediu Lindsay, percebendo o quanto a situação estava se tornando perigosa. Caso Vash descobrisse o efeito que o sangue dos Sentinelas causava sobre os vampiros infectados, isso colocaria em risco todas as formas de vida do planeta. Por menos numerosos que fossem, os Sentinelas ainda eram capazes de manter a população vampiresca sob controle, poupando a vida de milhões de mortais. Se eles fossem caçados até a extinção por causa de seu sangue, o mundo inteiro sofreria com isso.

"Quanta nobreza e desprendimento", murmurou Vash com ironia. "E uma estupidez monumental. A pobre vampira em Transformação se sacrificando por causa do poderoso Sentinela. Vocês são tão patéticos que me dá até enjoo."

Adrian deu mais um passo à frente. "Você devia saber como é estar apaixonada."

"Parado aí, ou ela morre." Vash pressionou com força a lâmina contra o pescoço de Lindsay, fazendo-a estremecer. "Não pense que eu não sei. Eu não tenho nenhum apego à minha vida... você sabe disso."

Lindsay encarou Adrian com uma expressão decidida. "Não faz isso."

Vash sussurrou na orelha dela como uma amante faria com a pessoa amada. "Nem mesmo por Elijah você faria isso? Ou a amizade dele não significa nada para você?"

Lindsay ficou tensa, e sua respiração se acelerou. O aroma familiar que a fez relaxar era o cheiro de Elijah, que estava impregnado na vampira. "O que você fez com ele?"

"O que está feito pode ser desfeito... com um pouco de sangue de Sentinela."

Um tremor tomou conta do corpo de Lindsay. Ela não falava com Elijah desde a rebelião. Não fazia ideia de qual tinha sido sua motivação para tanto nem se depois disso os dois haviam se tornado inimigos.

Mas não importa, ela pensou, desolada. Sua relação futura com Elijah podia ser um mistério, mas o que eles viveram no passado não. Ele tinha se mostrado um amigo digno de confiança quando ela precisou de um. Lindsay não conseguia suportar a ideia de deixá-lo sofrer.

"Ele está correndo risco de morte", contou Vash. "Essa pode ser a única chance que ele tem para se salvar."

Engolindo em seco, Lindsay continuou com os olhos fixos em Adrian, que tinha ouvido cada palavra graças a sua poderosa audição de Sentinela.

"O seu sangue é tão bom quanto o meu para isso, Vash." Adrian flexionou as asas, o que Lindsay identificou como um sinal de inquietação. "Se quer salvá-lo, faça isso você mesma."

"Eu já dei a ele tudo o que podia."

"Se isso não foi suficiente, ele não tem salvação."

Lindsay sentiu um nó no estômago. "Você pode me levar. Eu posso ser sua bolsa de sangue. Sou mais fácil de transportar, e o risco de vazamento é menor."

"*Lindsay, não.*" Para um observador externo, a reação de Adrian ao pedido de Lindsay foi de uma frieza à toda prova. A ressonância daquelas palavras, no entanto, atingiu-a como uma carreta em alta velocidade, fazendo seu corpo todo se encolher.

O aperto de Vash diminuiu um pouco de intensidade. "Quando foi a última vez que você se alimentou dele?"

Lindsay precisou fazer força para se livrar do comando silencioso que Adrian exercia sobre ela. "Três horas atrás."

"*Vashti.*" A voz de Adrian ressoou pelo recinto como uma trovoada.

Uma explosão em meio a uma chuva de vidro. Lindsay foi arremessada para fora da casa... ou pelo menos foi isso que lhe pareceu. Quando as coisas retomaram suas dimensões naturais, ela percebeu que Vash havia se arremessado junto com ela pela porta de vidro... as duas estavam em um conversível estacionado logo em frente. Quando Adrian apareceu atrás delas, o carro arrancou como uma bala.

Um relâmpago rasgou o céu e atingiu o asfalto bem diante do veículo.

Soltando um palavrão, Vash puxou o volante para a esquerda e contornou uma esquina com os pneus cantando. Por pouco o carro não subiu na calçada e acertou um poste.

"É melhor cair na estrada quando a oportunidade surge", murmurou a vampira. "Algum dia todo mundo vai ter que morrer mesmo..."

Lindsay, ainda sob os efeitos desagradáveis provocados pela prata, agarrou-se à porta e tentou reordenar seus pensamentos.

Adrian aterrissou sobre o porta-malas com um estrondo violento, deixando as marcas de seus pés encravadas no metal.

"Ora!" Vash gritou, desviando-se dos braços de Adrian e tentando lutar contra ele através do vão entre os assentos.

Dobrando-se por sobre o console central, Lindsay agarrou o volante, o que fez o carro embicar para a direita e depois para a esquerda quando ela tentou deixá-lo alinhado outra vez. Adrian foi arremessado para longe.

Vash desabou no banco traseiro, soltando outro palavrão. "Tenta manter uma linha reta, porra! E vai na direção da Strip. Ele não vai ter coragem de aparecer por lá."

Uma sombra enorme se posicionou sobre o carro quando Adrian levantou voo de novo.

Lindsay tinha plena consciência de que estava fugindo daquele que era sua razão de viver, o único indivíduo sem o qual não podia existir. Mas havia um motivo para isso. O sangue de Adrian era valioso demais para ser usado para os propósitos que Vash exigia — e as consequências certamente seriam catastróficas.

"Sinal fechado!", gritou Lindsay.

"Estou ocupada aqui!", Vash gritou, preparando-se para receber o impacto de Adrian, que mergulhava pelo céu como um camicase. "Você está dando um tremendo espetáculo, Sentinela!"

Ele acertou a vampira bem no peito, fazendo-a perder os sentidos. Ela desabou sobre o assento como uma boneca de pano.

"Sai daí, Lindsay", ordenou Adrian, aterrissando já sem as asas no banco do motorista e tomando o volante. Ele entrou no estacionamento de uma pequena galeria comercial, fazendo os pneus guincharem contra o piso. Virando-se no assento, ele a encarou com os olhos em chamas. "O que você está fazendo?"

"É melhor assim."

"É o caralho."

"Você sabe que é", ela argumentou, olhando para Vash para se certificar de que ainda estava desmaiada. "Nós não podemos pôr você em risco."

"Você está fazendo isso por Elijah."

"Em parte, sim", ela admitiu. "Mas você também vai se beneficiar disso. Eu não sou a única a querer saber o que aconteceu com ele."

"Foda-se o que aconteceu com ele. O que me interessa é você. Talvez você não tenha prestado atenção quando eu disse... Mas eu não consigo viver sem você. Jamais vou deixar você correr esse perigo."

"Elijah não vai permitir que aconteça nada comigo. Você sabe disso, tanto que mandou que ele fosse meu guarda-costas."

As juntas dos dedos de Adrian estavam pálidas, tamanha a força com que ele segurava o volante. "Elijah está quase morto, ao que parece."

"Não se eu puder ajudar."

"E nós não sabemos se você pode. O seu sangue causa um efeito negativo em determinados seres. Não se esqueça de que eu já vi você furar a carapaça impenetrável de um dragão só porque tinha um pouco do seu sangue na lâmina."

"Siobhán acha que isso acontecia porque havia duas almas dentro de mim", ela lembrou, "e as criaturas afetadas por isso eram demônios."

"Isso é uma hipótese. Nós não temos certeza, e Elijah tem sangue de demônio."

Ela balançou a cabeça, ciente de que o sangue de demônio — de lobisomem — foi o que fez com que alguns Caídos se transformassem em licanos, e não em vampiros. "Eu vou informá-lo sobre os riscos e deixar que ele decida."

"Pense nas razões por que ele está incapacitado, e sob os cuidados de Vash. Ela pode ter tentado matá-lo por causa do que aconteceu com Nikki, ou enquanto procurava os assassinos de Charron. Ou então eles estão trabalhando juntos, e ele foi atacado por isso. No primeiro caso, ele vai ser ressuscitado para ser torturado ainda mais. No segundo, vai voltar a colaborar com os vampiros contra nós. Nada de bom pode sair de tudo isso. E, nesse meio-tempo, você vai se expor a uma gente que precisa me colocar em uma posição de desvantagem para cumprir seus objetivos. Você está oferecendo o meu coração de bandeja para eles."

"Adrian." Ela pôs a mão sobre o rosto dele, sentindo o maxilar cerrado e os dentes rangentes. "Eu faria tudo isso e muito mais para salvar a sua vida."

Ele pôs a mão sobre a dela e a apertou. "A minha vida não vale nada sem você."

"Então me deixe fazer isso pelos Sentinelas. Dessa forma você colocaria o bem-estar deles acima do meu, e acho que eles precisam disso, diante das circunstâncias. E os licanos, como vão se sentir quando souberem que você fez isso por Elijah? Eles vão continuar voltando para você, porque não terão mais medo de serem mortos. E os vampiros... se algum dia eles acharam que me ter em seu poder tiraria você da sua missão, vão ver que não é bem assim. Todo mundo sabe o que eu significo para você. Se me deixar fazer isso, vai ser um recado bem claro para todos."

Ele soltou o ar com força. "Você é foda mesmo."

"Eu adoro as suas boas maneiras." Lindsay apanhou a sacola de um fornecedor de suprimentos médicos no assoalho e sacou uma bolsa de sangue lá de dentro. "E aqui está sua chance de obter o sangue de Caído de que Siobhán precisa."

"Também não precisa ser tão racional assim, porra!"

"Eu te amo", ela disse em resposta. "Mais do que a minha própria vida. Mais do que qualquer coisa."

"Você está com seu celular aí?"

Ela sacudiu a cabeça.

Adrian tirou seu telefone do bolso e começou a mexer na configuração. "Vou querer ter notícias suas de hora em hora. E ouvir a sua voz. Se estiver em perigo e não puder me dizer, é só me chamar de Sentinela em vez de falar o meu nome. Se não entrar em contato comigo a cada hora, com uma tolerância de dez minutos, vou considerar que está desaparecida e revirar esse deserto inteiro atrás de você. O alarme vai ficar programado, para você não esquecer."

"Eu não vou esquecer."

Ele saltou para o assento traseiro, segurou o bíceps de Vashti com força suficiente para atuar como um torniquete e furou sua veia com a agulha que vinha com a bolsa de sangue.

A vampira se assustou e acordou, mas viu que a ponta vermelha da asa de Adrian estava encostada em sua garganta — qualquer sinal de resistência e ela seria decapitada.

"Seu cretino", ela grunhiu, encarando-o.

"Você tem doze horas", ele informou, impassível, enquanto terminava de encher a bolsa. "Se ela não estiver de volta aqui sem um arranhão depois disso, vou amarrar você em uma parede, esquartejar todos os Caídos na sua frente e obrigá-los a devorar os membros decepados um a um. Se eu não tiver Lindsay, não tenho nada a perder na vida. Entendeu bem? *Nada* vai ser capaz de me deter."

"Tudo bem."

Ele removeu a agulha e recolheu as asas. "Ela vai me ligar de hora em hora, e é melhor você não tentar impedir isso."

"Mas que coisa, Adrian", murmurou Vash enquanto se sentava. "Está parecendo até que você não confia em mim."

10

"Como está o seu ombro?", Vash perguntou para Lindsay quando o helicóptero decolou para o céu límpido do deserto com Raze no comando. O carro que ela havia roubado foi coberto de areia pelas hélices da aeronave, mas isso não era nada em comparação com os amassados que Adrian havia feito na parte traseira.

"Pronto para outra." O tom de voz de Lindsay deixava transparecer sua irritação. "A venda e as amarras são mesmo necessárias?"

"Você pode ir desmaiada, se preferir", sugeriu Vash, abrindo um sorriso que a outra vampira não conseguiu ver.

"Puxa, como você é prestativa", murmurou Lindsay.

"Pelo menos eu tento."

"Acho que com Elijah não deu muito certo, já que agora ele está à beira da morte."

Vash cerrou os punhos ao ouvir aquilo. Ela estava aflita, atormentada pela culpa, agindo por impulso. Arriscou muito mais que a própria pele ao sair atrás do sangue de um Sentinela para um licano que pretendia matá-la, o que aliás não fazia o menor sentido.

Inclinando-se para a frente, ela bateu no ombro de Raze. "Como está o Alfa?"

"Como você acha? Como um lobo que caiu na armadilha de um urso... rosnando e mordendo todo mundo. Não que os licanos se incomodem com isso. Estão fazendo fila para cuidar dele. Pensei que fossem criar um tumulto quando ele desceu do helicóptero daquele jeito, mas se acalmaram quando eu contei que você tinha salvado a pele dele." O capitão dos Caídos olhou para ela por cima do ombro. "Ele não para de perguntar sobre você. Tentei distrair o bicho com uma gostosinha chamada Sarah, mas não funcionou."

Ela sorriu ao se lembrar da licana que fizera tanta questão de cuidar das feridas dele e ficar a seu lado.

Vash se recostou no assento de novo e soltou um suspiro profundo, sabendo que precisava pôr a cabeça no lugar. Quando agia de acordo com suas emoções, ela era um desastre.

O helicóptero pousou quinze minutos depois. Assim que Raze desligou o motor, Vash abriu a porta e desceu. "Mantenha os olhos dela fechados até chegarem a uma sala trancada."

Com os saltos batendo no chão do estacionamento, ela seguiu às pressas até o galpão, onde encontrou seu pessoal trabalhando com afinco. Ao som de Van Halen nos alto-falantes, os trabalhadores desembalavam e instalavam o maquinário no local. Salem estava parado diante do mapa de contágio, explicando a respeito da importância de formar grupos mistos de lacaios e licanos. Syre estava no centro da construção espaçosa, e era claramente quem comandava tudo.

Vestido com calças pretas e uma camisa de seda cinza, o líder dos Caídos monopolizava as atenções de todos os presentes. Elegante, poderoso, carismático. Um lacaio enlouquecido certa vez falou que ele era o anticristo, o príncipe das trevas que encantaria o mundo para depois destruí-lo. Uma afirmação ridícula para qualquer um que conhecesse a índole de Syre, mas Vash sabia que ele era capaz de distorcer o desejo de virtude dos indivíduos mais modestos. Até a própria Vash, mais do que acostumada a conviver com ele, às vezes se deixava levar por sua atração irresistível.

"Comandante", ela o saudou quando se aproximou. "Sua visita a Vegas é uma surpresa inesperada."

"Uma boa surpresa?", ele perguntou baixinho, observando-a com seus olhos afetuosos cor de âmbar.

"Depende. Você veio pela diversão ou porque acha que eu preciso de ajuda?"

"A segunda opção seria tão terrível assim?"

Ela suspirou. "Eu não estou fragilizada."

"É o que você prefere pensar." Ele ergueu uma das mãos quando ela abriu a boca para protestar. "A fragilidade nem sempre é uma fraqueza, Vashti. Ela pode ser uma das suas maiores forças."

"Que papo furado." Ela abriu um sorriso malicioso. "Senhor."

Ele sacudiu a cabeça, mas logo em seguida ficou paralisado ao ver alguém por cima do ombro da vampira.

"Lindsay", ela falou, sem nem precisar olhar. Se não estivesse tão desesperada por causa de Elijah, ela saberia que Syre estaria presente para ver o corpo mortal que costumava abrigar a alma reencarnada de sua filha.

"O que foi que você fez?"

"Somente o que Adrian me permitiu fazer. Lindsay se ofereceu para vir quando ficou sabendo que Elijah estava ferido."

"Por quê?", ele perguntou, todo tenso. "Qual a utilidade dela aqui?"

"Ela é uma fonte de sangue de Sentinela, por causa de Adrian..." Ela se interrompeu, sem fôlego, quando Syre a agarrou pela garganta, arrancando seus pés do chão.

Os olhos dele faiscavam de fúria, ameaçadores. "Você foi atrás de *Adrian*?"

"D-de Helena... na verdade", ela conseguiu dizer, controlando a vontade de avançar contra aquelas mãos que restringiam sua capacidade de falar.

Ele a arremessou para o outro lado do galpão, na direção de Salem, que a amparou. O lugar inteiro ficou em silêncio, o aparelho de som foi desligado, e os rugidos dos licanos começaram a ressoar no ar como tambores de guerra.

Vash se livrou de Salem, envergonhada por ser castigada publicamente e preocupada com o descontrole de Syre. Ele não costumava usar a força física para se impor, porque não precisava disso — era capaz de dobrar seu interlocutor com a habilidade de um encantador de serpentes.

Ela era sua mão de ferro. Ou pelo menos tinha sido até aquele momento.

Com as sobrancelhas erguidas, Raze se deteve a meio caminho entre a porta do galpão e Syre, segurando Lindsay pelo cotovelo. Ela ainda estava amarrada pelos pulsos e vendada... por escolha própria. Com sua força vampiresca, ela poderia facilmente romper a corda, erguer as mãos e liberar os olhos a qualquer momento. Aquela boa vontade para cooperar estava começando a deixar Vash desconfiada.

"Onde está Elijah?", perguntou a vampira loira. "Eu quero vê-lo. Era esse nosso acordo."

Os licanos reagiram com rosnados graves. Os que estavam sentados se levantaram, e os que estavam de pé chegaram mais perto.

Sem saber se os licanos estavam temendo por Lindsay ou Elijah, Vash olhou para Raze. "Leva ela até lá."

Raze se virou para Syre, que permaneceu imóvel por um bom tempo antes de fazer um breve aceno de cabeça. Todas as cabeças se voltaram para Lindsay. O cheiro de medo pairando no ar se tornou opressivo.

Ninguém ali duvidava que o bem-estar dela era fundamental. A fúria de Adrian era algo que todos queriam evitar.

Quando ela passou pela porta que dava acesso aos escritórios, perto da parede dos fundos, o galpão inteiro pareceu suspirar de alívio.

Syre deu meia-volta e desapareceu por outra porta. A fechadura fez um clique baixinho, mas que foi ouvido por todos os presentes como um tiro de escopeta.

"Que porra de ideia foi essa?" Salem perguntou atrás dela.

Ela jogou uma das mãos para o alto. "Não sei onde eu estava com a cabeça."

A tensão no ambiente era tão palpável que ela era capaz de senti-la na pele. Caminhando em linha reta para o vestiário a fim de tomar um banho mais do que necessário, Vash preferiu não encarar as consequências de suas atitudes inexplicáveis.

Elijah saiu de seu estado semiconsciente quando a porta de sua enfermaria improvisada se abriu. "Vash?", ele murmurou com a voz rouca e a garganta seca.

"Não."

Ele ficou parado, farejando o ar. Abrindo um pouco os olhos, tentou piscar para espantar a névoa de dor. "Lindsay?"

"Oi, El", ela disse baixinho, segurando a mão dele. "Você está mal mesmo, hein?"

Porra. Como os Sentinelas tinham chegado a ele assim tão depressa? Elijah deixou esse pensamento de lado por um tempo, pois percebeu que estava mais preocupado com o bem-estar de Lindsay. Ele ergueu a outra mão e esfregou os olhos. Ainda com a visão embaçada, direcionou o olhar para o lugar de onde vinha a voz dela e deu de cara com duas íris vampirescas o encarando.

"Minha nossa. Você virou vampira *mesmo*", ele conseguiu dizer, tendo como único consolo o fato de ela estar impregnada do cheiro de Adrian. Pelo menos o Sentinela não havia lhe dado as costas quando ela voltou uma criatura diferente daquela que tinha sido levada.

"Pois é, imagina só." Ela soltou a mão dele, pegou o copo com água no criado-mudo e virou o canudo para que ele bebesse. Depois de esvaziar o copo, ele deixou a cabeça cair pesadamente sobre o travesseiro. "O que você está fazendo aqui?"

"Eu tenho sangue para doar e ouvi dizer que você está precisando."

Ele sentiu um aperto no peito ao ouvir aquelas palavras. "Lindsay..."

Ela olhou por cima do ombro para Raze, e abriu um sorrisinho para Sarah. "Vocês podem nos dar licença um minutinho, por favor?"

Ambos pareciam hesitantes.

"Está tudo bem", garantiu Elijah, que estava tão fraco que os demais não queriam deixá-lo sozinho. "Ela é minha amiga."

Quando a porta se fechou, ele observou com mais calma o rosto de Lindsay. Os cabelos ainda estavam cortados em cachinhos loiros curtos, emoldurando seu belíssimo rosto. As sobrancelhas delicadas e os cílios escuros realçavam os olhos que já haviam sido castanhos, mas que no momento ostentavam a cor de mel típica de um vampiro. A boca generosa estava curvada em um sorriso afetuoso, que escondia as presas que Elijah imaginou estarem lá.

"Meio estranho, né?", ela comentou. "Eu mesma ainda não me acostumei com a ideia."

"Disseram para mim que foi você que pediu a Transformação. Isso é verdade?" Nada seria capaz de salvar a vida de Syre caso ela dissesse que não. Elijah o mataria assim que tivesse forças para isso.

"Era o único jeito." Ela se acomodou na cadeira ao lado da cama. "Havia duas pessoas dentro de mim, duas almas, e uma precisava ir embora. Era por isso que eu tinha aquela velocidade sobre-humana, mesmo sendo uma mortal. E é por isso também que eu preciso conversar com você."

Elijah ouviu a explicação de Lindsay sobre os possíveis riscos de aceitar o sangue dela, e logo em seguida perguntou: "Como foi que você veio parar aqui? Onde está Adrian? Como você conseguiu me encontrar?".

"Foi Vashti que me trouxe." A expressão afetuosa desapareceu do rosto dela. "O que ela fez com você, El? Se for para isso acontecer de novo, curar você não vai ser suficiente. Você precisa me dizer o que está acontecendo aqui."

"Vash foi atrás de você?" Ele fechou os olhos, soltando um suspiro trêmulo. "Por quê?"

"Ela estava atrás do sangue de um Sentinela. Disse que precisava salvar você, mas não me contou o que tinha acontecido." Ela apontou para a porta. "Estou sentindo o cheiro de outros licanos. Eles estão usando você para controlar os demais?"

Caralho... Ele faria qualquer coisa para não decepcioná-la. Qualquer coisa menos mentir para ela. "Não foi ela que fez isso comigo, Linds. Nós estávamos trabalhando juntos, e fomos atacados por um bando de vampiros. Ela tentou me proteger, mas não deu."

"Trabalhando juntos", ela repetiu. Lindsay se recostou na cadeira e o encarou com um olhar sério e triste. "Mas e a morte de Micah? Isso também fazia parte do plano de vocês dois?"

"Não! Nem fodendo. Você me conhece. Estamos trabalhando juntos apesar da morte de Micah, e não por causa disso."

Ela o olhou no fundo dos olhos e acenou com a cabeça, certificando-se de que ele estava mesmo falando a verdade. "Me diz uma coisa, com toda a sinceridade. Nós somos inimigos agora? Você se voltou contra os Sentinelas?"

"Jamais. Eu só estou tentando salvar o máximo de licanos que puder." Ele se lembrou da emboscada dos espectros, o que o fez estremecer. E se aquele tipo de ataque se tornasse frequente, o que seria do mundo? "A infecção dos vampiros que nós vimos em Hurricane está se espalhando. Vash está tentando acabar com isso."

"Por que vocês não podem fazer isso ao nosso lado?" Ela se endireitou, apoiou os cotovelos nas pernas e se inclinou para a frente. "Por que precisavam se rebelar?"

"Não era isso o que eu queria." Ele implorou com o olhar para que ela o entendesse. "Mas, já que aconteceu, eu *precisava* assumir a frente. Quem quiser trabalhar com os Sentinelas vai acabar voltando para Adrian. Já os demais, se não tiverem um Alfa, vão acabar morrendo com certeza. Eu não posso deixar isso acontecer."

A porta se abriu, e Vash entrou. "Que amor. Eu não estou interrompendo nada, né?"

Elijah sentiu o nó formado em seu estômago se aliviar ao vê-la. Ela havia acabado de sair do banho, e estava vestida de preto, como sempre, com os cabelos ruivos molhados presos em um rabo de cavalo. As calças de malha justa se agarravam com força a seus quadris, e o colete sem mangas parecia mais um sutiã, de tão curto. O fato de o pau dele ter ficado apenas semiereto era uma prova de quanto Elijah estava incapacitado.

"Você é maluca", ele disse com a voz áspera, virando-se para Lindsay. "Você também. Adrian não deve estar nada contente com isso. Porra, nem eu estou. Você se expôs demais vindo até aqui."

"E o que eu podia fazer?", rebateu Lindsay. "Deixar você morrer? Sem chance, El."

Vash soltou um suspiro teatral e revirou os olhos. "Minha nossa, você tem a mulherada toda aos seus pés mesmo, hein?"

Lindsay soltou um risinho de deboche. "Olha só quem fala, a vampira que se dispôs a enfrentar Adrian só para conseguir sangue para ele."

O toque de um celular fez com que Lindsay se levantasse em um pulo. Ela enfiou a mão no bolso e atendeu às pressas. "Adrian... Sim, estou bem."

Quando ela se recolheu a um canto para conversar, Vash chegou mais perto. Ela pôs as mãos na cintura e o encarou. "Como você está?"

"Parece que fui atropelado por um caminhão."

"Parece mesmo."

"Foi o que me disseram."

Murmurando consigo mesma, ela passou as mãos pelos cabelos

dele, afastando algumas mechas caídas. Ele a acariciou com o rosto, agradecido por tudo o que ela havia feito. Elijah tinha jurado matá-la, mas mesmo assim ela pôs a própria vida em perigo para salvá-lo. "Você se arriscou um bocado, Vashti. Pisou no calo de um monte de gente."

"Não tire nenhuma conclusão a partir disso", ela murmurou. "Nós precisamos dos licanos, e você é a parte principal desse pacote."

"Humm..."

"É só isso mesmo", ela insistiu, franzindo a testa.

"Nós não sabemos se é só isso mesmo", ele disse baixinho. Em algum lugar no caminho, por um breve intervalo de tempo, tudo o que eles pensavam um sobre o outro foi completamente subvertido por uma atitude impulsiva.

Lindsay voltou, e olhou para Elijah como quem buscava uma resposta. "E então, vamos lá?"

Ele sabia do que ela estava falando. Lindsay queria saber se ele estava disposto a correr o risco de beber o sangue dela. Depois de tudo por que ela e Vash haviam passado para levá-la até ali, a resposta não tinha como ser outra: "Claro, vamos lá".

Syre saiu do galpão para tomar um pouco de ar fresco. Estava anoitecendo, e o céu do deserto se exibia em tons de laranja, rosa e roxo. Um relâmpago surgiu ao longe, e depois outro. Imprevistos naquelas condições, ele pensou, mas muito bonitos.

O calor do dia já tinha arrefecido, assim como seu acesso de fúria. Sua tenente havia posto a comunidade dos vampiros em risco com suas atitudes, mas uma parte dele se sentiu secretamente aliviada ao vê-la lutar por algo que não fosse motivado unicamente por vingança. Vash estava amargurada fazia tempo demais. Tempo suficiente para que não houvesse nada mais a motivá-la na vida.

Ele sacou o celular do bolso e ligou para Adrian. A ligação caiu na caixa de mensagens. "Adrian", ele disse com uma voz sinistra. "Vashti agiu sem a minha autorização hoje. Mesmo assim, eu assumo a responsabilidade. Se quiser se vingar, sabe onde me encontrar. Só não mexa com ela."

Ele desligou, contornou o galpão e se deteve de repente. Raze estava encostado contra a parede exterior revestida de metal, com os braços cruzados, expondo seus bíceps bem definidos. Seus olhos estavam vidrados em uma silhueta feminina alguns metros à frente. Ela estava caminhando de um lado para o outro, agitada, conversando ao telefone. Com Adrian.

Syre dispensou o capitão dos Caídos com um sinal discreto e enfiou as mãos nos bolsos, assumindo seu posto logo em seguida. As emoções de Syre alternavam entre a dor, a culpa, a tristeza, o lamento e a raiva. Enquanto observava a mulher que havia superado sua amada filha em todos os sentidos — e que era a grande vulnerabilidade de seu mais antigo oponente —, ele percebeu que simplesmente não sabia o que dizer... ou fazer com ela.

"Eu aguento", ela dizia. "Volto para casa em breve, *neshama*. Por favor, não fica preocupado... É, eu sei que isso é impossível. Foi por isso que eu vim até aqui, não? Porque eu me preocupo com você... Pode deixar... Eu também te amo."

Quando a ligação foi encerrada, ela ficou olhando para o telefone na mão e soltou um suspiro. Alguma coisa naquela reação, um quê de tristeza e cansaço, chamou a atenção de Syre.

Quando se virou, Lindsay deu de cara com ele. Ela ficou paralisada, piscando os olhos sob a luz difusa, ainda não completamente adaptada a seus novos sentidos.

"Como vai, Lindsay?"

Ela passou a mão pelos cabelos, um hábito a que sempre recorria quando estava nervosa. Sua boca se abriu, depois se fechou. Ela encolheu os ombros. "Já estive melhor."

Ele se aproximou lentamente, de forma nada ameaçadora. Quando chegou mais perto, notou os olhos assustados e a respiração acelerada dela. "Quanto sangue você cedeu ao Alfa?"

"Mais ou menos meio litro. Talvez um pouco mais."

"É muita coisa para quem acabou de passar pela Transformação", ele murmurou, erguendo a mão cautelosamente até a altura do rosto dela. "Posso?"

Ela fez que sim com a cabeça.

A pele dela estava queimando. "De quanto em quanto tempo Adrian está alimentando você?"

"A cada três ou quatro horas."

"E quando foi a última vez?" Ele a segurou pelo queixo quando ela tentou desviar o olhar. "Quantas horas faz, Lindsay?"

"Seis. Talvez sete."

"Você precisa se alimentar."

Ela sacudiu a cabeça.

Syre se lembrou do quanto o ato de beber sangue a repugnava. Ela quase tinha morrido por se recusar a se alimentar. Ele se surpreendeu ao notar que estava aliviado por Lindsay ter sobrevivido no fim das contas.

Ele soltou o ar com força. "Vamos lá para dentro."

Ela enfiou a mão no bolso, sacou uma bandana e fez menção de vendar os próprios olhos.

"Não é necessário", ele falou.

"Para mim é mais seguro. E para você também. Se acontecer alguma coisa comigo, Adrian vai ficar maluco. Quanto menos risco eu representar, melhor para todo mundo."

"Tudo bem." Agarrando-a pelo cotovelo, ele a guiou de volta para dentro até seu escritório.

Enquanto cruzavam o enorme galpão, os licanos foram se levantando lentamente, encarando-a com desconfiança. Não era fácil se livrar de antigos hábitos. Mas um enfrentamento direto com Adrian e os Sentinelas certamente não estava nos planos dos licanos. Eles não encarariam uma guerra contra Adrian só por causa de Lindsay.

Syre fechou a porta do escritório e removeu a bandana do rosto dela. Apesar de sua visão noturna ser excelente, ele mal a reconheceu ao observá-la melhor em um ambiente mais bem iluminado. Ela não tinha mais nada de Shadoe, mas, ainda assim... ele se sentia estranhamente à vontade em sua presença. Uma sensação inquietante que pulsava dentro dele de repente se acalmou. Ela se posicionou em uma das cadeiras diante da mesa de metal, e ele se acomodou na do lado.

Ela o encarou com ousadia.

Ele ergueu as sobrancelhas em um questionamento silencioso.

"Eu fiquei com medo na primeira vez em que vi você", ela explicou. "E depois acabei sofrendo um choque emocional, e aí fiquei doente."

"Você ainda sente medo de mim?"

"Você está fazendo de tudo para que eu não sinta."

Ele abriu um sorriso que a fez prender o fôlego.

"Você é... muito bonito", ela admitiu. "Tinha me esquecido de que você parecia ser tão jovem."

Ele se inclinou para a frente, apoiou o cotovelo sobre os joelhos e assumiu uma postura mais assertiva. "Você já bebeu o meu sangue antes. Por acaso faria isso de novo?"

"Por quê?"

"Você precisa se alimentar. Os neófitos sofrem muito com a falta de sangue. Já faz tempo demais que você comeu, e você ainda doou seu sangue."

"Não foi isso que eu quis dizer. Eu sei por que beberia o seu sangue, mas quero saber por que você deixaria."

Syre olhou para baixo, pensando no que dizer. "Não sei. Por uma combinação de fatores, acho. Você é a coisa mais próxima que eu tenho de Shadoe. Até eu morrer."

"Eu não sou a Shadoe." O tom de voz dela era suave e compassivo, o que a fazia conquistar cada vez mais a gratidão e o respeito dele.

"Eu já ouvi falar de famílias que mantêm contato com os receptores dos órgãos de seus mortos." Ele olhou bem para ela. "Nós temos um laço que nos une, seja ele real ou imaginário."

"Isso é saudável?"

Foi a vez dele de encolher os ombros. "Quem é que sabe? Mas eu tenho outro motivo para fazer essa oferta. Fui eu que executei sua Transformação, Lindsay. Por causa disso, não há dúvida de que eu tenho um poder sobre você."

Ela franziu a testa. "E por quanto tempo eu vou ter que ficar presa a você por esse senso de obrigação?"

"Eu não sei. Só fiz a Transformação de dois indivíduos durante toda a minha vida: a de Shadoe, que não chegou a se completar, e a sua, que não vai se completar se você não se alimentar."

Ela arregalou os olhos. "Só nós duas? Como isso foi possível? Existem tantos vampiros."

"Se cada vampiro infectasse só uma pessoa, nós estaríamos em um bom número. Mas é claro que existem aqueles que fazem a Transformação em mais de um." Ele abriu um sorriso malicioso. "Está decepcionada por eu não ser tão malvado?"

"Decepcionada não, mas surpresa, sim. E não só com você, com os vampiros em geral."

"Adrian fez uma lavagem cerebral em você."

"Adrian não tem nada a ver com isso. Minha mãe foi morta por vampiros na minha frente. Eles me seguraram... e me obrigaram a ver tudo enquanto ela era barbarizada." Ela estremeceu violentamente, e sua postura ficou tensa. "Eu tenho minhas próprias opiniões a respeito dos vampiros, com base nas minhas próprias experiências."

Syre pegou a mão dela, e ficou feliz por ela não ter se oposto a seu gesto. "Existem lacaios que enlouquecem com a Transformação. Eles são os maiores responsáveis pela disseminação do vampirismo, não os Caídos."

"Nós estávamos no parque fazendo um piquenique em um dia ensolarado. Eles deviam ser Caídos, ou então mandados por eles, porque estavam tolerando a luz do dia sem problemas."

Ele respirou fundo. "Me conte tudo."

"Por quê? Eu não sou a Shadoe", ela repetiu. "Mesmo assim eu sinto... uma ligação com você. Guardo lembranças suas com ela, e é como se elas fossem minhas. Isso está bagunçando a minha cabeça."

"E a perda de sangue também." Cravando as presas no próprio pulso, ele se levantou, segurou a cabeça dela e levou o pulso sangrento até a boca dela.

Caso ele a obrigasse a fazer as perfurações, ela certamente recusaria. No entanto, com o cheiro metálico do sangue nas narinas, os instintos falaram mais alto. Agarrando o punho dele com as duas mãos, ela bebeu com vontade, revirando os olhos antes de fechá-los.

Ele preferiria que ela ingerisse mais um pouco, mas Lindsay teve força interior suficiente para afastá-lo. Ele a admirou por seu autocontrole. A maioria dos neófitos, depois de ficar sem se alimentar por tanto tempo, teriam que ser afastados à força para a segurança do doador.

"Está melhor?", ele perguntou.

Ela fez que sim com a cabeça, lambendo os lábios. O brilho sobrenatural de seus olhos já começava a se acalmar, e suas bochechas recuperaram um pouco da cor. "Obrigada."

"Estou feliz por você ter aceitado." Ele se apoiou na mesa e cruzou os braços. "E ficaria ainda mais grato se me confiasse as lembranças do ataque à sua mãe."

Ele ouviu com atenção enquanto ela descrevia um trio de vampiros com semelhanças notáveis com Vashti, Salem e Raze.

"Não foram eles", ele disse baixinho quando ela terminou, sem duvidar nem por um instante da inocência dos três.

"Hoje eu sei disso. Quando mordi a Vash..."

"Ah, sim. Eu nunca vou me esquecer disso." Ele sorriu por dentro, lembrando-se do quanto Vash tinha ficado furiosa por ter sido superada por uma neófita — ela não havia reagido, claro, em respeito aos sentimentos paternais de Syre. Isso só tornava ainda mais preocupante o fato de sua tenente ter trazido Lindsay para curar o Alfa. Ao que tudo indicava, Vashti estava tão preocupada com a saúde do licano que negligenciou todo o resto.

"Adrian visitou minhas lembranças, e confirmou minha descrição, mas disse que minha memória é enganosa. É mais uma impressão emocional do que uma imagem fotográfica."

Ele se acomodou de novo na cadeira. "Eu teria visto por mim mesmo se você não tivesse perdido tanto sangue. Durante a sua Transformação eu já poderia ter feito isso, mas não queria levar a coisa para o lado pessoal. Sei que para você isso deve ser de uma frieza terrível."

"Eu gosto da verdade." Ela abriu um meio sorriso. "Com frieza ou sem frieza."

"Mas não importa se eu posso ou não examinar suas lembranças. Eu acredito em você. Vou investigar e tentar esclarecer o caso."

"Eu... Mais uma vez, obrigada. Por motivos óbvios, eu gostaria muito de saber quem são eles." Ela respirou fundo, e soltou o ar com força. Lindsay desviou os olhos quando ele a encarou, mas um pouco tarde demais.

"O que mais está perturbando você, Lindsay?", ele perguntou baixinho. "Você pode me contar?"

Ela hesitou por um bom tempo antes de dizer: "Eu perdi meu pai recentemente. Um dia antes de conhecer você. É estranho, sabe... sentir essa ligação com mais alguém. Apesar de saber que esses sentimentos eram da Shadoe... isso não muda nada para mim".

Syre balançou a cabeça, bem sério. "Sim, fica parecendo uma espécie de traição, não é? Comigo está acontecendo a mesma coisa. Não estou atrás de uma substituta para a minha filha, mas não consigo deixar de sentir uma afinidade com você. Se eu aprendi algo durante todos os meus anos na Terra, foi que certas coisas acontecem em nossa vida por alguma razão, e alguns caminhos se cruzam porque estavam destinados a isso. Nós não precisamos ser inimigos, Lindsay. Nem mesmo aliados. Talvez nós possamos ser... simplesmente o que somos. Quem sabe conseguimos aceitar que temos algo em comum, sem ficar o tempo todo tentando entender ou analisar tudo. Podemos até alimentar esse sentimento, se for o caso."

Com uma única batida na porta, Vash entrou no escritório. "Syre, eu... Ah. Desculpa."

Lindsay abriu um sorriso amarelo.

"Está tudo bem, Vashti", ele falou. "Você quer alguma coisa?"

"Precisamos conversar. Elijah me pediu para chamar você, Lindsay."

"Certo." Ela se levantou, passou por Syre e parou diante dele.

O líder dos vampiros a encarou e levou um susto quando ela se abaixou e lhe deu um beijo apressado na testa. Lindsay saiu sem dizer mais nada.

Syre ficou contente por Vash tomar a iniciativa da conversa. O nó na garganta que o impedia de falar só se desfez um bom tempo depois.

11

Foi em cima de um telhado, sob a luz da lua, que o telefonema se deu.

"Alguém pisou na bola", ele disse sem preâmbulos. "Adrian chegou duas horas antes do previsto."

Houve uma rápida pausa. "Ele descobriu que você não morreu?"

"Não. O interior da casa estava seguro. Não tem nada meu lá dentro."

"Então não precisa se preocupar."

"Não o cacete!" A irritação fez com que suas asas se abrissem, lançando uma sombra imensa sobre o gramado logo abaixo. "Se ele ainda tiver dois neurônios na cabeça, vai perceber que tinha alguém morando lá."

"Eu não diria que isso é um problema."

"Porque na verdade você *quer* que a merda seja jogada no ventilador. É para isso que vem trabalhando durante todos esses séculos." Ele ouviu o som familiar da cadeira de Syre rangendo, e seus pulsos se fecharam. *Quando o gato sai, os ratos fazem a festa...*

"Ainda não está na hora, e Syre e Adrian estão muito mais preocupados com o vírus do que eu imaginava. Pensei que eles só fossem querer saber de si mesmos e dos licanos. Qualquer coisa que possa distraí-los neste momento vale a pena."

"Para você é fácil dizer, estando longe do olho do furacão. Eu falei que não era uma boa ideia ficar na casa da Helena."

"Qualquer outra opção deixaria algum rastro, seja em dinheiro, papéis ou sangue."

A insolência da voz do outro lado da linha o deixou ainda mais irritado. Ele era um Sentinela, era preciso deixar isso sempre bem claro. "Você não se preocupou nem um pouco com isso quando saiu infectando bairros inteiros com o patógeno."

"Você me ligou por algum motivo? Ou foi só para reclamar?"

Rangendo os dentes, ele perguntou: "Alguma sugestão de lugar onde eu possa ficar por uns tempos?".

"O agrupamento de Anaheim foi aniquilado. Ninguém imagina que Torque vá aparecer por lá enquanto Syre e Vashti estiverem fora. Pode ficar com a propriedade inteira para você. É perto da casa de Adrian, mas você sabe como se manter fora das vistas. Sua única preocupação agora é viver a vida de mortal que tanto queria. Vai procurar alguém para trepar, ou para matar, sei lá. Quando chegar a hora de ressurgir das cinzas, eu entro em contato."

Silêncio do outro lado da linha. Ele esmigalhou o celular pré-pago nas mãos, de olho nas luzes acesas do outro lado da rua, na casa de Helena. Talvez fosse o momento de formar seu próprio exército.

Quando ele decolou e saiu voando, esse pensamento brotou em sua mente... e encontrou um território fértil para criar raízes.

Quando Elijah levou Lindsay de volta para Adrian, um manto cor de ébano enfeitado de estrelas cobria o céu. Apesar de se sentir um lixo poucas horas antes, naquele momento ele estava muito bem. O ar gelado da noite no deserto entrava pelas janelas abertas, e ao lado dele estava sentada uma de suas amigas mais queridas, uma mulher a quem devia sua vida... mais uma vez. O sangue dela, temperado com o do Sentinela, era poderosíssimo, com propriedades regenerativas impressionantes.

"Ei, está tudo bem?", ele perguntou, notando que ela olhava pensativamente pela janela. "Você não está brava por causa da venda nos olhos, não é? Eu só concordei com aquilo porque era para sua segurança. Eu confio em você. Sempre confiei."

Ela só usou a maldita bandana no rosto até que eles se afastassem do galpão. Depois ele mesmo a arrancou e atirou pela janela.

"Eu também preferi usar. Concordo com você... quanto menor for a ameaça que eu representar, melhor." Ela suspirou. "Eu estava pensando no meu pai."

Ao se lembrar da cena de choro incontido quando ela recebeu a notícia da morte do pai, ele sentiu um aperto no coração, uma mistura de compaixão e culpa. Elijah havia escolhido a dedo os licanos incumbidos de garantir a segurança de Eddie Gibson. "Quer conversar a respeito?"

Ela se virou no assento para encará-lo. "Quero falar sobre os licanos que faziam a segurança dele. Eu ia pedir para falar com eles lá no galpão, mas longe dos vampiros."

"Eu também tenho perguntas a fazer, mas eles nunca mais voltaram."

Lindsay ficou tensa. "Eles desapareceram?"

"Eu não diria isso. Quer saber meu palpite? Eles estão voltando para a Costa Leste a pé, procurando passar despercebidos. O que você gostaria de saber?"

"Se eles têm certeza absoluta, sem sombra de dúvidas, de que a morte dele foi um acidente."

"E você acreditaria neles?"

"Sim, se você acreditasse também."

Ele balançou a cabeça e perguntou: "E por que você acha que não foi?"

"Os carros eram a vida dele, El. Ele nasceu para sentar atrás do volante. Sinceramente, eu acreditaria mais na possibilidade de uma bala perdida do que na de um acidente. Meu pai já foi testado de todas as maneiras possíveis atrás de um volante. Uma vez ele conseguiu desviar de um veado em uma estrada de mão única com trânsito no sentido contrário sem fazer nem um arranhãozinho no carro. Não consigo acreditar que ele tenha perdido o controle da direção em uma estradinha secundária qualquer."

Sentindo a dor e o lamento na voz de Lindsay, ele impôs a si mesmo a missão de fazer o que fosse possível para ajudá-la a superar os traumas do passado. Ela havia perdido ambos os pais antes da hora, e ele sabia o quanto aquelas mortes a atormentavam. "Vou encontrar Trent e Lucas e levá-los até você."

"Obrigada." Ela se recostou no apoio de cabeça do assento. "Você e a Vashti... Me corrige se eu estiver errada, mas está rolando alguma coisa entre vocês, não?"

Ele soltou um risinho sarcástico. "Nem me fala."

"Ela se arriscou um bocado para salvar você. Acho que ela não sabe da sua promessa de vingar o Micah, né?"

"Ela sabe, sim." Ele mantinha os olhos vidrados na estrada, muito além dos faróis que iluminavam o caminho.

"E ela quis salvar você mesmo assim?"

"Ela precisa da minha ajuda."

"Oh." Lindsay sacudiu a cabeça. "Eu sinto muito."

Ele a encarou. "Por quê?"

"Por essa situação em que você está. Eu vi como você olha para ela. Para um cara que foge de mulher como o diabo foge da cruz, você parecia interessado demais nela. Isso não faz seu estilo."

"Eu nem sabia que eu tinha um estilo."

"Não adianta tentar disfarçar, eu sei que isso está incomodando você. Daqui até Las Vegas, você tem a minha atenção exclusiva, então aproveita. Se não falar com ninguém, vai acabar enlouquecendo."

Elijah sabia que ela estava certa. E não haveria ninguém mais com quem ele pudesse falar sobre Vash. Nenhum licano ou vampiro gostaria de ouvir a respeito de seus sentimentos pela tenente de Syre. Ele mesmo não queria falar sobre isso — ignoraria o assunto de bom grado —, mas o que antes parecia simples àquela altura estava para lá de nebuloso. Seria útil ouvir a opinião de alguém para entender melhor o que estava acontecendo.

"Se eu tenho mesmo um tipo", ele disse por fim, "ela se encaixa perfeitamente. Em termos físicos. Me senti atraído por ela desde a primeira vez. Você atirando facas nela, e eu pensando em coisas totalmente diferentes."

Lindsay se segurou para não rir. "Que absurdo, El."

"Pois é... Quando ela veio pedir ajuda na pesquisa sobre a doença dos vampiros, que eles chamam de Vírus Espectral, eu sabia muito bem quem ela era, e o que tinha feito com Micah. E ela desconfiava que eu fosse o responsável pelo que tinha acontecido com Nikki, uma amiga dela. Nós tiramos tudo a limpo logo de cara, e ela não tentou mentir em momento nenhum a respeito de Micah. Nossos termos ficaram bem claros: eu a ajudaria com os espectros e ela nos manteria a salvo dos Sentinelas. Eu encontraria os licanos que mataram o companheiro dela, e ela daria um jeito de garantir minha vingança sem que Syre viesse me cobrar depois."

Lindsay franziu as sobrancelhas e soltou um suspiro. "Mas que puta confusão."

"Eu não ia conseguir me concentrar com a tensão sexual que existe entre nós, então enfiei isso no acordo. Mas quando aconteceu... a coisa esquentou. E foi muito mais pessoal do que eu esperava."

"Ela virou sua parceira?"

"Eu já expliquei isso para você... Não é assim que as coisas funcionam com os licanos. A questão da química e dos instintos até tem um peso na escolha, mas não é o que determina tudo. Vou escolher minha parceira quando chegar a hora, assim como qualquer mortal."

"Os mortais não escolhem por quem se apaixonam. Eu jamais escolheria me apaixonar por Adrian, sabendo o perigo que isso representa para ele e para mim."

"Não estamos falando de amor, Linds. É uma questão puramente carnal."

Ela o encarou, um tanto incrédula. "Você não viu o que a Vash fez hoje, El. Ela foi atrás do Adrian. Do *Adrian*. Não acho que ela tenha feito isso por causa do pacto de vocês, ou porque precisa de alguém com quem trepar. Ela estava aflita, desesperada. Além disso, se estivesse tão preocupada assim em descobrir quem matou o companheiro dela, poderia ter perguntado isso para Adrian quando estava com uma faca encostada no meu pescoço."

Ele se agarrou com força ao volante. Vash tinha partido em uma missão suicida para salvá-lo. As coisas estavam ficando sérias. Para os dois.

Apoiando a perna esquerda no assento, Lindsay ajeitou o corpo a fim de se virar para ele. "Não vai me dizer mais nada?"

"Como você disse, está rolando alguma coisa entre nós. É... é uma coisa complicada."

"Vocês ficaram amigos?"

"A palavra que eu usaria não é bem essa." Ainda assim, eles morreriam um pelo outro. E davam força um para o outro... "Mas talvez seja isso, sim."

"Mas e a raiva que você sente pelo que aconteceu com Micah? Você conseguiria deixar isso para lá? Se ela gosta de verdade de você, o fato de saber que você sofre por isso já é castigo suficiente."

"Eu vou ter que deixar isso para lá, ou então cortar relações com ela. Mas ainda não chegou a hora de decidir isso."

"Então você ainda está pensando na possibilidade de manter um relacionamento com ela?"

"Só agora, enquanto conversamos sobre isso. Depois não mais." Ele não tinha tempo a perder pensando em hipóteses impossíveis. "Se tudo correr bem, Adrian vai me passar todas as informações que ela precisa saber, eu esclareço essa questão e nosso acordo chega ao fim. Outra possibilidade é resolvermos tudo mesmo sem a ajuda de Adrian. De repente, se pudermos trabalhar em frentes diferentes..."

"A distância não ajudou no meu caso", ela comentou. "O meu sentimento por Adrian só cresceu quando ficamos longe um do outro."

"Você não está ajudando. O seu papel aqui era me fazer tomar vergonha na cara. Você odeia a Vash, e devia estar falando para eu fazer o mesmo."

"Fica para a próxima. Ela salvou a sua vida hoje. Estou devendo essa pra ela."

"Você também salvou minha vida. E não foi a primeira vez." Quando as luzes de Las Vegas apareceram à distância, ele falou: "Eu não queria perder o contato com você. Promete que isso não vai acontecer."

"Eu prometo que isso não vai acontecer."

Ele acenou com a cabeça, pois o nó na garganta o impedia de responder com palavras.

"Eu não vou abrir mão da sua amizade, El", ela disse com convicção. "E espero a mesma atitude de você, se não quiser ser caçado por uma vampira furiosa."

Elijah ainda estava com um sorriso no rosto quando eles entraram no perímetro da cidade.

Vash cruzou os braços e observou Syre com atenção. A postura dele estava diferente, mais leve. Seus olhos não estavam tão carregados quanto aparentavam um pouco mais cedo.

"Você parece mais tranquilo."

"E estou mesmo." Parados diante da porta do escritório de Syre no galpão, eles supervisionavam a troca de turno entre lacaios e licanos. No trabalho de campo as coisas funcionavam da mesma maneira: licanos trabalhavam de dia e lacaios, à noite. "Tem certeza de que foi uma boa ideia deixar Elijah levar Lindsay?"

Ela se inquietou, pois sua preocupação era exatamente a mesma. "Eu não tenho nenhum comando sobre Elijah. Se for para ele romper nossa aliança, é melhor que seja agora e não mais tarde."

"Humm... A Vash que eu conheço preferiria matar um licano em quem não confia, e não o testar."

"Ha! Se isso fosse verdade, eles já estariam todos mortos. Além disso, essa opção não existe. Ele é o único Alfa disponível."

"Você está torcendo para que ele escolha você."

"Não foi para isso que você me deu esta missão para começo de conversa?"

Syre se virou para ficar bem de frente para ela, obrigando-a a encará-lo. "Eu dei esta missão a você para obtermos uma posição de vantagem. Em vez disso, você quase deu início a uma guerra."

Os olhares dos dois se encontraram, revelando a Syre toda a inquietação de Vash. "Os Sentinelas não podem se dar ao luxo de nos atacar. Eles estão desfalcados demais."

"Você está achando que eles investiriam tudo em uma batalha em vez da guerra como um todo. Está enganada. Eles não vão vir babando atrás de nós. Vão atacar com muito critério, escolhendo alvos e indivíduos estratégicos, tirando nossas melhores armas de combate com precisão cirúrgica. Aqueles que sobrarem vão ficar em situação caótica, sendo facilmente dominados."

"Isso é o que você acha", ela rebateu. "Adrian não é mais o mesmo. Ele me atacou no meio da rua em plena luz do dia! Está agindo de forma descuidada e impulsiva."

"Mesmo assim, ele se arriscou a perder o que mais valoriza na vida, pondo a missão outra vez em primeiro lugar, uma coisa que eu sempre confiei que você faria... até hoje."

"Elijah é fundamental para os nossos planos. Você mesmo admitiu isso."

"As suas respostas estão me fazendo repensar se o Alfa representa mesmo um trunfo, e não um risco", ele disse baixinho.

Vash se esforçou para que seu rosto não demonstrasse nenhuma emoção, apesar de seus batimentos cardíacos acelerados entregarem seus sentimentos. "Não é com o Alfa que você está preocupado, é comigo. Se na sua opinião eu não sirvo para esta missão, deveria escolher outra pessoa para liderar os trabalhos, como eu sugeri desde o início."

Ele cruzou os braços. "Você não está entendendo o que eu estou falando, e talvez de propósito. Eu não quero atrapalhar a sua felicidade e, sendo bem sincero, esse seu interesse pelo Alfa pode funcionar muito bem a meu favor. O desejo que ele sente por você é uma fraqueza. Se pudermos usar isso para controlá-lo, teremos uma vantagem ainda maior. Mas eu não posso impedir que nada ameace a comunidade dos vampiros, nem mesmo por você. Pode desfrutar à vontade do seu licano, Vashti, mas sem se esquecer das nossas prioridades. Como você disse, o momento de cair fora é agora."

Ela pôs as mãos na frente dos olhos e soltou um palavrão para si mesma. Estava tudo dando errado. *Ela* estava fazendo tudo errado. Em algum momento, suas prioridades haviam se invertido, passando do passado para o presente. Ela não conseguia mais suportar a ideia de manipular Elijah friamente.

Ela deixou os braços caírem ao lado do corpo e o encarou. "Pode colocá-lo para trabalhar com Raze. Vai ser melhor para todo mundo."

"Obrigado", ele disse baixinho, dando um beijo de leve na testa dela. "Talvez um pouco de distanciamento ajude você a pensar melhor e pôr as coisas em perspectiva. Você quer conversar com ele ou eu mesmo falo?"

O fato de Syre ter feito aquela proposta era uma prova do quanto a posição dela estava vulnerável. Quando ele se dispunha a fazer as coisas ele mesmo, e não delegar a tarefa a alguém, era porque considerava a questão muito séria.

"Não, pode deixar comigo."

"Ele não vai aceitar isso muito bem." Syre foi bastante convicto em seu comentário.

Vash se lembrou de como Elijah se comportou da última vez que ela tentou impor alguma distância entre os dois, e abriu um sorriso amarelo. "É, acho que não mesmo."

"Pode usar o meu nome se for necessário." Ele enfiou a mão no bolso e mexeu em um molho de chaves. "Eu estou indo para o Santuário com um pessoal. Se quiser ir, você é bem-vinda."

"Não, obrigada. Preciso cuidar dos últimos detalhes por aqui. Quero mandar uma equipe inteira para a rua amanhã, para conseguirmos o máximo de informações possíveis quando a próxima onda chegar. Com sorte, conseguiremos encontrar uns desgarrados nessa expedição. Vamos precisar de mais de uma matilha de licanos para o que precisamos fazer."

"Nós voltamos a falar nisso amanhã de manhã. Até lá."

Lembrando-se de algo que jamais poderia ter se esquecido, Vash o chamou depois que ele se afastou. "Comandante. Adrian colheu uma amostra do meu sangue."

Ele se virou lentamente para ela. "Para quê?"

"Não sei."

"Precisamos saber. Talvez tenha a ver com o Vírus Espectral, não?"

"E o que mais poderia ser?"

"Trate de descobrir." Ele saiu pisando duro.

Vash se recolheu para trabalhar na composição das equipes que mandaria a campo na manhã seguinte. Ela esperava contar com a ajuda de Elijah para isso, mas ele ainda não tinha voltado, e o tempo era curto.

Sentada a uma das estações de trabalho equipadas com computadores, ela agrupou os indivíduos de acordo com as características físicas, tentando criar equipes heterogêneas, combinando os maiores com os menores, os mais robustos com os mais leves.

Quando Elijah voltou, ela sentiu a presença dele antes de vê-lo. O ar do ambiente ficou carregado com a energia do licano... e com a animosidade dos vampiros que farejaram sua aproximação.

Ele voltou.

Um tremor de excitação percorreu o corpo dela, junto com uma onda de alívio que a deixou tonta. Ela observou sua chegada com olhos ansiosos, devorando cada centímetro de seu corpo sensual, admirando sua caminhada confiante, a fluidez de seus movimentos. E ela não era a única a ficar impressionada com sua aura de comando. Todas as cabeças no recinto estavam voltadas para ele, mas Elijah só tinha olhos para Vash. Um olhar feroz e determinado, em que a admiração era visível, mas sem o mínimo de reverência.

Como ele era maravilhoso. Lindo, era verdade, mas não era essa a palavra mais adequada para descrever seu rosto, que era masculino demais para ter qualquer traço de delicadeza. E aquele corpo... tão robusto e forte. Puro músculo. Ela se lembrou de como foi sentir toda a sua força concentrada nela. Sobre ela. Dentro dela...

As outras vampiras no galpão também o olhavam com avidez, uma luxúria escondida sob uma camada de desconfiança e ressentimento. Ela não estava mais tão incomodada por se sentir atraída sexualmente por um licano, mas a atenção que Elijah recebia das mulheres em geral começava a irritá-la. Ele não estava mais disponível, e elas precisavam saber disso. E respeitar esse fato.

Ele parou ao lado de uma mesa em que vampiros separavam maços de dinheiro, cartões de débito, documentos de identidade e telefones celulares. Elijah os agradeceu pela dedicação, ofereceu ajuda e abriu um sorriso sincero ao ser rechaçado com menos hostilidade do que de costume.

Seu sorriso permaneceu aberto enquanto ele caminhava na direção dela, mas assumindo ares de malícia e sensualidade.

"Oi", ele falou e parou ao lado dela. Ao olhar para a tela do computador, ele sacudiu a cabeça. "Não dá para pôr Luke e Thomas na mesma equipe. Eles vão brigar. E Nicodemus gosta da Bethany, e Horatio também. É melhor que ela não fique na equipe de nenhum dos dois."

"Mas que merda." Ela se afastou da mesa. Claro que ele sabia de tudo aquilo em detalhes. Ele se dava ao trabalho de conhecer todo mundo, um por um. "Já estou trabalhando nisso há mais de uma hora."

"A parte dos vampiros já está feita? Então não se preocupe com o resto. Eu cuido dos licanos."

"Amanhã cedo?" Olhando-o mais de perto, ela notou o cansaço em suas feições, em torno dos olhos e da boca. "Você está um caco."

"Eu bem que precisava dormir", ele concordou. "Mas isso não deve tomar muito tempo."

Ela se levantou e apoiou o peso do corpo sobre os saltos. O que queria mesmo era dar um passo na direção dele. Seu cheiro era delicioso. E ela sabia que o gosto também era. No corpo dele todo. Por dentro e por fora. "Eu posso conversar com você um minutinho?"

Ela o conduziu até um dos escritórios. Estava escuro lá dentro, assim como em boa parte do galpão, para não incomodar os licanos que dormiam. Nem ela nem Elijah precisavam de muita luz para enxergar, um fato do qual ela estava se aproveitando naquele momento. Mantendo as luzes apagadas, seria mais difícil para ele ler no rosto dela alguma reação indesejável.

A porta mal havia se fechado atrás dos dois e ela já se viu nos braços dele, com os lábios unidos. Agarrada pela cintura e pela nuca, ela permaneceu imóvel. Entregue. Vash soltou um suspiro de surpresa e prazer, e o beijo esquentou. A língua dele entrou fundo e sem pressa, explorando-a com um ritmo indolente que a fez querer mais. Muito mais.

Ela enfiou uma das mãos nos cabelos dele e a outra sob a camisa. Ele se encolheu e grunhiu ao sentir o toque dela, mostrando que a excitação era mútua.

"Obrigado", ele murmurou com a boca encostada à dela.

Vash engoliu em seco, tentando concentrar-se no fato de que estava ali para comunicar a mudança que haveria na relação de trabalho dos dois. O gosto maravilhoso dele a distraiu, obscurecendo seu raciocínio.

Ele esfregou o nariz no dela. "Eu tenho umas novidades que vão fazer você ficar feliz por não ter me matado."

Quanto a isso, ela estava *mesmo* feliz. Já estava arrependida de não pegar o mesmo avião que ele no dia seguinte para o outro lado do país. E se sentiu aliviada por não ter marcado o nome deles em nenhum dos dois grupos. Ele teria visto na mesma hora, e a essa altura eles estariam discutindo, e não se beijando. Elijah beijava muito bem. Ele não se apressava, curtia o momento sem se importar com o que viria a seguir.

Mas *ela* se importava. Depois de sessenta anos sem sentir prazer, a única coisa em que conseguia pensar era em ficar sem roupa e sozinha com Elijah.

"Eu quero você." As palavras saíram da boca de Vash antes que ela se desse conta do que estava pensando. Envergonhada, ela enterrou a cabeça no pescoço dele. Só faltavam seis horas para os dois seguirem caminhos separados, e ele ainda precisava dormir. "Esquece que eu disse isso."

"Por quê?" A mão que estava na cintura dela desceu para a bunda, e puxou-a mais para perto, para sua ereção pulsante.

O corpo dela se acendeu como se tivesse recebido uma descarga elétrica. Ele estava pronto para ela, e ela, cheia de desejo por ele para uma última vez antes de mandá-lo em missão com Raze e pôr a cabeça de volta no lugar. "Você precisa pegar leve e descansar. Amanhã vai ser um dia bem agitado."

"Então você comanda. Eu só fico lá deitado até gozar."

Ela perfurou o peitoral dele com as presas.

"Ai! Puta que pariu." Ele a empurrou. "Pega leve comigo. Eu ainda estou me recuperando."

"E por isso mesmo precisa de sono, não de sexo." Mas o gosto dele era bom demais. Ela lambeu os lábios, pois não queria desperdiçar nem uma gota.

Os olhos dele brilharam na penumbra. "Você me atiçou. Agora eu não vou conseguir dormir se não fizer sexo."

"Coitadinho. Escuta só, eu tenho uma coisa para contar para você."

Ele cobriu a boca dela com a mão. "Eu falei primeiro."

Vash grunhiu. Ele abriu um sorriso antes de tirar a mão.

"Então conta logo", ela esbravejou.

"Não dá." Ele parecia estar falando sério, e mostrou o que realmente queria quando abriu o fecho do colete dela e agarrou seus peitos com força. "Todo o sangue do meu corpo fluiu para a cabeça de baixo. Precisamos cuidar disso primeiro."

A audácia e o descaramento daquela afirmação a deixaram desconcertada por um instante. "O que deu em você?"

O que quer que fosse, ela estava gostando. Ele era um sujeito sério por natureza. Aquela versão brincalhona de Elijah estava mexendo com ela.

"Eu estou prestes a transar com a mulher mais gostosa do mundo. Isso é o tipo de coisa que anima qualquer um. Além disso, tenho um presente para você. Pode não ser tão importante quanto o que você me trouxe hoje, mas espero que seja útil."

Ela sentiu um calor percorrer seu corpo, junto com uma pontada quase dolorosa quando ele beliscou um de seus mamilos. "O que é?"

"Consegui uma pista sobre os assassinos de Charron."

Ela prendeu a respiração, e sentiu um nó na garganta. "Quê...? Como...?"

"Adrian." Elijah a puxou mais para perto. "Eu perguntei o que ele sabia. Ele ouviu os boatos sobre o seu companheiro e mandou Jason investigar. Os licanos que admitiram envolvimento no caso foram interrogados. Adrian não se lembra dos nomes nem de como foi a história, mas falou que o relato que chegou até ele não foi o mesmo que você me passou, caso contrário teria acabado com eles no ato."

"Ah, claro que teria."

"Vashti, ele não sabia que Charron tinha sido barbarizado daquela maneira. Só foi informado de que ele estava morto, e que havia licanos envolvidos no caso. Se ele soubesse, teria agido de maneira diferente. Pode acreditar."

"Ele não estava nem aí."

"Acho que você está enganada."

"Não faz diferença. Eu conheço Adrian há muito mais tempo que você." Vash removeu os cabelos da frente do rosto e se afastou. Abotoando de novo o colete, ela começou a andar de um lado para o outro. "Eu preciso de nomes, El. Não me interessa o que os licanos disseram. Eu sei o que *vi*, e conhecia Char muito bem. Ele nunca fez nada que justificaria uma morte como aquela. Ele era um homem gentil e generoso."

"As entrevistas foram todas gravadas, e depois digitalizadas e armazenadas em servidores remotos."

"Ele entregou uma cópia para você?"

"Não. E ele não tem a senha para acessar esses dados."

"Conversa-fiada. Ele está mentindo para você."

Elijah cruzou os braços e a olhou nos olhos. "Não está não, Vashti. Cada posto de comando tem um acesso diferente aos dados remotos. É uma precaução de segurança, para que as informações todas não caiam nas mãos de um inimigo se um dos postos for perdido. Eu sei que isso é verdade porque Stephan invadiu o sistema do Lago Navajo. Não havia como conseguir informações sobre os outros postos de comando a partir de lá."

"E quem tem essa senha?"

"Jason e Armand. Para nosso azar, Jason estava no Lago Navajo, e Armand em Huntington, onde os interrogatórios foram feitos quando a rebelião aconteceu. Até onde se sabe, os dois foram mortos em combate."

Ela caminhou até ele e o segurou pela cintura da calça. "Mas *você* tem como conseguir esses dados."

"Se ainda tiver sobrado pedra sobre pedra, sim. Mas, seja como for, os nomes desses licanos estão no servidor remoto. Mesmo que o posto de comando de Huntington tenha sido reduzido a pó, nem tudo está perdido."

Respirando fundo, Vash fez força para se controlar. Caso fosse pressionada, ela mesma não seria capaz de identificá-los. Talvez estivesse feliz com a notícia. Com medo, certamente estava. E um pouco mais que confusa. Para onde ir depois que tudo estivesse terminado? E, pulsando em meio ao caos de sua mente, estava a consciência dolorosa do homem a quem devia tudo aquilo. Ela estava fazendo algo em nome de Char enquanto se envolvia com outro, e não se sentia culpada por isso. Vash procurou dentro dela a sensação de que estava fazendo uma coisa errada... sendo infiel... mas não encontrou nada disso.

"Eu nem sei dizer o quanto isso é importante para mim, Elijah", ela disse baixinho.

Ele agarrou os punhos dela com suas mãos quentes. "Então me mostra."

12

Satisfeita por ter despertado o instinto masculino dele, Vash examinou com os olhos a mobília do pequeno escritório. “Não temos muita escolha, taradão: é em cima da mesa ou no chão. Como eu não tenho pau, não posso encostar você na parede e mandar ver. E as cadeiras daqui têm apoio para os braços, então também não dá para montar em você.”

“Mas que falta de imaginação!” Elijah a soltou e arrancou a camisa por cima da cabeça. Ela se preocupou tanto em verificar o estado dos ferimentos dele que nem viu que ele já estava sem as botas. Vash percorria o corpo dele com as mãos, procurando pelos ferimentos invisíveis sob a fraca luz noturna, quando o jeans do licano foi para o chão.

O impacto da nudez de Elijah a atingiu com força, fazendo-a soltar um assovio, hipnotizada por sua masculinidade ostensiva.

“Fala de novo”, ele pediu.

A língua dela desgrudou do céu da boca. “Hã?”

“Aquilo que você falou e depois me pediu para esquecer.”

Ela ergueu a cabeça e deparou com os olhos dele, brilhantes e febris. Vash queria aqueles olhos sobre si o tempo todo, percorrendo seu corpo com tesão e com vontade. Ninguém nunca a havia olhado daquela forma, com um desejo tão intenso e incontrolável.

Ela arrancou o colete e jogou-o de lado. Equilibrando-se sobre um dos pés, abriu o zíper de uma bota, e depois da outra. Enquanto ela abaixava as calças até os tornozelos, ele se sentou em uma cadeira, recostou-se e se deliciou avidamente com a cena.

“Fala, Vashti.” A aspereza na voz dele transformou o pedido quase em um grunhido, e a envolveu como lufadas ondulantes e fumaça morna.

Ela se endireitou e chutou as calças para um canto.

"Eu quero que você", ela mudou deliberadamente o que tinha dito, "deixe tudo comigo. Você passou por maus bocados hoje."

"Eu prometo não exagerar, só isso."

"Só isso não basta."

"Você não confia em mim?"

"Eu poderia amarrar você de novo, quem sabe. Mas nenhum de nós dois resistiria a mais um dos seus ataques de fúria."

"Você não vai me domar, Vashti", ele disse com firmeza. "Não é disso que você precisa. Nem o que você quer. É melhor nem tentar de novo."

Ela chegou mais perto. Apoiada ao encosto da cadeira, ela baixou a cabeça até ele e sentiu seu cheiro, deixando que o odor luxurioso de sua pele tomasse conta do corpo dela. Que a acalmasse.

Ele a *conhecia*, e também a *entendia*. Ela não sabia como, mas também não tinha como negar...

Mas isso não importava. Aquela seria sua última vez com ele — a aliança entre os dois estava chegando ao fim. Em pouco tempo ela voltaria a ser a Vash de sempre, aquela que todos conheciam. Quando estivesse no encalço dos assassinos de Charron, ela honraria sua palavra, e o acordo chegaria ao fim. Ambos teriam o que queriam, o que não incluía a companhia um do outro, apesar do que os últimos acontecimentos poderiam dar a entender. "Hoje à noite vai ser tudo mais lento e tranquilo."

Ele roçou de leve as coxas dela com a ponta dos dedos, uma carícia quase imperceptível, mas que reverberou dentro dela em ondas de calor e desejo. O fato de ele não ter feito mais nada, de não ter assumido o controle da situação, deu a ela a chance de acalmar os ânimos entre os dois.

Eu também estava precisando disso, ela pensou. Era preciso deixar para ele uma lembrança diferente daquilo que havia acontecido no Santuário.

"Agora me mostra como eu posso fazer alguma coisa nesta maldita cadeira", ela murmurou, apesar de ter ficado toda molhadinha só de pensar em se esfregar no corpo rígido e quente de Elijah.

"Se afasta um pouquinho primeiro. Eu quero ver você."

Ela endireitou o corpo lentamente. Dando um passo atrás, jogou as mãos para cima e as passou pelos cabelos. Arqueando as costas para trás, fez uma pose de pinup dos anos 1950.

Ele respirou fundo, agarrando com força os apoios para os braços da cadeira. "Minha nossa, Vashti..."

O tom de prazer maravilhado na voz dele mexeu com ela, derrubando suas defesas e ressoando profundamente em sua consciência.

"Você é tão maravilhosa", ele grunhiu. "Gostosa, cheia de curvas. Perfeitinha. E também é tão forte. Forte e resistente."

Havia um toque de possessividade na maneira como ele falava. E ela gostou disso, o que a deixou confusa. Vash era uma mulher que sabia se cuidar sozinha. Sempre foi. Char reconheceu isso nela, e por isso sempre respeitou seu espaço. Ele a deixava fazer seu trabalho, seguia suas ordens quando era necessário. Era disso que ela precisava em um parceiro, e também o que queria... Apoio. Compreensão.

Ainda assim, a postura dominante de Elijah a deixava excitadíssima.

Virando-se lentamente, ela escondeu o quanto havia ficado abalada mostrando-se de costas.

"Chega mais perto. Volta aqui pra mim", ele ordenou, lembrando-a de que não havia abrido mão de seu comando. Ele sempre exigia que ela se rendesse, mesmo quando admirava sua força e sua iniciativa.

Ele acariciou as costas delas com a mão aberta, bem de leve. "Se inclina para a frente."

Sabendo o quanto estaria exposta na posição que ele pediu, ela foi se inclinando lentamente, afastando um pouco mais as pernas para equilibrar o peso do corpo. Ele agarrou as coxas dela com as mãos, bem perto da curvatura das nádegas. Com os polegares, esfregou os lábios do sexo dela, abrindo-a para o deleite de seus olhos.

"Humm... e você já está toda quentinha e molhadinha."

Ela engoliu em seco, depois mordeu o lábio e soltou um gemido baixinho. O hálito quente dele atiçou sua carne úmida e sensível. Ela apoiou as mãos nos joelhos, pois precisaria de um apoio adicional para não desabar de cara no chão.

"Vou deixar você ainda mais molhada", ele prometeu, cruel, um instante antes de atacar com a língua sua abertura sedenta e inchada.

Ela prendeu a respiração audivelmente, um som que reverberou pela sala vazia. Era excitante estar à disposição dele, pronta para ele. Entregue.

A língua dele a tocou de novo, com uma textura mais áspera que da outra vez, como veludo molhado, e entrou mais fundo. Ela gemeu de prazer, e se perguntou se ele havia mudado parcialmente apenas para agradá-la. Fosse como fosse, era excitante da mesma maneira. Na última vez em que estiveram juntos, ele a havia colocado da maneira como a queria e *tomado posse* dela. Tinha feito o que precisava, da maneira como precisava, esperando que ela obtivesse prazer com a satisfação dele. E foi isso que aconteceu. Ela gozou como nunca, sentindo um êxtase contagiante e incontrolável. Sem barreiras. Sem limites.

O grunhido dele reverberou dentro dela. "O seu gostinho me deixa maluco. Eu poderia chupar você durante horas. Dias. Lamber cada gota docinha e cremosa de você."

A estocada seguinte da língua dele percorreu e circulou toda a abertura para o ventre dela. Ele a manteve onde queria segurando-a sem precisar fazer força, roçando o clitóris de leve e resmungando uma reprimenda.

"Elijah", ela pediu.

"Elijah, o quê?"

Ela rangeu os dentes. "Elijah, por favor."

"Por favor, o quê?"

Ela não conseguiu evitar o rugido de frustração que escapou de sua garganta. "Por favor, não seja babaca."

"Mas eu não posso me exceder", ele falou, tranquilo, "ou posso acabar me empolgando e quebrando minha promessa."

"Usando só a *língua*?"

Quando ela tentou endireitar o corpo, ele a segurou posicionando uma das mãos na base de sua coluna. "É tão difícil assim deixar que eu tome a iniciativa?"

"É, sim." Na verdade, era o que ele mais desejava. Ele era um Alfa, claro, mas não o Alfa *dela*. Para os vampiros, *ela* era a coisa mais próxima de um Alfa que eles tinham no mundo. O que pensariam se a vissem naquele momento?

"E você sente prazer com isso mesmo assim?", ele provocou.

Vash o olhou por cima do ombro. Ele estava olhando para o rosto dela, e não para a carne trêmula que implorava por mais atenção. Um interesse puramente sexual seria mais fácil de lidar, por mais estranho que isso pudesse parecer. A concentração de Elijah nas reações e nos sentimentos dela era algo que denotava muito mais intimidade.

"Eu não sou uma dessas cadelas que ficam se jogando aos seus pés", ela esbravejou. "A subserviência não é o meu forte."

"Que bom. Mulheres sem personalidade me fazem brochar." Ele a beijou despudoradamente na nádega. "Você tem uma bunda formidável, mas nem mesmo seus peitões espetaculares seriam suficientes para manter meu interesse depois da primeira transa. Isso quer dizer que estou aqui na verdade por causa da sua tendência sutil de distribuir ordens e mandar em tudo ao seu redor... menos em mim, é claro. Agora termina o que você começou a dizer: Elijah, por favor, o quê? Quer que eu faça o que bem entender com você? É só pedir. Se tiver alguma sugestão para dar, fica à vontade. Estou à disposição."

"Elijah." Ela soltou o ar com força. "Por favor, me lambe até eu gozar. E depois pode fazer o que quiser comigo."

"Pensei que você nunca fosse pedir, minha querida."

Se a mão que estava na base da coluna dela não deslizasse para segurá-la pela parte anterior da coxa, Vash teria caído ao sentir sua primeira lambida mais profunda. Ele usava a boca com uma habilidade comparável à das mãos. As estocadas de sua língua eram ritmadas e precisas, fazendo as pernas dela cambalearem, tentando encontrar a pressão perfeita que a levaria ao orgasmo. Ela conseguia vê-lo por entre as pernas, contemplar sua ereção rígida, longa, vascularizada e brutalmente bela. Assim como o próprio Elijah. Ela o queria... e por inteiro.

Nossa. Ela o desejava com tanta intensidade que até doía. O ar queimava nos pulmões. Seus mamilos estavam duros e pontudos. Com a barriga encolhida de tanto se contorcer, ela soltava gemidos desesperados enquanto ele massageava seu clitóris com a língua áspera.

"Por favor", ela implorou, incapaz de esperar mais um minuto que fosse.

"Sim." Ele fez um movimento rápido e certeiro de sucção, e ela gozou com um grito de alívio, estremecendo violentamente ao sentir o prazer fazer seu corpo se debater em espasmos.

Quando suas pernas estremeceram e ela ameaçou desabar, Elijah a puxou para o colo e a fez se recostar no peito dele. Ela deixou a cabeça cair sobre o ombro do licano, sentindo o cheiro dele encher suas narinas e inebriar seus sentidos já abalados. Curtindo a sensação do corpo dele contra suas costas, tão rígido, forte e quente, ela desejou nunca mais sair dali. Os braços dele a enlaçaram, agarrando um dos seios com uma das mãos e forçando-a a abrir um pouco mais as pernas com a outra.

"Me mostra o caminho", ele murmurou com a boca encostada no rosto dela. "Me leva até dentro de você."

Engolindo com dificuldade, ela o apertou com a mão e o masturbou da cabeça até a base. Uma vez. Duas vezes. Mais e mais. Ele estava bem duro, e ela, encantada por sentir o efeito que causava sobre ele. Elijah estava rugindo de prazer no ouvido dela, com o peito vibrando às suas costas. A mão dela foi ficando mais lubrificada à medida que a excitação dele crescia, e as mãos que ela sentia sobre seus seios intensificavam ainda mais suas sensações. Com movimentos precisos, ele provocava sua carne sensível, beliscando e contornando os mamilos com os dedos.

"Assim você vai me fazer gozar", ele avisou, mordendo o ombro dela.

"É essa a ideia, não?"

"Se eu quisesse só uma gozada, teria me poupado da caminhada até o galpão e aproveitado a oferta que me fizeram no estacionamento."

Ela o apertou com mais força, fazendo-o emitir um ruído que era metade gemido e metade risada. Ele sabia muito bem que as mulheres todas ficavam babando por sua causa. E estava deliberadamente testando a reação dela. Porque apenas ela era capaz de ter o que todas as outras queriam.

Ela se levantou e posicionou o pau dele no lugar onde precisava. Depois de respirar fundo, foi descendo sobre ele, fechando os olhos ao se sentir preenchida, alargada. Naquela posição, ela ficava apertadinha, obrigava-o a fazer força para entrar.

O ruído grave de prazer que ele emitiu foi tão erótico que ela quase gozou só de ouvi-lo. Foi complementado por um murmúrio de rendição, lembrando a ela que ambos eram vítimas do mesmo desejo arrebatador. Igualmente incapazes de resistir à atração existente entre os dois.

Agarrando-a pelas costelas logo abaixo dos seios, Elijah controlava a velocidade e o ângulo da descida dela, fazendo-a sentir cada centímetro dele à medida que a possuía. E ela se entregava em retribuição. Seus cabelos caíam sobre o ombro dele, e seus quadris começaram a se remexer sem que ela notasse. Ela ergueu as mãos para agarrar os cabelos escuros e espessos do licano.

"Humm...", ela gemeu. "Que delícia."

"E ainda tem mais."

"Sim... mais." Vash amoleceu nos braços dele e deixou que ele fizesse o que bem entendesse.

Ele a fez descer um pouco mais, amparando o peso dela sem esforço. Vash não era uma mulher miudinha. Era alta, cheia de curvas. Nunca em sua vida tinha se sentido delicada, mas Elijah a fazia se sentir feminina como ninguém mais além de Char era capaz. Era uma sensação que ela apreciava demais — ser algo além de uma vampira, ser alguém que não fosse apenas a tenente de Syre.

Quando a penetrou até o fim, ele a abraçou por trás, envolvendo-a com os braços cruzados sobre seus seios. O suor cobria os corpos dos dois, unindo-os um ao outro. As pernas dela estavam abertas sobre as dele. Os dentes dele estavam cravados no ombro dela. Ela sentiu o pau dele latejar dentro de seu ventre. Vash tinha se rendido totalmente a ele. Foi isso que ela sentiu naquele momento, apesar de não dizer nada.

Elijah estendeu a mão até o meio das pernas dela, encontrou o clitóris exposto e começou a massageá-lo com dois dedos. Ela gozou com um grito abafado. O grunhido de satisfação que ele soltou estimulou o apetite dela, fez com que continuasse querendo mais. Queria senti-lo um pouco mais, e desfrutar daquela sensação um pouco mais.

"Adoro o jeito como você me aperta quando está gozando", ele murmurou. "Me espremendo dentro de você... Faz isso de novo."

Com as mãos apoiadas nos braços da cadeira, ela se ergueu um pouco. Quando seu corpo se inclinou para a frente, ele a penetrou ainda mais fundo, produzindo uma sensação tão sublime que quase a fez gozar outra vez. Ela não era capaz de entender por que ele era tão afrodisíaco, mas tratava-se de um fato impossível de negar. Tudo nele era um deleite para os sentidos, mantendo-a sempre disposta e pronta para recebê-lo.

Os lábios de Elijah percorreram gentilmente as costas de Vash, fazendo a garganta dela se contrair. "Cavalga em mim, Vashti. Trepa comigo até eu não aguentar mais."

Foi o que ela fez, começando devagar na primeira meia hora, conforme havia prometido, sentindo as mãos dele a agarrarem com força. Ela se deixou levar pelo ritmo dos movimentos, erguendo e baixando os quadris sem parar... o ir e vir das ondas de desejo, embaladas pelos sons da respiração dele. Reduzindo o ritmo quando ele arfava, acelerando quando ele arrefecia.

Ela poderia ter se mantido naquele embalo para sempre, mas, ao sentir a base do pau dele com os dedos, Vash se concentrou mais uma vez no que precisava fazer. Ele ficou tenso por um instante, e então um orgasmo furioso tomou conta de seu corpo. Elijah estremeceu com tanta violência que a cadeira oscilou como se estivesse no meio de um terremoto. Os dentes dele rangeram audivelmente, suas garras se libertaram de sua mão livre e perfuraram o metal do apoio de braços da cadeira como se fosse feito de papel-alumínio. Ele gozou com força, por um bom tempo... mas não concretamente. O tão esperado jato quente não foi expelido.

Ah, não, você não fez isso, ela pensou, desolada, mas ainda determinada a fazê-lo perder o controle.

Vash encarava aquela habilidade dele, a capacidade de reter a ejaculação durante o orgasmo, como um desafio. Ele era contido demais. Racional demais. Enquanto isso, ela se acabava de prazer.

Era a vez de *Vash* assumir o comando. Mas não como na outra noite. Aquilo jamais voltaria a acontecer. Dessa vez, ela o imobilizou com seu desejo, e o prazer proporcionado por seu corpo. Ela controlou o ritmo com determinação e velocidade, sem oferecer nenhuma trégua, forçando-o a um estado de excitação do qual não era possível voltar atrás.

"Vashti", ele ofegou e soltou um palavrão furioso. Desfiando xingamentos, pediu que ela fosse mais devagar, que lhe desse um refresco.

Quando Elijah gozou de novo, foi com mais intensidade do que antes, com a respiração pesada, as pernas tensas sob as delas, gritando seu nome. A satisfação feminina tomou conta do corpo de Vash, provocando um orgasmo que se seguiu imediatamente ao dele.

Ele a envolveu nos braços e a puxou com força contra si. Ambos sucumbiram juntos ao próprio desejo.

Quando o sol se ergueu sobre as areias do deserto, Elijah saudou o novo dia sentindo-se melhor do que nunca. O que não era pouca coisa, considerando que no dia anterior estava no leito de morte. Os ferimentos tinham se curado sem deixar cicatrizes, e sua força havia se regenerado por inteiro. Se era por causa da ação do sangue de um Sentinela ou pela noite de amor calorosa com Vashti, ele não era capaz de dizer.

Trepa comigo até eu não aguentar mais.

Se pelo menos Vashti não tivesse entendido seu pedido tão literalmente. Ele tentou se segurar, fazer a coisa durar. Tanto para ele como para ela. Ela estava gostando tanto, sentindo prazer sem nenhum pudor, sendo conduzida pelo instinto a um estado primitivo de desejo animal em que seu corpo se tornou capaz de calar as dúvidas e os ressentimentos ainda existentes em sua mente...

"Alfa."

Ele olhou por cima do ombro para Raze, vestido com calças pretas e uma camisa cinza, um toque de elegância que o tornava quase irreconhecível. Virando-se para apanhar a sacola de lona que o vampiro lhe atirou, Elijah perguntou: "Que foi?".

"Vamos lá. Você pode se trocar no aeroporto, depois de fazer o check-in."

Com as sobrancelhas levantadas, ele olhou para a porta do escritório de Syre. Vashti havia desaparecido lá dentro uns vinte minutos antes, deixando-o encarregado de despachar as últimas equipes enquanto comunicava ao líder dos vampiros sobre seus planos de visitar pessoalmente o posto de comando de Huntington.

"São ordens dela." Raze teve a decência de esconder sua satisfação. "Ela pôs você no meu grupo ontem à noite."

Ah. Era isso o que ela tinha a contar antes que eles se distraíssem. No entanto, Elijah sabia também que ela havia mudado de ideia, e que naquele momento sua intenção era ir a Huntington com ele.

Sacudindo a cabeça, ele segurou com firmeza a sacola e apanhou os óculos escuros de cima da mesa. Tenha ela mudado de ideia ou não, havia muitas coisas para resolver. Ela precisava entender que tomar decisões e emitir ordens que dissessem respeito a ele — ou a *eles dois* — teria que ser um processo conjunto. "Vamos nessa."

Eles passaram pela porta lado a lado.

E o pior era que Elijah entendia essa necessidade de manter distância, e também que as informações que ele levantou sobre os assassinos de Charron provocaram uma mudança de planos. Se ela tentasse conversar a respeito, ele diria que não se importava se ela estava atrás de informações, de sexo ou de acesso aos licanos — qualquer coisa poderia servir como base para o relacionamento entre os dois, algo que ele já estava decidido a cultivar, pois não conseguia manter nem suas mãos nem seus pensamentos longe dela.

O que o incomodou foi o tempo que passaram depois de saciar o desejo um pelo outro. Uma hora durante a qual eles trabalharam na composição das equipes. Uma hora durante a qual ela não abriu a boca para dizer que o tinha posto para trabalhar com outro. Quando ele perguntou o que ela queria lhe falar, Vash desconversou com uma resposta engraçadinha.

Assim como Salem tinha previsto, nunca haveria nada entre eles enquanto ela não resolvesse se abrir.

"Para onde estamos indo?", ele perguntou, já do lado de fora.

“Seattle.”

Com um assobio alto e agudo, Elijah fez com que dois Jeeps que estavam saindo do estacionamento se detivessem. Ele se aproximou do primeiro motorista e perguntou quais eram as ordens da equipe, e depois as trocou com a que vinha logo atrás. Ele ainda passou adiante as ordens de Raze, para que cada uma das três equipes tivesse uma nova missão. Depois lembrou os licanos que o número dele estava gravado na memória do celular de todos.

“Não hesitem em me ligar”, ele disse a cada membro das equipes, “pelo motivo que for. Mesmo se quiserem só conversar com alguém, podem contar comigo.”

Quando os dois Jeeps saíram do estacionamento, Elijah encarou seu novo parceiro. “E nós estamos indo para Shreveport.”

O que parecia oportuno, pois era a cidade onde Nikki havia sido raptada, atraindo a atenção dela para ele, e vice-versa. Micah tinha sido mortalmente ferido por lá, torturado por Vash em uma tentativa de obter informações sobre a identidade e o paradeiro de Elijah.

“Está achando que ela vai vir atrás de você?”, questionou o vampiro.

Ele jogou a sacola no banco traseiro do carro escolhido por Raze. Não era preciso nem responder, por isso ele se manteve em silêncio.

“Você está superestimando sua própria importância, Alfa.” Raze assumiu sua posição atrás do volante. “Mas, depois do que ela fez por você ontem, talvez até tenha razão.”

“Cuida da sua vida”, ele avisou friamente. “Comigo ela está segura.”

O vampiro saiu do estacionamento, levantando uma nuvem de poeira atrás do veículo. “De repente eu até posso começar a gostar de você.”

“Eu não contaria com isso.”

“Pois é... Se eu fosse você, também não contaria.”

“Precisamos fazer essas coisas chegarem até Grace.” Vash apontou com a cabeça para a caixa térmica vermelha e branca sobre a mesa de Syre.

Ele abriu a tampa e franziu a testa ao examinar o conteúdo. "Que negócio é esse?"

"O material que usamos para a transfusão de sangue de Lindsay para Elijah."

Syre a encarou. "Você está desconfiada. É porque Adrian deixou que ela viesse pessoalmente em vez de mandar só o sangue?"

"Eu olhei nos olhos dele quando estava com uma faca colada à garganta dela. Ele derramaria o próprio sangue por ela sem pensar duas vezes. Então por que não fez isso?" Ela começou a andar de um lado para o outro. "Queria muito saber o que eles conversaram enquanto eu estava apagada no banco de trás do carro."

"Você acha que ela o convenceu a vir. Por quê?"

"Eu sei que foi isso que aconteceu. E ela fez isso por ele, claro. Ela nunca deixa de pensar nele."

"Mas o Alfa também não tem influência nessa história?"

"Ela veio por causa de Elijah *também*." Ela cerrou os punhos e os posicionou atrás das costas para esconder o movimento revelador. "Mas isso não seria motivo suficiente para Adrian deixá-la vir. Tem algum motivo além disso. No fim das contas, o que ela nos forneceu foi o sangue de Adrian, só que filtrado. Por que isso foi considerado aceitável e a substância pura não? Espero que Grace consiga nos explicar isso."

Fechando a caixa térmica, Syre se apoiou na mesa e acompanhou a movimentação dela com o olhar. "Grace está ocupada demais pesquisando sobre o Vírus Espectral."

"Então vamos atrás de outra pessoa. Precisamos de mais ratos de laboratório, aliás. A cada dia que passa, a infecção se espalha mais. Se não pusermos um fim nisso, vamos dar a Adrian o pretexto que ele deseja para acabar com todos nós. Precisamos testar o sangue dos licanos também. Os espectros atacaram Elijah como um enxame de abelhas. Ignoraram completamente a minha presença, e a de Salem, e morreram por ingerir o sangue de Elijah. Eu sei que o que queremos é uma cura, mas pode ser que isso não aconteça. Talvez seja necessário adotar uma tática de controle de danos e, se o sangue dos licanos for letal para eles, precisamos saber disso."

"Eu vou procurar novos 'ratos de laboratórios', como você diz. Quanto ao sangue dos licanos, o que está fazendo diferença pode ser o traço demoníaco presente na composição dele."

"Bom, demônio no mundo é o que não falta. Precisamos testá-los também. Eu vou capturar alguns quando voltar."

"Você está de partida?"

Ela parou de andar de um lado para outro e contou a respeito das perguntas que Elijah tinha feito a Adrian.

"E Adrian forneceu essas informações assim, de mão beijada?" Syre cruzou os braços. "Justamente ao licano responsável por ter destroçado suas fileiras?"

"Tenho certeza de que Lindsay interferiu a favor de Elijah. Mais uma vez."

"Ela é mesmo assim tão próxima do Alfa? Está rolando alguma coisa entre os dois?"

Vash soltou o ar com força. "Uma amizade. Adrian o mataria se houvesse alguma coisa a mais. Na verdade, eles agem quase como se fossem parentes... primos ou até irmãos. Ela abriu mão de sua vida mortal para ficar com Adrian, não devia ter laços muito estreitos com outras pessoas, caso contrário não faria isso com tanta facilidade. E Elijah... ele é uma espécie de lobo solitário. É um líder dedicado, mas não tem o costume de se abrir com ninguém. Ele valoriza demais os poucos amigos que tem."

E mataria por eles. Estava disposto a matá-la por um deles. O fato de Lindsay ser uma das poucas e privilegiadas pessoas a frequentar o círculo mais íntimo de convívio com Elijah a irritava profundamente. Saber que não havia nenhum envolvimento romântico entre os dois não aliviava em nada seu ciúme irracional. E pensar no quanto Micah significava para Elijah a fazia se sentir corroída pela culpa. Ela havia aprendido muito tempo antes a não guardar arrependimentos. Era algo perigoso demais para quem estava destinado a uma vida eterna. Mas ter causado uma mágoa tão grande a Elijah... e por um crime que ele não cometeu... aquilo estava acabando com ela.

"Você vai com ele até Huntington?", Syre quis saber.

"Sim. Deixei bem claro qual seria o meu preço desde o início... Eu o traria até você, mas também o usaria para atingir os meus objetivos pessoais."

Ele abriu um sorriso. "Eu não me esqueci disso."

"Vou manter você informado sobre tudo. Eu não devo demorar." Ela estava ansiosa para ir embora dali. E não só para cumprir seu objetivo de uma vez, mas também para trabalhar com Elijah. Nas tarefas que cumpriram juntos até então, ele havia sido o equilíbrio para ela. Seu contraponto. E o mesmo valia para ele. Os dois trabalhavam muito bem juntos.

O grande problema era o efeito que ele vinha causando sobre ela.

"Muito cuidado, Vashti. Esteja atenta para armadilhas. A autoridade dele ainda está sob questão, e ainda vai ser desafiada muitas vezes. Não quero que você seja pega nesse fogo cruzado. Se alguma coisa acontecer com você, eu não me responsabilizo pelos meus atos."

Ela abriu o escritório e saiu para o galpão, que naquele momento estava estranhamente silencioso. Não havia uma alma dentro do espaço fechado e, apesar de ser possível que Elijah estivesse em um dos escritórios, ela soube logo de cara que ele não estava mais presente. Sua ausência se manifestou na forma de um vazio dentro dela, um nó no estômago, uma reação que a deixou irritadíssima. Não por ele ter ido embora — não era preciso ser nenhum gênio para descobrir o que poderia ter acontecido em sua ausência —, mas por ter ficado abalada por isso. Ele havia partido sem pensar duas vezes, enquanto ela se sentia culpada só de pensar nisso.

Vash apanhou as chaves de um carro em uma prateleira na parede e estava indo até o veículo quando uma porta se abriu e um ônibus lotado de licanos entrou — uma cortesia de Salem, que havia ido buscá-los antes do amanhecer.

"Que maravilha." Vash estava presa ali até que ela e Salem os mandassem a campo. Elijah tinha deixado suas sugestões para composição das equipes, o que pouparia um bom trabalho, mas ela não conseguiria alcançá-lo de jeito nenhum antes que o avião dele decolasse.

Remoendo-se de raiva, ela pendurou as chaves de volta e tentou se concentrar somente no trabalho.

13

Elijah notou que algo estava errado assim que embicou com o carro alugado em uma rua residencial nos arredores de Shreveport, na Louisiana. Apesar de ser fim de tarde, havia muitos veículos estacionados por ali, principalmente levando em conta a baixa quantidade de casas com as luzes acesas. Quando ele parou o sedã econômico, sua sensação de inquietação se aprofundou ainda mais.

Estava tudo tranquilo demais. Quase sinistro. Nenhum passarinho cantando, nenhum cachorro latindo, nenhum ruído de tevês ou rádios ligados. Com sua audição privilegiada, o normal seria que ele ouvisse as descargas dos banheiros sendo acionadas, as pessoas conversando, os jantares sendo preparados.

Remexendo os ombros, ele repetiu o que Lindsay disse quando chegaram a Hurricane, em Utah, momentos antes de encontrarem um ninho de espectros: "Esse lugar tem uma energia terrível".

"Que merda." Raze olhou para ele por cima do carro. "Pensei que fosse só eu que estivesse sentindo isso."

"Uma hora ia dar merda."

"E eu pensando que o pior já tinha passado", resmungou Raze.

Elijah sorriu. Eles não tinham perdido tempo. Assim que aterrissaram, alugaram um carro no aeroporto e foram direto para a casa do primeiro vampiro a reportar sua preocupação a Syre. Foram apresentados a um vampiro loiro, de rosto bonito e pernas compridas, que atendia pelo nome de Minolo. Ele liberou o acesso dos dois a seu apartamento com janelas com películas escuras e providenciou biscoitos de limão e chá de ervas com xícaras e pires com temas floridos. Minolo pareceu ter se interessado por Raze desde o primeiro momento, e durante o resto da hora em que permaneceram por lá o vampiro flertou à vontade, piscando os olhos com os cílios maquiados a todo momento para o capitão de Vashti, em um convite afetuoso ao prazer.

"Não estou interessado", Raze resmungou por fim.

"Eu posso dar um jeito nisso, querido", o loirinho rebateu com uma piscadinha maliciosa.

Foi quando Elijah resolveu interferir, tanto para evitar um derramamento de sangue como para manter a atenção de Minolo apenas no motivo que os havia feito irem até lá. O que havia despertado as suspeitas do vampiro tinha sido um interrogatório conduzido pelas autoridades locais, que estavam investigando o desaparecimento de um ex-amante seu. Depois de hesitar por um tempo a se envolver diretamente na história, ele resolveu sair a campo. Como era muito bem relacionado com a comunidade vampiresca da área, não demorou mais de dois dias para notar que vários vampiros que conhecia haviam sumido.

Vasculhando a cidade durante as cinco horas seguintes, Elijah e Raze obtiveram informações suficientes para ter certeza de que havia mesmo algo errado em Shreveport. Usando a residência de Minolo como ponto de partida, eles estabeleceram um perímetro a ser investigado e conduziram uma série de interrogatórios com os vizinhos dos vampiros desaparecidos.

A maioria dos lacaios sobre quem perguntaram trabalhava à noite, o que tornava difícil para os vizinhos ter uma ideia mais clara de seus hábitos. Nesses casos, Elijah e Raze fingiam ir embora e depois voltavam e entravam furtivamente nas casas. Ao dar de cara com tantos imóveis vazios, eles chegaram a uma preocupante conclusão: havia uma quantidade considerável de lacaios com paradeiro desconhecido em plena luz do dia.

Mas o local a que haviam acabado de chegar era sem dúvida o mais preocupante.

"Vamos precisar de reforços", disse Elijah. "No mínimo os dois lacaios que vão vir para o turno da noite, mas o ideal seria mais que isso. Uma equipe de doze componentes ou mais."

"Quer dar uma sondada no terreno? Ainda vai demorar um pouco para anoitecer."

"Não faz diferença. Lá em Vegas também era dia claro, e estávamos em três."

Raze passou uma das mãos pela cabeça raspada. "Eu não gosto de dar para trás desse jeito. Fico me sentindo um bundão."

"Eu também não gosto, mas é o melhor a fazer. Confia em mim." Elijah voltou para o carro. "Vamos reunir uma equipe para mapear a área e planejar uma ação para amanhã."

"Porra." Raze deu mais uma olhada ao redor. "Tudo bem, vai."

O fato de um vampiro ter cedido tão facilmente ao comando de um licano não passou despercebido por Elijah. Fosse porque ele estava comendo a comandante de Raze ou em virtude de seus próprios méritos, as coisas estavam começando a evoluir. No fim, ele conquistaria a confiança de todos, porque fazia por merecer.

Eles voltaram para o hotel, vestiram roupas mais confortáveis e decidiram que o mais prático seria irem jantar a pé no restaurante ao lado. Tinham optado por se hospedar em um local mais afastado da cidade, em um ambiente rural, um local cercado por uma floresta de pinheiros. Para Elijah, mais do que reconfortante, aquilo era algo necessário depois do impasse a que havia chegado com Vash. A cada minuto que passava, o inevitável confronto entre os dois ficava mais próximo. Ele estava pronto para encarar tudo isso naquele exato momento, irritado pela caçada infrutífera e abalado pela separação forçada.

Eles se sentaram a uma mesa em um canto e pediram dois especiais da casa e uma cerveja. Quando a garçonete se afastou, ele e Raze trocaram olhares desconfiados, algo que tinham evitado fazer até aquele momento, por colocarem sempre a missão em primeiro lugar.

Elijah observou o vampiro atentamente, pois sabia que Vashti não ia a lugar nenhum sem Raze ou Salem — na maioria das vezes os dois — a tiracolo. Ambos os capitães eram sujeitos grandalhões, ao contrário da maioria de sua espécie — os Caídos em geral eram magros e elegantes, seus corpos haviam sido projetados para voar. Salem era o mais alto dos dois, tinha quase dois metros e mais de cem quilos de puro músculo. Raze tinha um físico mais parecido com o de Elijah, mais próximo de um metro e noventa e com um peso que não chegava à casa das centenas.

Mas Vashti também possuía um físico avantajado — estatura alta, musculatura bem definida — e era uma especialista no manejo de vários tipos de armas. Ela não precisava de seguranças. Do ponto de vista do aproveitamento de seus recursos humanos, não parecia uma boa ideia para Syre colocar três de seus melhores Caídos para trabalhar juntos.

"E então, qual é a sua história, Alfa?", questionou Raze. Apesar de Elijah não ser o mais indicado para avaliar a beleza de um homem, ele percebeu que o vampiro tinha sido seguido por uma boa quantidade de olhares femininos quando saiu para dar um telefonema.

"Eu conto a minha se você contar a sua também."

Raze soltou um riso de deboche. "Acho que você quer saber como a minha história se relaciona com a de Vash."

Ele não negou. "Ela anda com uma segurança reforçada, com você e com Salem, mas também é forte e inteligente, sabe se cuidar muito bem sozinha."

"Mas nem por isso deixa de ser uma mulher."

Elijah deu um bom gole em sua cerveja e refletiu um pouco a respeito. Ele sabia muito bem que Raze e Salem tinham um tremendo respeito por Vash, caso contrário não acatariam as ordens dela. No entanto, isso não significava que o gênero dela não fazia diferença.

As mulheres tinham vulnerabilidades diferentes dos homens.

Syre, Raze e Salem eram machos extremamente protetores. E a maneira como ela tinha feito sexo pela primeira vez com ele... amarrando-o... tentando manter um controle absoluto...

"Foram licanos?" Elijah perguntou, todo tenso, sentindo a raiva fazer seu sangue ferver.

"Não sei do que você está falando."

Certo... Raze não revelaria nada sobre Vash de maneira direta, apenas com alusões. Elijah era capaz de entender isso, por mais ansioso que estivesse por informações.

Raze apoiou o braço no peitoril da janela. "Você sabe o que éramos... Vigias. Depois da queda, precisávamos decidir o que faríamos da vida. Cada um tinha sua área de conhecimento, e foi nisso que concentramos nossos esforços. Vashti era especialista em armamentos, na fabricação e no uso. Mesmo quando atuava como acadêmica, ela já se mostrava uma guerreira."

O tom de afeição na voz de Raze fez com que Elijah apertasse com mais força sua garrafa. "Isso eu consigo imaginar."

"Na época, nós ainda achávamos que conseguiríamos cair de novo nas graças do Criador. Que bastava cumprir uma espécie de penitência. Zerar de novo o jogo. Vash começou a caçar demônios, o que foi muito útil mais tarde, quando eles começaram a mexer conosco. Nós éramos os anjos rejeitados, aqueles que todos tinham carta branca para atacar." Raze bufou. "Syre preferia uma conduta mais diplomática, Vash era mais agressiva. Como era ela que estava na linha de frente, sua vontade prevaleceu. Ela não era nem um pouco popular entre a comunidade dos demônios, para dizer o mínimo."

"Minha nossa..." Elijah se recostou no assento. Ele já tinha visto cenas de ataques de demônios. Só de pensar no tipo de estrago que eles poderiam provocar em Vashti, ele sentiu seu estômago embrulhar.

"E os demônios preferem atacar quando estamos por baixo. Alguém que acabou de perder seu companheiro é o tipo de alvo ideal para eles."

Com os dentes cerrados, ele falou: "Ela disse que Syre resolveu a situação. É verdade?".

"É sim. Ele deu um jeito na situação. Jogou as cinzas deles numa lixeira e mandou de volta para o mestre dos demônios."

Elijah lamentou o fato de não poder ele mesmo executar essa vingança. Seu sentimento de impotência era tão agudo que até doía. "Qual era a sua especialidade?"

"Triagem."

Esfregando o rosto com a mão, Elijah juntou as peças do quebra-cabeça e criou uma imagem mental de virar o estômago. "Minha nossa", ele repetiu, lembrando-se da violência com que a tinha possuído em Las Vegas, que a havia dominado por completo.

Raze sorriu para a garçonete quando ela voltou com a comida de Elijah. Ela sorriu de volta, com o interesse estampado nos olhos. Ela perguntou mais uma vez se Raze não queria nada, ao que ele respondeu que só estava esperando o turno dela terminar. Eles podiam sair juntos, caso ela estivesse a fim. Obviamente, ela estava.

"O sexo vai fazer bem para você", Raze disse a Elijah quando ela se afastou. "O melhor que você faz é dar uma trepada hoje à noite, principalmente depois de quase ter empacotado ontem. Essa pode ser sua última chance de transar."

"Estou comovido com a sua preocupação, mas a minha vida sexual não é da sua conta."

"Você gosta de ruivas, não é? Acabou de entrar uma ruivinha linda aqui. Você podia tentar a sorte." Raze assobiou. "Porra, você não quis nem olhar. A Vash deve ter pegado você de jeito."

Elijah acabou de mastigar a primeira garfada de uma deliciosa maminha malpassada. "Está querendo tirar uma com a minha cara? Pois eu não vejo problema nenhum em, quando você encontra uma coisa de que gosta, decidir ficar só com aquilo."

"Só porque você gostou não significa que não existam melhores."

"Porra, cara." Ele enfiou um bolinho frito na boca e o estraçalhou com duas mordidas. "Você perdeu suas asas por causa de uma mulher. Não é possível que pense assim."

Uma expressão sombria se abateu sobre o rosto de Raze. "O meu caso não foi como o dos outros. Eu saí por aí trepando com meio mundo."

Enquanto mastigava a carne, Elijah imaginou se Raze se sentia mais culpado que os demais ou se para ele não fazia diferença.

O vampiro tentou quebrar o clima pesado que se instalou. "Enfim. Mais tarde isso acabou acontecendo... não faz muito tempo..."

Elijah deixou de lado a tigela vazia onde estava a salada verde e largou um osso de costela lá dentro.

"Puta merda, Alfa", murmurou Raze, observando enquanto ele matava seu segundo prato. "Você vai acabar passando mal."

"O que aconteceu com ela?"

"Ela ficaria melhor com alguém sem presas." Raze sorriu para a garçonete, mas seus olhos permaneciam inexpressivos. Ele se levantou. "Minha refeição está saindo. Nos encontramos mais tarde. Boa sorte com a ruiva. Pelo jeito ela está interessada em você."

"Pode ficar com ela também", respondeu Elijah, desdobrando o guardanapo para limpar as mãos. "Vocês podem fazer uma festinha."

Raze caiu na risada e saiu.

Elijah pegou a conta, depositada na ponta da mesa, conferiu o valor e levou a mão à carteira.

"*O que você está fazendo aqui, caralho?*"

O som da voz furiosa de Vash quase o fez sorrir, mas ele se conteve. "Comendo."

"Não se faça de besta." Ela se sentou no lugar que Raze havia acabado de deixar vago. "O que você está fazendo aqui na Louisiana?"

"Trabalhando."

Os olhos cor de âmbar da vampira brilhavam de fúria, seu rosto estava corado, e os lábios, bem vermelhos. Com sua cabeleira ruiva e seu macacão preto justo, estava tão deliciosa que o fez salivar. Ele não mudaria nada nela, a não ser seu sofrimento no passado e suas tendências evasivas no presente.

"Você está querendo me irritar de propósito, licano."

Ele se levantou. "Vamos conversar em outro lugar."

Elijah deixou o dinheiro da conta sobre a mesa e indicou o caminho da porta da rua para a vampira.

Quando saíram, ela parou na frente dele. "Nós tínhamos um acordo."

Ele ergueu as sobrancelhas. "Tem certeza de que quer falar sobre isso?"

"Você sabe que eu preciso dessas informações, e que prometeu consegui-las para mim."

"Você vai conseguir as informações que quer." Elijah a contornou e tomou o caminho de seu quarto.

"Eu estou falando com você!", ela gritou às suas costas, e o alcançou batucando com os saltos das botas no chão de cimento.

"Não está, não. Sua boca está se mexendo, mas você não está falando nada."

"Você é um cretino."

Ele começou a se irritar. Abriu a porta do quarto e entrou.

Com a palma da mão, ela impediu que a porta se fechasse, empurrou-a e a fez bater com força na parede. "Você bagunçou as instruções de todo mundo só para eu ter que ficar rodando o dia todo atrás de você!"

"Sério mesmo? Como você me pôs para trabalhar com Raze, pensei que com um simples telefonema você ficaria a par de tudo."

"Eu pensei em pôr você com Raze. Ia falar sobre isso com você ontem à noite, mas não deu. Você foi logo me contando um monte de coisas e, quando fui ver, já estava trepando como uma louca."

"Isso mesmo. Continua me *comunicando* as coisas, e não *conversando* comigo. Sua decisão já estava tomada. Eu não sou seu bichinho de estimação. Sou seu parceiro. Preciso participar das decisões."

"Você não me deu nem a chance de mencionar o assunto", ela repetiu, obstinada.

Elijah precisou se esforçar para se conter. "E hoje de manhã? Quando estávamos trabalhando na composição dos times? Você poderia ter falado. Eu perguntei, inclusive."

Ela o encarou, furiosa. "A essa altura nós já tínhamos mudado de planos."

"Ah, é? Eu não estava sabendo nem dos outros planos, os que foram mudados. Pensei que fôssemos tratar disso depois de despachar as equipes."

"Bom, então pensou errado."

"E antes disso?", ele argumentou, sem conseguir decidir se continuava a discussão ou se a jogava na cama para fodê-la. "Se você jogou na minha cara que nós tínhamos um acordo, então vamos falar sobre ele. Você concordou em ficar comigo. Depois fez planos que iam contra o nosso trato."

"Eu concordei em ficar com você enquanto investigava os licanos que poderiam estar envolvidos na morte de Char", ela rebateu. "Ontem à noite, essa não era a parte principal do que tínhamos para fazer. Era a caçada, e eu tomei uma decisão estratégica."

"E os seus planos alimentares, quais são?"

Ela cerrou os punhos. "Você não pode alimentar ninguém por enquanto. Ainda está em recuperação."

"Covarde."

"Vai se foder." Ela chegou mais perto.

"Foi por isso que você veio até aqui, Vashti? Porque quer transar? É só isso que você quer de mim, não? Isso e informações."

"A razão por que eu estou aqui é bem óbvia."

"Para mim não. Se quisesse só me xingar, poderia ter feito isso pelo telefone. Se quisesse ir atrás das pistas em Huntington, nós poderíamos nos encontrar por lá amanhã."

Ela ergueu o queixo e cruzou os braços. "Eu gosto de resolver as coisas pessoalmente."

Ele soltou uma risada nervosa. "Bom, isso você já fez. Agora pode ir."

"Ainda não terminei."

"Ah, é?" Provocando-a deliberadamente, Elijah puxou a cadeira atrás da mesa e se sentou. "Então, por favor, fique à vontade."

Ela o encarou por um bom tempo, e um músculo em sua mandíbula se movia de maneira espasmódica. "Por que você simplesmente não me pergunta o que está acontecendo?"

"Quer saber por que eu não pergunto uma coisa que você está fazendo de tudo para não dizer?"

Ela jogou as mãos para o alto. "Puxa vida, foi só uma mudança de planos. Isso não é motivo para tanta discussão."

"Para mim, é, sim. Você quer se distanciar de mim. E não viu problema nenhum nisso até eu aparecer com informações que eram mais importantes para você do que recuperar sua paz de espírito."

"Você está levando a coisa para o lado pessoal, e não é esse o caso."

"Não o cacete." Ele já tinha ouvido o bastante. Irritado consigo mesmo e com ela também, resolveu abrir o jogo de uma vez. "Você arriscou sua vida e quase provocou uma guerra com os Sentinelas para me salvar. E viajou mais de dois mil quilômetros só para vir brigar comigo. Nós estamos trepando como loucos, como você mesma disse, nos últimos dias. Não vem me dizer que a coisa não é pessoal, e que nosso trabalho renderia mais com cada um de um lado do país!"

Ela estava ofegante, furiosa. "Existem coisas mais importantes em jogo do que os seus sentimentos em relação a uma decisão puramente racional. Não faz sentido nós dois trabalharmos juntos. Nós somos valiosos demais. Precisamos dividir nossas forças."

"Muito bem. Que seja." Ele se levantou. "Agora some da minha frente."

"Você está me expulsando? E o nosso acordo?"

Elijah a agarrou pelo cotovelo e a arrastou até a porta. "Você está dispensada do nosso acordo. Eu vou conseguir as malditas informações que você quer assim que possível."

"Eu quero ir com você."

"Que pena. Você é valiosa demais para trabalharmos juntos. Precisamos dividir nossas forças."

Puxando o braço que estava sendo segurado, Vashti se virou e o empurrou. Ele não se moveu um centímetro, e ela praguejou baixinho. "Você está sendo um cretino."

"Se é o que você acha... Sorte sua que não vai ter mais que lidar comigo."

Ela arregalou os olhos quando ele abriu a porta, como se não estivesse acreditando que ele queria expulsá-la do quarto. "O que você quer de mim?"

"Respeito. Honestidade. Confiança. Um pouco de consideração pelos sentimentos dos outros." Com um movimento teatral com o braço, ele ordenou que ela saísse. "Fora."

"Que maravilha." Ela não saiu de onde estava. "Como nós vamos resolver isso se você não quer conversar? Estou tentando estabelecer um diálogo aqui, mas você se recusa."

"O que eu me recuso é ficar de papo-furado." Ele se apoiou no batente da porta. "Você ensaiou tudo isso que ia dizer? Ficou pensando a respeito o dia todo? Tentando arrumar um jeito de se justificar e inverter o rumo da conversa para fazer parecer que o errado sou eu?"

"Não seja ridículo."

"Olha só quem fala. Você está caidinha por mim, Vashti. Pode não saber por quê... E achar que isso não faz sentido... Mas não consegue parar de pensar em mim. Nem de me querer. Não consegue evitar o desejo de estar comigo quando não estou. Mesmo agora, estando irritadíssima e se achando cheia de razão, você está molhadinha, louca de vontade de dar pra mim. Você não quer ir embora, porque passou o dia todo me procurando."

"Ai, minha nossa." Ela jogou os cabelos sobre o ombro. "Dá para ser mais convencido que isso?"

"Mas é claro que você nunca vai admitir. Você não vai querer pôr as cartas na mesa *de verdade* e confessar que me pôs para trabalhar com Raze porque estávamos ficando íntimos demais. Acha que é melhor manter distância. Pensa que assim vai ficar mais segura, porque dessa forma eu não vou conseguir impor a minha vontade." Ela passou uma das mãos pelos cabelos. "Eu não tenho tempo para esse tipo de coisa. Nem para trabalhar com alguém que não consegue ser honesta nem consigo mesma, o que dirá comigo. Então você decide: ou sai daqui agora mesmo ou vai ser posta pra fora. O que você prefere?"

Ela precisou fazer força para engolir. As lágrimas nos olhos dela quase o comoveram, mas ele se manteve firme. Elijah não estava nem um pouco satisfeito com aquela situação. Na noite anterior, ficou bem claro para ele que a atração sexual estava dando lugar a um sentimento mais profundo. Ele não estava disposto a ser o único a admitir isso. Uma porção de gente dependia dele. Como Alfa, ele não poderia se arriscar a perder a cabeça por uma mulher que não sentia o mesmo que ele. Ou que pelo menos não admitia isso. Nem sequer cogitava a ideia.

Vashti foi saindo lentamente, sentindo toda a raiva que experimentou momentos antes se dispersar. Não era mais isso que mantinha sua coluna ereta e impulsionava seus passos. Ela parou no vão da porta e olhou para ele por cima do ombro. "Elijah... não faz isso. Foi uma decisão estratégica, a melhor possível para a missão. Vamos conversar melhor."

"Não precisa. Eu me dei bem com Raze, as coisas estão avançando, e até a semana que vem eu devo ir a Huntington. O seu mundinho está de volta aos eixos, Vashti. Pode ficar tranquila."

Ela saiu.

"E antes que eu me esqueça", ele falou enquanto fechava a porta, "eu também estava caidinho por você."

Vash olhou para a porta fechada do quarto de Elijah e não soube o que fazer diante da inquietação que tomou conta de seu corpo. Tudo dentro dela parecia se rebelar contra a ideia de ficar ali fora enquanto ele estava trancado lá dentro. Totalmente inacessível.

Ela só tinha ido até lá porque queria ficar com ele naquela noite. Fez de tudo durante o dia para isso, e no fim não conseguiu nada...

Vash nunca o havia visto ficar tão irritado. Ele estava furioso. E sua raiva era ainda mais assustadora por ser controlada e silenciosa. Se ele tivesse gritado, ou esmurrado a parede... *qualquer coisa...* o caráter passional de uma resposta como essa poderia ter dado a ela algo a que se agarrar. Mas aquela demonstração gélida de fúria havia sido implacável. Ele tinha feito aquele último comentário sem nenhuma inflexão na voz. E conjugou o verbo no passado.

Ela praguejou e passou as mãos pelos cabelos.

"Pisou na bola, né?"

Ela se virou para Raze, que foi se aproximando com passadas lentas e o brilho saudável da pele de um vampiro recém-alimentado.

Ele examinou a expressão dela e suspirou, com os olhos comovidos de pena. "Ah, Vashti. Talvez seja melhor assim."

Ela sacudiu violentamente a cabeça.

"Você pegou um quarto?", ele perguntou.

"Eu preciso ir."

"Nada disso." Ele passou um dos braços por sobre o ombro dela. "Temos uma missão importante amanhã, e você pode ser muito útil. Quer ficar no meu quarto? Tem uma cama sobrando."

"E a tal garçonete?"

Ele encolheu um dos ombros, de maneira insolente. "O que tem ela?"

Vash apoiou a cabeça no corpo dele. "Ainda está pensando naquela cientista de Chicago?"

"Eu só não estou querendo nada muito complicado. Você sabe como é."

"Pois é." Só que ela não sabia, não de verdade. Ela havia se apegado a Char e, até certo ponto, a Elijah. Raze só tinha se sentido assim com uma única mulher e uma única vez, uma mortal que de alguma maneira conseguiu deixar nele uma marca permanente. Raze era um galinha desde quando Vash era capaz de se lembrar. Quando voltou de

Chicago, porém, seus hábitos mudaram. A única parte de seu corpo que ele ainda compartilhava eram as presas.

Quando tivesse um tempo livre, Vash ainda pretendia ir até Illinois conhecer Kimberly McAdams, a mulher que tanto havia mexido com um de seus melhores capitães.

Ele mudou de assunto. "Preciso ir até o aeroporto daqui a pouco para buscar o pessoal do turno da noite e os reforços que nós solicitamos. Se quiser ir junto, ainda dá tempo de você se alimentar. O restaurante tem opções muito boas... uns caminhoneiros, o barman, meia dúzia de locais. Você vai ver como irá se sentir melhor."

Não... ela não se sentiria melhor. Sua cabeça se voltou instintivamente para a porta do quarto de Elijah. Com a audição que tinha, ele certamente estava ouvindo aquela conversa, mas mesmo assim não havia saído e exigido que ela não se alimentasse de mais ninguém. Ele tinha de fato desistido dela.

Apesar disso, ela não se sentia capaz de aceitar a proposta. Nem queria, apesar de fazer dois dias que havia bebido pela última vez o sangue de Elijah.

"Eu estou bem", ela falou em vez disso. "Por que você não me conta o que aconteceu hoje e quais são os planos para amanhã?"

"Onde estão as suas coisas?" Ele abriu um sorriso. "Você trouxe uma troca de roupa pelo menos, não?"

"Claro. Está no Explorer logo ali." Ele entregou o cartão que abria a porta do quarto, e ela lhe arremessou a chave do carro alugado. Por mais envergonhada que estivesse por ter sido rejeitada, pelo menos ninguém saberia que o que ela estava querendo desde que desceu do avião era um sexo selvagem de reconciliação.

Pelo menos seu orgulho ela manteria intacto.

Pouco depois, quando olhou para as cortinas encardidas e fechadas do quarto de Elijah, ela se perguntou se não estava se apegando demais ao próprio orgulho.

14

As sobrancelhas de Vash se ergueram quando ela viu Syre descer do jatinho particular.

"Porra. Veio a artilharia pesada", Raze murmurou antes de dar um passo à frente para saudar seu comandante. "Syre."

"Uma subdivisão inteira?", Syre perguntou sem enrolação. O vento balançava de leve seus cabelos e, vestido de preto dos pés à cabeça, ele quase não se distinguia da escuridão da noite.

Um príncipe moreno, lindo e letal, pensou Vash. Nobre, poderoso e mortal.

"Foi o que Elijah estimou." Raze olhou para os três licanos e quatro lacaios que desembarcavam. "Ainda bem que viemos em dois carros."

"Onde está o Alfa?"

"Dormindo. São quase duas da manhã. Ao contrário de nós, ele precisa dormir."

Syre balançou a cabeça. "E a sua estimativa, Raze, qual é?"

"A mesma que a dele. Aquele lugar me deu calafrios. Parece uma cidade fantasma."

Syre olhou para Vash.

"Ainda não estive por lá, mas se Elijah diz que a coisa está feia, é porque a coisa está feia. Nunca fizemos uma limpeza dessa magnitude antes", ela disse, preocupada. "Como esconder o fato de que um bairro inteiro vai desaparecer da noite para o dia?"

"OVNIS."

Todos viraram a cabeça na direção do lacaio que tinha acabado de se manifestar. Vash imaginou que devia ter trinta e poucos anos quando passou pela Transformação e, a julgar pelo sorriso aberto e o brilho nos olhos, ainda não tinha vivido muito tempo como vampiro.

Os cabelos castanhos claros estavam penteados com um certo desleixo, ainda que proposital, dando a ele uma aparência relaxada e jovial.

"Estou falando sério", ele garantiu. "Nós podemos pegar as câmeras assim que entrarmos nas casas e filmar vocês correndo com sinalizadores na mão no meio da escuridão. Vocês vão parecer um monte de raios de luz se movendo em altíssima velocidade. Depois é só deixar que o governo acoberta tudo por nós."

"Maravilha", disse Vash, decidindo embarcar no absurdo. "Eu posso operar a câmera. Syre, você é o mais rápido, pode sair por aí correndo com os sinalizadores."

A expressão no rosto de Syre fez a brincadeira valer a pena. Abrindo um sorriso, ela perguntou ao lacaio: "Qual é o seu nome?".

"Chad."

"Não fala essas coisas perto de Syre, Chad", ela aconselhou. "Ele pode matar você."

Chad deu risada, mas Vash não estava exatamente brincando.

Ele era definitivamente um novato. Não sabia ainda nem qual apelido deveria ter. A maioria dos lacaios mudava de nome com um ou dois séculos de vida, quando tudo o que conheciam e amavam havia sido enterrado sob o peso da mortalidade e da passagem do tempo. Os vampiros em geral escolhiam nomes condizentes com aquilo que se tornaram. Como Syre, que exercia sua autoridade senhorial sobre os demais, e Torque, que aplicava apenas a força necessária para resolver a situação. Vash, por sua vez, tinha decidido manter seu nome de anjo, como uma forma de lembrar quem um dia havia sido, aquela que mereceu o amor de Charron. Ela mudou muito desde então. Muitas vezes se perguntava o que Char pensaria dela caso a encontrasse, se ainda se apaixonaria por ela, se a desejaria tanto quanto Elijah.

Syre estendeu a mão. "Eu dirijo. Chad, você vai com Raze."

"Puxa", resmungou Raze. "Valeu mesmo."

Os três licanos iriam com Vash e Syre. Raze ficou com os quatro vampiros. Quando entraram no carro, Vash programou o GPS para orientar Syre pelo caminho.

"Estou surpreso por ver você aqui, Vashti", disse Syre, olhando para ela.

"Está nada."
"Estou sim."
"Não tanto quanto eu por você estar aqui."
Ele ajustou o espelho retrovisor. "Ainda não vi nenhum dos espectros pessoalmente, e já passou da hora de isso acontecer."
Ela acionou o botão para abaixar o vidro e apoiou o cotovelo na janela, deliciando-se com o beijo fresco da brisa no rosto. "O que me parece é que você veio ver como eu estava. Outra vez."
"Talvez seja isso mesmo", ele admitiu. "Você é valiosa para mim, e estou preocupado por você estar... dividida."
Que ótimo. Em pouco tempo, todos saberiam que ela estava descontrolada. "Temos muita coisa em jogo no momento. Estou com medo de não conseguirmos dar conta de tudo com a rapidez necessária."
"Vamos saber mais assim que as outras equipes derem notícias." Syre falava em um tom de voz grave e tranquilizador, abusando de sua habilidade de seduzir e conquistar.
"E se eles voltarem com relatos de bairros inteiros tomados por espectros? O que vamos fazer?"
"Ah, o seu eterno pessimismo. Nesse caso, nós deveríamos comprar um monte de filmes de zumbis e tentar bolar alguma estratégia a partir dali."
Ela não queria dar risada, por isso se virou para encarar o restante da equipe. Os machos eram morenos e grandalhões. Bonitões, era preciso admitir, mas não chegavam aos pés de Elijah. A fêmea era loirinha e miúda, de uma beleza um tanto convencional, com seus cabelos lisos, olhos verdes e lábios rosados.
Vash passou as informações para eles. "Elijah tem mais detalhes sobre as instruções específicas para os licanos do que eu, mas já vou avisando para tomarem muito cuidado. Os espectros têm uma atração especial pela espécie de vocês e, como nossa aliança é uma coisa recente, o risco é bem grande. Ainda não lutamos lado a lado por tempo suficiente para criar um bom entrosamento. Qualquer distração com esses sujeitos é fatal. Vocês vão ter que cuidar uns dos outros mais do que de costume."

Os três a encararam com uma perceptível hostilidade.

"Nomes?", ela perguntou, sem paciência para uma demonstração de força naquele momento.

John, Trey e Himeko, eles responderam. Ela se virou de novo para a frente e ligou para Raze. "Oi. Como é que nós vamos acomodar todo mundo lá no hotel?"

"Eu peguei mais três quartos, sem contar o de Elijah. Eu não estava esperando você, Syre, e mais cinco reforços. Com sorte, conseguimos mais um quarto para o comandante. Não é um hotel dos mais movimentados. Se não der, você dorme com Syre, e um dos vampiros fica com a cama extra do meu quarto. Os outros dois quartos têm mais de uma cama, acho que dá para enfiar todo mundo lá."

"Tudo bem, então. Obrigada."

Quando chegaram ao hotel, no entanto, eles descobriram que os quartos estavam ocupados, porque uma banda conhecida na região iria tocar no restaurante ao lado. Vash pegou sua mochila no quarto de Raze e foi até a calçada esperar por Syre, que havia ido buscar sua bolsa no carro alugado que estava do outro lado do estacionamento. Raze estava na recepção, pegando os cartões de acesso para os recém-chegados.

Mais uma vez pensando em Elijah, Vash foi chegando mais perto do quarto dele. Ela sentia um nó no estômago a cada passo, sua boca salivava de vontade de saboreá-lo. Não só seu sangue e seu sexo, mas o som de sua voz, a batida de seu coração, o calor de seus braços a envolvendo. Vash teve medo de que, se ele abrisse a porta, ela implorasse para ser aceita de volta, jogando no lixo qualquer resquício de dignidade e orgulho.

Ela ficou abalada pela dimensão do próprio desejo. Ela não entendia por que ele estava fazendo de tudo para que a... *associação* — ela não ousaria usar a palavra relacionamento — deles se tornasse tão complicada. Eles não podiam simplesmente aceitar que precisavam um do outro e encarar um dia de cada vez?

Ela ainda estava formulando um argumento para discutir com ele quando um som um tanto suspeito chamou sua atenção. Quando o ouviu de novo, ela prendeu a respiração e sentiu um frio na barriga.

"Não, não, não", ela resmungou, aproximando-se da porta de Elijah. Vash sentiu o sangue ferver, e o coração bater mais forte.

Horrorizada e incrédula, Vash ficou olhando para o número da porta, torcendo para que ele mudasse quando ela piscasse os olhos. Os ruídos inconfundíveis de uma relação sexual emanavam do quarto de Elijah e faziam o estômago dela se revirar. Uma dor aguda se instalou dentro de seu peito.

Os apelos de uma mulher esbaforida, pedindo mais... os rangidos ritmados das molas do colchão... os grunhidos de um homem perseguindo o orgasmo...

A sacola escorregou de seus dedos inquietos. Por um momento ela ficou paralisada, sentindo que algo dentro de si se partia em pedaços. Mas logo a fúria tomou conta de seu corpo. Ela ergueu o pé e chutou a porta. O grito agudo da mulher só fez irritá-la ainda mais. O cheiro de sexo a atingiu com força, impulsionando-a a atravessar o quarto em alta velocidade na direção da figura pesada que se levantava do colchão.

"Eu mato você!", ela sibilou, atingindo-o com tanta força com as costas da mão que ele caiu da cama e se espatifou na cômoda. Ela se virou para a mulher nua e apavorada deitada no colchão, já erguendo as mãos para atacar.

Seu pulso foi agarrado e detido implacavelmente em pleno ar. "Vashti."

A voz de Syre, grave e furiosa atrás dela, dissipou seu acesso de fúria. Ela o encarou. "Me larga."

"*O que está acontecendo aqui, caralho?*"

Ela sentiu um frio na espinha ao ouvir a pergunta de Elijah. Seu olhar se voltou para a silhueta parada à porta — os ombros largos, a cintura estreita e as pernas longas que conhecia tão bem. Ele estava sem camisa, descalço, com a calça jeans desabotoada e quase escapando dos quadris.

A mulher na cama ainda gritava como uma condenada. O homem gemeu alguma coisa de onde estava, caído no chão.

Livrando-se do aperto de Syre, Vash se virou para Elijah. "Este é o *seu* quarto!"

Os olhos dele brilhavam na semipenumbra. Com os braços cruzados, ele a provocava exibindo os bíceps bem definidos e o abdome perfeito. Era rígido da cabeça aos pés, tinha um físico impecável. E ela o queria. Desesperadamente.

Quando a mulher conseguiu se controlar, o silêncio tomou conta do quarto. Vash ainda registrou os murmúrios tranquilizadores de Syre, mas logo o sangue pulsando em suas orelhas abafou tudo novamente.

"Este *era* o meu quarto", ele corrigiu, implacável. "Obviamente não é mais."

Ela teve que reprimir um grito de raiva. Ele abriu um sorriso ao contemplar a cena que se desenrolava atrás dela.

Perplexa com a própria falta de controle, ela se voltou contra ele. "Não me venha com risadinhas. Se aquele sujeito ali fosse você, estaria engolindo as próprias bolas neste exato momento."

Ele pôs uma das mãos sobre o coração. "Estou me sentindo tão amado."

Ela abriu a boca quando Raze apareceu, trazendo os reforços a tiracolo. Ele observou a porta de metal amassada, os batentes retorcidos e a situação dentro do quarto. Depois olhou para Vash com uma das sobrancelhas erguidas.

"Não quero ouvir nem uma palavra", ela avisou. "Nem uma maldita palavra."

Syre se movia pelo quarto como uma sombra, oblíquo e silencioso. Seu rosto não denunciava nada, mas seus olhos reluziam febrilmente. "Os mortais não vão se lembrar desse incidente, mas eu vou fazer de tudo para que você jamais se esqueça disso, Vashti."

Ele ergueu o queixo. Elijah deu um passo à frente, colocando-se entre ela e seu comandante. Era uma postura protetora. E inegavelmente desafiadora.

Ela não tinha motivo para se proteger de Syre, mas isso não impediu que um nó se formasse em sua garganta ao perceber a atitude de Elijah.

Himeko apareceu atrás de seu Alfa, com um sorriso que denotava intimidade demais para o gosto de Vash. "O seu quarto tem duas camas, El?"

Ele não desviou os olhos de Syre. "Tem, sim. E está disponível para quem quiser dormir lá."

Vash lutou para se conter, pois não sabia como ele reagiria a uma sugestão de dividir o quarto com ela. E também não teve tempo para descobrir.

Himeko foi mais rápida. "Eu vou ficar com você. Pelo menos eu sei que você não ronca."

Vash franziu a testa. *Como é que ela sabe disso?*

"Vamos lá, então." Elijah apontou para o corredor. "Precisamos dormir. Temos uma manhã infernal pela frente."

E era exatamente por isso que Vash estava precisando tanto dele. Ela quase o havia perdido uma vez. Cada minuto que passava longe dele era um minuto perdido. O próprio fato de ela valorizar cada mínimo instante com ele era revelador, considerando o tempo que tinha de vida e o quanto ainda tinha a viver.

Precisando de alguma coisa em que se concentrar, ela resolveu consertar a besteira que havia feito. O pobre coitado devia estar machucado de verdade. Ela tinha batido nele pensando se tratar de um licano, alguém capaz de absorver um golpe seu.

"Eu já cuidei de tudo", disse Syre, bem sério. "A ferida mais superficial está curada, mas ele vai ter uma bela dor de cabeça."

Ela fez uma careta e balançou a cabeça. "Obrigada."

"Dá um jeito nessa porta", Syre disse para Raze antes de pegar a sacola de Vash do chão e arrastá-la dali pelo cotovelo.

Antes mesmo de fechar a porta do quarto dos dois, Syre explodiu. "O que está acontecendo, Vashti?"

Ela sentiu um frio na espinha ao ouvir o tom de voz dele. "Eu... eu não sei."

"Você está descontrolada. Está colocando a si mesma e todos ao redor em perigo."

Ela ergueu o queixo e assimilou o golpe. Estava faminta, ferida, perdida... "Sim, é verdade."

Soltando um palavrão, ele passou a mão pelos cabelos. "E eu não posso fazer porra nenhuma além de ficar por perto e consertar suas cagadas."

Um sentimento de culpa se abateu sobre ela. Ele tinha tanta coisa com que lidar. Precisava que sua principal aliada estivesse operando a toda capacidade. Assim como todos os demais. "Eu sinto muito."

Syre a encarou, e Vash fez uma careta ao notar o tormento que pairava sobre os olhos dele. "Não, quem sente muito sou eu. Afinal, você já fez muito por mim... já me ajudou de tantas maneiras ao longo desses anos... o fato de eu não poder fazer nada por você está acabando comigo. Você está perdida, e eu não estou conseguindo mostrar um caminho."

"Samyaza." Ela só percebeu que estava chorando quando sentiu que seu rosto estava todo molhado.

Ele abriu os braços, e ela foi em sua direção. Agarrando a camisa dele com as mãos, ela tentou recuperar a sanidade despejando uma tempestade de lágrimas.

Vash entrou no restaurante do hotel às oito e meia da manhã e encontrou os licanos tomando café da manhã. John e Trey estavam sentados a uma mesa, Elijah e Himeko à outra. A beldade estava rindo de alguma coisa que Elijah havia dito. Seus olhos arredondados brilhavam, e seu sorriso era dos mais afetuosos. Quando ela estendeu a mão e a pousou sobre a de Elijah, Vash teve a certeza de que os dois já haviam dormido juntos em algum momento da vida.

A dor que consumia o peito dela cresceu, e suas garras se estenderam, perfurando a palma das mãos.

Respirando fundo para tomar coragem, ela decidiu ir direto ao assunto que a tinha levado até ali.

Vash foi até a mesa de Elijah e olhou Himeko diretamente nos olhos. "Fora."

"Como é?"

"Some daqui. Se manda. Vaza."

A licana ficou toda arrepiada. "Escuta aqui..."

"Himeko." A voz calma e tranquila de Elijah pôs fim ao impasse. "Por favor, nos dê licença."

Himeko o observou com atenção, procurando alguma resposta

em seu rosto. Ela balançou a cabeça, pegou seu prato e lançou para Vash um olhar que era pura malícia.

E elas precisariam lutar lado a lado naquele mesmo dia. *Que beleza.*

Vash se sentou no lugar que vagou, mantendo a mão perfurada pelas garras sob a mesa.

"Que falta de educação", ele comentou, enquanto punha um pedaço de presunto na boca. "Eles já odeiam você o suficiente. Vê se para de piorar ainda mais as coisas."

"Ela quer você."

Ele engoliu a comida. "Ela já me teve."

Ela se sentiu dominada pelo ciúme e ficou até sem fôlego.

"Mas já faz tempo", ele esclareceu, "e não foi nada sério."

"Para ela não foi suficiente."

"Mas para mim foi. Nós tivemos uma quedinha um pelo outro e aconteceu. Ponto final." Ele passou manteiga em uma panqueca e a amassou com o garfo. Notando que ela não falava mais nada, ele perguntou: "Você queria alguma coisa?".

"Você parece cansado." Uma sombra parecia pairar sobre os olhos dele, sua boca sexy estava marcada por vincos profundos.

"Ah, é. Bom, você está maravilhosa, como sempre." Ele fez o elogio em um tom tão ácido que ela não conseguiu levar a sério.

"Eu sinto muito."

Ele a encarou, arqueando uma sobrancelha, convidando-a a se explicar melhor.

Ela soltou o ar com força. "Eu deveria ter falado sobre o plano de pôr você para trabalhar com Raze. Como sabia que você não ia gostar, não tive coragem de comprar a briga. Depois, quando os planos mudaram, achei melhor não perder tempo discutindo sobre uma coisa que não ia acontecer. *Teoricamente*, pelo menos. Eu peço desculpas. Estou envergonhada por não ter jogado limpo."

Elijah a observou com tamanha intensidade que quase a fez se contorcer sobre o assento. O fato de estar sentada tão perto dele a estava deixando maluca. A cada vez que respirava, sentia o cheiro dele, o que fazia seu coração disparar. Ela sabia que ele era capaz de ouvir, de sentir o desejo dela, assim como quando se viram pela primeira vez, em uma caverna em Bryce Canyon.

Ele voltou a comer, com os olhos fixos no prato. "Desculpas aceitas."

O alívio tomou conta dela com tamanha intensidade que a deixou até tonta. Deve ter sido por isso que ela demorou um instante para dizer que isso era tudo que Elijah estava disposto a ceder.

"Só isso?" Ela perguntou diante do silêncio da parte dele. "Isso é tudo que você tem para me dizer?"

"E o que mais você queria?", ele perguntou, com frieza, pondo o ovo mexido em cima da torrada. "Você se desculpou. Eu aceitei."

Ela sentiu os olhos arderem. Depois de ter ficado tão perto do alívio, o golpe da decepção afetou seu humor já bastante volátil. "Acho que eu odeio você."

Ele apertou os talheres com força. "Cuidado com o que diz, Vashti."

"E que diferença isso faz para você? Não precisa nem responder. Você já fez isso, em alto e bom som." Ela se levantou e saiu andando.

Houve um instante terrível de silêncio.

"Porra, Vashti." Ele jogou os talheres sobre o prato. "Puta que pariu."

Ela saiu correndo até o carro, desesperada para fugir antes que ele a visse chorando. Minha nossa... Ela estava *mesmo* desorientada. E por quê? Por causa de um licano gostosão que tinha dezenas de mulheres aos seus pés? Que idiotice. Aquilo tudo era uma tremenda idiotice. Sua vida estava bem melhor quando seu desejo sexual estava adormecido e os licanos trabalhavam para os Sentinelas.

Ele chegou à porta do carro no momento exato em que ela se trancou lá dentro.

"Vashti." Ela nunca o tinha visto tão irritado. Seus olhos faiscavam, enlouquecidos, e sua voz ganhou um tom gutural. "Abre a porta."

Ela deu a partida no motor com a mão direita e posicionou a esquerda no volante. "Bom apetite, seu desgraçado. Eu também preciso me alimentar. Nem fodendo que vou morrer de fome por sua causa."

Ele bateu com a mão aberta na janela, provocando rachaduras que se espalharam pelo vidro inteiro. "Vashti. *Não foge*. Eu não vou conseguir me controlar se você fizer isso."

Ela deu a ré com o carro, arremessando cascalho à distância sob os pneus. Um segundo depois, já estava na estrada, sem saber aonde ia, e contente por estar em um local remoto, quase sem movimento.

Havia pinheiros enormes dos dois lados do caminho asfaltado, lançando sombras sobre a estrada que combinavam perfeitamente com seu estado de espírito. As lágrimas escorriam por seu rosto. Muitas e muitas. Ela achou que já havia chorado tudo o que podia durante a noite. O fato de haver mais lágrimas ainda a derramar a deixou enfurecida.

Segurando o volante com as duas mãos, ela soltou um grito para tentar aliviar a tensão que se acumulava em seu corpo. Logo em seguida soltou outro berro, quando ao sair de uma curva na estrada deu de cara com um enorme lobo cor de chocolate. Na fração de segundo que ela demorou para perceber que iria acertá-lo em cheio, o mundo inteiro pareceu se mover em câmera lenta. Ela acionou o freio com todas as forças, sentindo o sistema antiblocagem do carro fazer o pedal vibrar sob seus pés. As rodas não travaram. A velocidade do veículo não se reduziu a tempo.

Preparando-se para o impacto, ela encolheu o corpo inteiro...

... e quase morreu de susto ao ver Elijah pular sobre o capô, rolar sobre o teto e saltar por sobre a traseira do carro.

O carro esportivo embicou para o acostamento e parou subitamente. Vash posicionou o câmbio no ponto morto e desceu.

"Puta merda, você *enlouqueceu?*", ela gritou com os punhos cerrados ao lado do corpo.

Ele rosnou, ostentando nos olhos um brilho selvagem. Um brilho puramente animal, que nada tinha de humano. Ele havia enlouquecido, *sim.*

E ela estava encrencada. Terrivelmente.

Havia duas opções para Vash: lutar ou fugir. Erguendo as mãos, ela forçou seu corpo inquieto a não se mover e avaliou as duas alternativas — combater com unhas e dentes, destruindo-o fisicamente como ele tinha feito com seu psicológico, ou então correr o mais rápido que podia. Ela já havia fugido de licanos antes, era perfeitamente capaz de fazê-lo de novo.

Com as orelhas baixas e os dentes arreganhados, Elijah avançou pela linha central da estrada. Vash engoliu em seco, abalada com a beleza da forma lupina do licano da mesma maneira como ficava impressionada com sua forma humana. Ele era imponente, a pelagem grossa e reluzente, os movimentos de uma elegância mortal. Seu grunhido era um sinal de alerta ameaçador, um som retumbante de ameaça que fez os cabelos da nuca dela se arrepiarem.

A malícia emergiu dentro dela, motivada pela fúria e pela dor que sentia. Ela havia atravessado o país inteiro atrás dele, e depois o perseguido até a mesa do café da manhã. Era a vez de ele persegui-la um pouco. Vash tinha sido uma conquista fácil demais. Como todas as outras cadelas que se jogavam aos pés dele.

Com os olhos grudados nos dele, ela abriu um sorriso lento e provocante. Uma de suas mãos erguidas baixou até o local onde os olhares dos dois se cruzavam. Ela dobrou todos os dedos da mão, exceto o do meio. "Vai se foder."

Vash saltou sobre o capô do carro esportivo e desapareceu na mata.

15

Assim que saiu do chuveiro, Lindsay apertou o laço de seu robe comprido e desceu à procura de Adrian. Ainda estava amanhecendo, e ela sabia exatamente onde encontrá-lo. Caminhava com passos leves, sem querer acordar os dois seguranças licanos que dormiam no quarto de hóspedes.

Ela precisava fazer Adrian falar.

Não devia ser fácil para ele estar ali, na casa de Helena, mas ignorar o fato também não ajudava em nada. E trabalhar sem a ajuda de Phineas — seu sucessor na linha de comando, cuja morte o havia colocado no caminho dela — era como fazer as coisas sem o braço direito. Ainda assim, ele se mantinha contido e reservado. Era disso que ele precisava para se manter no controle da situação, ela sabia. Ele estava perdido, mas guardando isso para si, não se abria com ela nem com ninguém.

Lindsay não sabia exatamente como Adrian tinha se tornado o que era. Ao contrário dela, ele não tinha recebido nenhum tipo de educação. Ele havia surgido no mundo daquela maneira — um anjo já formado, com um único propósito: servir como um instrumento de punição para outros anjos.

Ela não conseguia sequer imaginar como seria isso. Lindsay havia sido criada por dois pais muito amorosos. Tinha recebido abraços à vontade. E dado boas risadas. Não se passava um dia sem que ela ouvisse as palavras "Eu te amo". Adrian, por sua vez, foi criado em um vazio emocional. Ao longo do tempo, cercado pelos mortais, ele foi aprendendo a cobiçar e desejar. Como foi criado para ser duro e implacável, as emoções mais extremas se manifestaram primeiro. Somente mais tarde ele descobriu a lealdade e o respeito. E naquele momento ele estava aprendendo a amar, e a ceder. Mas a culpa e o remorso provocados pela morte de Phineas e Helena eram algo que ia muito além de sua experiência anterior. Ele não sabia como expressar tamanho turbilhão de sentimentos, e guardar aquilo dentro de si o magoava demais, algo que ela não era capaz de suportar.

"Meu anjo ferido", ela murmurou, sentindo um aperto no coração.

Ela havia se apaixonado por uma máquina de matar, mas que aos poucos estava se transformando em um homem de coração mole e sangue quente. Haveria muitas provações e sofrimentos pelo caminho, e ela precisava ajudá-lo da melhor forma possível. Para isso, no entanto, era fundamental que ele se abrisse.

Ele tinha perdido muito, e em pouquíssimo tempo. Sentia ter traído a confiança de Helena, achava que não a tinha apoiado como deveria. Ela não precisava de um comandante, mas de um amigo. Assim como Phineas havia sido para ele, alguém muito querido e insubstituível.

Ela saiu pela porta da cozinha para o quintal dos fundos. O espaço cercado era pequeno, com um mosaico circular de cerâmica no centro de um gramado retangular. Para alguns, poderia ser o lugar perfeito para instalar uma banheira para pássaros ou uma mesa de jardim. Ali, ela sabia que aquele espaço era um local de pouso, um lugar que os anjos pudessem avistar do céu e usar para voltar a terra firme.

O ar parecia carregado com a eletricidade de uma tempestade que se formava no deserto, assim como aquela que vinha tomando forma dentro de Adrian, mantendo-o distante, solitário e inatingível. E que o estava corroendo por dentro. A passos largos.

Inclinando a cabeça para trás, ela falou baixinho na direção da brisa matinal. "Adrian, meu amor. Eu preciso de você."

Um instante depois, ele apareceu, com suas asas brancas reluzentes com pontas vermelhas contra o céu rosado da manhã. Ela sabia que Adrian estaria por perto, ele nunca se afastava demais. Seu pouso foi absurdamente suave, com as asas estendidas quase tocando os muros que separavam o quintal das casas vizinhas. A planta de um dos pés tocou o piso primeiro, e logo em seguida o peso de seu corpo todo já estava firmemente apoiado sobre o chão.

Como era de costume, ele estava usando apenas um par de calças de linho. O peito e os braços musculosos estavam descobertos, deixando à mostra sua linda pele cor de caramelo. Os cabelos pretos balançavam ao vento, emoldurando seu rosto de tirar o fôlego. Os olhos dele, com suas belíssimas íris azuis flamejantes, percorreram o rosto dela com amor e ternura.

O coração de Lindsay quase parou ao vê-lo. Ela sentiu seu sangue ferver, e seu rosto ficar todo vermelho.

Obviamente, ele percebeu, e abriu um sorriso sensual. "Você poderia ter me chamado da cama mesmo, *neshama*. Eu teria ouvido, e nós estaríamos lá agora."

"Não é para isso que eu preciso de você."

"Não mesmo? Tem certeza?"

Ela respirou fundo. "Eu estou sempre disposta para isso, mas tem outra coisa também."

As asas dele se dissiparam como uma névoa quando Lindsay diminuiu a distância entre os dois. Ela caminhou diretamente até ele, apoiando o rosto em seu peito e o envolvendo com força nos braços.

"Lindsay." Sua voz ressonante estava perturbada pela preocupação. "O que foi? Tem alguma coisa errada?"

"Você sabe o quanto eu preciso de você, Adrian? O quanto me tornei dependente da sua companhia? Não por causa do sangue ou do sexo, apesar de não recusar nenhuma das duas coisas. É como se você tivesse se tornado o motivo que faz meu coração bater e, quando estamos distantes, meu corpo se esquecesse de como funciona."

Ele a apertou com tanta força que ela mal conseguia respirar. Lindsay ficou contente por não precisar de fato de seus pulmões, pois não queria que ele a largasse. Com uma das mãos, Adrian agarrou os cabelos dela. O outro braço se instalou na cintura de Lindsay, fazendo com que cada parte do corpo dos dois estivesse em contato. "*Neshama sheli*. Assim você acaba comigo."

"Eu amo você. Tanto que sinto a sua dor como se fosse minha."

O peito dele se expandiu com um suspiro. "Eu jamais magoaria você."

"Então é por isso que está guardando tudo isso para si?" Lindsay se afastou para encará-lo. "É por isso que fica me afastando? Eu jamais faria isso com você."

Ele segurou a cabeça dela e a observou com atenção.

"Você está se torturando por ter me deixado ir com Vash", ela disse baixinho. "Está em dúvida se isso põe em questão seu amor por mim. Mas qual é o seu ponto de comparação? O que nós temos é uma coisa única. Não só por causa de quem nós somos, mas por causa dos obstáculos que estamos sendo obrigados a enfrentar juntos. Vamos ter que assumir riscos o tempo todo... em relação a nós e aos outros também."

Os olhos dele brilhavam, azuis, inumanos e antiquíssimos. Atormentados. Ela havia se perguntado como ele conseguia carregar todas aquelas emoções conflitantes dentro de si, como conseguia escondê-las atrás de sorrisos e do estoicismo que demonstrava aos Sentinelas, como ele se soltava quando fazia amor com ela e se entregava às batalhas com uma lucidez perfeita. Ela se perguntou o que precisava fazer para ajudá-lo a liberar tudo isso.

"Eu manipulei você, Adrian."

Ele ficou tenso.

"Eu sei que você está se sentindo culpado por causa de Helena." Ela o abraçou com mais força quando ele demonstrou sua inquietação. "E usei isso contra você para que pusesse os Sentinelas em primeiro lugar e me deixasse ir com Vashti para ajudar Elijah."

Um longo instante se passou. "Fui eu que demonstrei essa fraqueza, e portanto permiti isso."

"O que eu fiz não tem desculpa, mas foi por uma boa causa."

"Por que você está me dizendo isso?"

"Porque eu preciso", ela se limitou a dizer, afastando os cabelos do rosto dele com uma das mãos. "Porque somos mais fortes quando remamos na mesma direção. Estou tentando não esquecer que tudo isso é novidade para você. Que você está se esforçando, e que mudou bastante em relação ao homem que eu conheci no aeroporto de Phoenix. Mas isso não é suficiente, você precisa permitir que eu me aproxime mais. Você está me afastando."

"Eu não..." Ele franziu a testa. "Não sei como fazer isso que você está me pedindo."

"É só pensar em voz alta. Quando sua cabeça virar um turbilhão de pensamentos, arrume um jeito de verbalizar isso. Eu quero ouvir tudo. Quero ser a sua confidente."

"Por quê?"

"Porque você me ama e precisa de mim. Eu sei que você precisa parecer forte para os outros Sentinelas. Se você fraquejar, eles caem junto. Mas você também precisa ter em quem se apoiar. E é aí que eu entro, se você deixar."

"Eu estou bem."

"Fisicamente sim. Muito bem. Mas, emocionalmente, está um caco." Com a mão na nuca dele, Lindsay o puxou para junto de seus lábios. "Quanto a Helena... não tinha como ser de outro jeito, Adrian."

As mãos dele começaram a apertá-la tremulamente. "Ela veio até mim procurando ajuda."

"Não. Ela foi atrás da sua permissão. E você disse a verdade, que não tinha como oferecer isso. Você desrespeitou a lei quando se apaixonou por Shadoe, e depois por mim. Helena queria que você dissesse que ela também podia fazer isso, o que era impossível. Sinceramente, ela não tinha o direito de pedir isso para você."

"Ela estava apaixonada, Lindsay. Eu sei o quanto isso nos torna irracionais, e deveria ter sido mais compreensivo."

"Isso não dá para dizer que você não fez. Eu *conheço* você. Sei que ficou arrasado quando soube que ela estava apaixonada por um licano. Dava para ouvir na sua voz quando você me ligou, e depois quando me contou o que aconteceu."

"A minha intenção era separar os dois, acabar com a relação."

"Esse era o seu plano", ela concordou. "Mas você poderia mudar de ideia quando visse os dois juntos. Ou então ter ido em frente mesmo assim. Isso nós nunca vamos saber. Nem *ela*, porque escolheu se afastar de você. Essa decisão foi dela. Você não pode se culpar pelas atitudes dos outros."

"Mesmo que tenham sido forçadas pelas *minhas* atitudes?", ele rebateu, com a voz embargada.

"O que foi que você fez, Adrian? Ela pediu sua permissão para ter um relacionamento romântico com um de seus seguranças, e você respondeu que só o Cara Lá de Cima podia fazer isso. Então ela fugiu, e os dois se mataram. Onde está a sua culpa nessa história?"

"Ela me conhecia muito bem. Sabia o que eu ia fazer."

"Que absurdo. Nem *você mesmo* sabia o que ia fazer. Não... Espera aí... Escuta o que eu tenho para falar. Você se preocupou em ir atrás dela. Pensou um bocado sobre a situação. Quebrou a cabeça. Não é por culpa sua que nós nunca saberemos o que teria acontecido caso você pudesse decidir o destino dela." Ela segurou o rosto dele entre as mãos. "Não é culpa sua. E, se Phineas estivesse aqui, tenho certeza de que diria a mesma coisa."

A lágrima que estava presa sob as pálpebras dele se libertou. Ele a limpou do rosto com raiva, e depois olhou para o dedo molhado com uma expressão horrorizada. Mais uma lágrima caiu. Ele murmurou com tristeza algo em um idioma que ela não compreendia. Quando os olhares dos dois se cruzaram, Lindsay viu uma expressão de choque. E de medo.

Ela se perguntou se ele sabia que havia chorado na primeira vez em que fizeram amor.

"*Neshama*", ela sussurrou, abraçando-o com força. "Tudo bem, pode desabafar."

"Eu..." Ele engoliu em seco.

"Você sente falta deles. Eu sei. E isso magoa."

"Eu falhei com ela."

"Não. Porra. Não mesmo. Foi o sistema que falhou. Essas regras e leis idiotas. E o seu Criador, que largou você sozinho aqui, sem nenhum tipo de orientação nem apoio."

Mais uma lágrima atingiu o rosto dela, mais um sinal de que ele estava perdendo o controle.

Ele aninhou a cabeça no pescoço dela. "Fica comigo, Lindsay."

"Sempre", ela prometeu. "Para sempre."

As asas de Adrian se abriram e eles voaram pelos ares, com os corpos grudados enquanto venciam a força da gravidade em uma decolagem vertical. Era um esforço mínimo para ele, nada capaz de extenuar sua musculatura forjada para o combate. Pingos grossos de chuva quente começaram a cair de um céu sem nuvens como pequenas agulhas, encharcando-a em questão de segundos.

Como morria de medo de altura, ela enterrou a cabeça no peito dele e segurou firme, agarrando-o com tanta força que se tornou inevitável a percepção de que ele soluçava em silêncio. Ela sentiu um aperto no coração, apesar de saber que ele precisava desabafar. Toda aquela mágoa acumulada o estava enfraquecendo. Ela enroscou as pernas com as dele, abraçada às suas costas sob as asas e bebendo as lágrimas que escorriam pela garganta e o queixo dele, murmurando palavras sem sentido, tentando confortá-la de alguma maneira.

"Lindsay." Os lábios dele procuraram os dela, e os dois se beijaram. O gosto dele estava salgado de tristeza, uma mistura de lágrimas com chuva. O vento sacudia os cabelos dela, ensopando o tecido pesado do robe.

Eles foram subindo cada vez mais.

Ela ofereceu um beijo para consolá-lo, mas ele queria mais. Precisava de mais. E foi o que buscou, atacando a boca dela com a sua, explorando profundamente com a língua. As roupas que estavam entre eles desapareceram, removidas pelo poder do pensamento dele. Ela deveria estar com frio, mas o corpo dele era absurdamente quente. E, quando sentiu a mão de Adrian apertar um de seus seios, o desejo dela se igualou ao dele, atiçado perversamente pelo medo de altura e pela dor por testemunhar o sofrimento do Sentinela.

Eles giravam enquanto subiam, desenhando uma trajetória espiralada pelos ares. O peito de Adrian ofegava, afogado pelas emoções que o acometiam. Seus lábios sobre o pescoço dela eram puro desespero e ganância. Ele ajustou melhor a posição dela e a penetrou. Ela gritou ao sentir um prazer tão intenso e inesperado. A chuva parou de cair. Ele inclinou a cabeça para trás, interrompendo a subida e deixando-se flutuar por um instante, mudando sua trajetória lentamente sob a luz suave da aurora.

"*Ela é minha!*", ele gritou para os céus, olhando para cima. "Meu coração. Minha alma."

Com os olhos ardendo, ela sentiu sua visão borrar. Com um giro veloz, ele os colocou em uma posição descendente.

Eles mergulharam.

Ela berrou e o enlaçou pela cintura com as pernas. Eles caíam a uma velocidade estonteante, em uma espiral descontrolada. Adrian mantinha as asas fechadas para minimizar a resistência do vento. Ambos os corpos estavam colados, o abraço poderoso dele a mantinha imóvel no lugar. Ele, no entanto, não estava parado. Seus quadris continuavam fazendo movimentos circulares, penetrando-a sem parar. Fodendo-a em pleno ar.

Ela chegou a um surpreendente orgasmo, que a fez estremecer de cima a baixo. "*Adrian!*"

Ele grunhiu, e meteu com ainda mais força. Purgando sua dor com jatos quentes e espessos.

Ele é meu, ela pensou, determinada, enquanto eles se aproximavam do chão no mais íntimo dos abraços. *Meu coração. Minha alma. Eu não vou deixar você acabar com ele.*

Adrian abriu as asas e eles alçaram voo novamente.

"Grace. Que bom ter notícias suas." Syre se recostou na cadeira desconfortável do quarto do hotel e sorriu para seu iPad, que recebia imagens ao vivo da pesquisadora. Ele lamentou o fato de ela parecer desalinhada e exausta, algo muito raro entre os vampiros.

"E desta vez isso pode até ser verdade", ela falou com um sorriso apressado, passando uma das mãos pelos cabelos loiros despenteados. Syre desconfiou que ela tinha cortado os próprios cabelos sem a ajuda de um espelho, só para eles pararem de cair sobre seu rosto enquanto trabalhava.

Pela lente da câmera do dispositivo, ele viu as fileiras de leitos hospitalares atrás dela. "Eu sempre estou disposto a ouvir boas notícias."

"Bom, e que tal esta? O sangue que você mandou proporcionou grandes descobertas." Os olhos cor de âmbar dela brilhavam. Deixando de lado o corte de cabelo, ela era uma mulher muito atraente, pequenina, de feições delicadas. "Eu o misturei com amostras infectadas e houve um breve período de reversão."

"Reversão?" Pelo sangue de Lindsay. Não, ele se corrigiu. O sangue de Adrian, filtrado por Lindsay.

“Temporária”, ela explicou, “mas já é uma luz no fim do túnel. Precisamos de mais luz por aqui, ou seja, mais sangue. O que recebemos mal deu para conduzir adequadamente os testes.”

“Isso não vai ser nada fácil.”

“Essa parte eu deixo para você. Da minha parte, posso dizer que estamos fazendo o possível, mas nos sairíamos muito melhor se pudéssemos contar com um epidemiologista, ou um virologista. Você pode providenciar isso?”

“Estou tentando.”

Ela balançou a cabeça afirmativamente. “Vash já falou com você sobre isso, né?”

“Claro.” Sua tenente não deixava passar quase nada... quando estava cem por cento concentrada. “E o sangue dos licanos?”

“Recebi uma dúzia de amostras, de indivíduos diferentes. O que foi muito bem pensado, aliás. Um ou dois não seriam suficientes.”

“Vou repassar os elogios para Vash.”

“Claro. Aquela ali é ligeira. Você não poderia ter feito uma escolha melhor.”

“É verdade.” Ele a havia treinado com perfeição, soube detectar seu potencial desde o início. Ela era inteligente, enérgica e corajosa a ponto de parecer descuidada. O que ela nunca havia sido... pelo menos até o Alfa aparecer.

Syre vinha monitorando a situação de perto. Ele não toleraria o desleixo de Vash por muito tempo. Mais um ou dois dias, e se o licano não voltasse atrás na maneira como a estava tratando, Syre o mataria. Seria um desperdício, pois se tratava de um bom caçador, mas o Alfa não daria muito valor para ele caso não estivesse sob o controle de Vashti. Além disso, uma vez que estavam abrigados em seu galpão e trabalhando sob seu comando, nada impedia que os licanos se voltassem para os vampiros em busca de liderança caso perdessem seu Alfa. A não ser pelo transtorno que causaria a Vashti, a morte de Elijah Reynolds só traria benefícios...

“A maioria das amostras não teve efeito nenhum”, continuou Grace. “Mas o Indivíduo E é outra história. Quem foi que nomeou essas amostras? Vashti?”

"Claro." Ele sacou o iPhone e clicou na nuvem, abrindo o documento que continha a identificação dos doadores. Mas ele nem precisava consultar nada para saber que o Indivíduo E era... o Alfa.

"Bom, o Indivíduo E por aqui é conhecido como Fodedor. Se quiser aniquilar toda a população de espectros de uma vez, então Fodedor é o sujeito ideal para isso. Seu sangue funciona como uma bomba atômica contra os espectros. *Cabum*."

"Por quê? E como?"

Grace deu risada. "Eu sou boa, mas nem tanto. Recebi essas amostras de sangue ontem à noite. Só tive catorze horas para estudá-las. Sei dizer o que acontece, mas os detalhes vão demorar um pouco mais."

"Vash cruzou com um espectro com atividade cerebral suficiente para falar. Ele pareceu ser o líder de um grupo de outros espectros."

"Quê?" Ela ficou preocupadíssima. "Todos os espectros que encontrei estavam com o cérebro totalmente inutilizado."

"Vou precisar de uma explicação melhor do que essa, Grace."

Ela coçou a nuca. "Talvez o indivíduo tivesse acabado de ser infectado, coisa de horas, e ainda restassem algumas sinapses intactas. Ou talvez tivesse sobrevivido tempo suficiente para que os neurônios se regenerassem. Eu sinceramente não sei. Não vi nada do tipo no laboratório."

"As perguntas são muitas, Grace."

"E as respostas não. Eu sei. Estou fazendo o meu melhor."

"Me mantenha informado."

"Claro. E, se puder me arrumar mais daquele sangue, me ajudaria demais. Estamos lidando com extremos bem diferentes aqui. Um aniquila tudo, o outro é uma cura possível. Conhecendo você, sei que vai querer ter todas as opções, e eu tenho um amigo aqui que gostaria de poder curar."

Syre se lembrou de sua nora. Era tarde demais para Nikki, mas outros ainda podiam ser salvos. "Eu vou providenciar."

"E um virologista, por favor. O meu ramo de atuação é bem diferente desse."

Ele balançou a cabeça, encerrou o contato e soltou o ar com força.

"O que você sabe que eu não sei, Adrian?", ele murmurou consigo mesmo. "E o que eu preciso fazer para você me contar?"

*

Vash corria pelo meio das árvores, esquivando-se em altíssima velocidade, com o coração e os membros pulsando com força. O corpo dela era uma máquina, criado para uma existência angelical e esculpido ao longo de uma vida de guerreira. Apesar de ouvir os passos e a respiração do licano em seu encalço, ela não olhava para trás. Não era preciso. Isso só a faria perder tempo, e saber a que distância ele estava não a faria correr mais rápido.

Ela nunca tinha sido alcançada por um licano em uma corrida. Era veloz demais, rapidíssima.

No entanto, ela sabia que Elijah era diferente. Ele havia provado isso na estrada e, mesmo não sendo preciso, estava disposto a provar de novo.

Ela saltou com agilidade sobre um tronco caído, mas ele foi além, passando voando a seu lado. O lobo encravou as patas dianteiras na terra e se virou, fazendo um giro de cento e oitenta graus.

"Merda", ela sussurrou.

Obrigada a encarar uma fera que não teria coragem de ferir, ela tentou se livrar do perigo com um salto. O chão do bosque, no entanto, coberto de folhas, não oferecia tração suficiente para isso. Seus pés escorregaram. Ela caiu de barriga e saiu derrapando, tentando se equilibrar sobre os dedos das mãos e dos pés.

Ele chegou até ela em um piscar de olhos, agarrando-a pelo ombro com os dentes. Com a respiração acelerada e o hálito quente, soltou um grunhido que fez seu peito tremer. Quando ela tentou se mover, ele a sacudiu de leve, tomando cuidado para não ferir a pele da vampira, e soltou um rosnado de ameaça.

Ela se deixou cair sobre o chão, completamente entregue, sentindo algo no estômago que começou a desconfiar que era satisfação. Triunfo, talvez. Alívio, com certeza.

Ele a havia perseguido. E capturado.

O coração dela se acelerou, assim como a respiração, reações que só ele era capaz de provocar. Ela se manteve prostrada sob ele, absorvendo o calor de seu corpo pelas costas, remexendo a terra com os dedos.

Elijah demorou um bom tempo para soltá-la. Quando o fez, emitiu outro grunhido baixinho para que ela não se mexesse. Ele esperou um pouco para garantir que ela obedeceria sua ordem e depois a cutucou com o focinho molhado.

Aquele gesto surpreendentemente carinhoso a fez erguer a cabeça para olhá-lo. "Elijah..."

Ele arreganhou os dentes. Seus olhos ainda ostentavam um brilho selvagem.

"Certo. Tudo bem." Ela suspirou e relaxou de novo, tentando entender por que estava se submetendo com tanta facilidade. Isso era algo que ela reservava apenas a Syre, e mesmo assim apenas em certos aspectos. Em vários outros, a dominante era ela. Porque ele permitia, claro, mas ainda assim... até mesmo Char sabia que era preciso ceder o controle a Vash.

Ela se inquietou um pouco quando Elijah apoiou o peso sobre seu corpo, fazendo sua coluna se curvar. Ele não se deixou cair por inteiro, o que certamente a esmagaria, apenas o suficiente para que ela não ignorasse a presença dele. Como se isso fosse possível.

Vash não sabe quanto tempo ficou deitada daquele jeito — com ele em cima dela, respirando calmamente, farejando-a e acariciando--a com o focinho. Ela não sabia dizer por que, mas isso acalmou o estado de humor mais exaltado que a vinha incomodando desde que ele a expulsara do quarto, na noite anterior. Vash só sabia que o equilíbrio que tinha encontrado com Elijah na floresta expôs um tormento interior que ela nem ao menos sabia estar sentindo. A raiva e a sede de vingança eram suas companhias mais frequentes, mas havia uma dor soterrada sob tudo isso, algo que ela só percebeu depois de ter se livrado daquela sensação.

Quando ele mudou de forma, ela sentiu todo o seu poder, uma emanação que perturbou todo o ambiente ao redor. A maciez e a suavidade de sua pelagem deram lugar ao corpo musculoso e à pele febril da forma humana de Elijah. Ele continuou a esfregar o rosto nela, e a arfar como se estivesse levando o próprio corpo ao limite.

As palmas da mão dela se umedeceram quando ela sentiu a ereção dele no meio das coxas. “Elijah...?”

“Vashti.” A voz dele ainda tinha aquele tom gutural. Infernalmente sensual. “Isso não é suficiente... Sinto muito.”

Ela ficou tensa, sentindo a decepção penetrar seu corpo como uma lâmina. Ela não era o suficiente? O que havia entre eles — o que quer que fosse — não era suficiente?

16

"Relaxa", sussurrou Elijah, remexendo os quadris junto ao toque sedoso das nádegas dela. "Não tenta resistir. Me deixa... possuir você. Fazer tudo bem gostoso..."

Vash se via indefesa contra a onda de excitação que percorreu seu corpo. "Você quer transar? *Aqui?*"

Ela ficou toda molhada e sedenta só de pensar que ele não poderia esperar para tê-la, que queria atacá-la no meio do mato como um animal no cio...

Ele ajustou sua posição, envolvendo as coxas dela com as suas. Depois se endireitou, trazendo-a para perto. Uma das mãos dele passou pelos seios dela, agarrou-a pela garganta a puxou com força. A outra segurou o elástico das calças pretas e abaixou até os joelhos.

"Sinto muito." Essas palavras soaram como um gemido atormentado aos ouvidos dela. "Não consigo me segurar. Não corre..."

Ela jogou a cabeça para trás quando sentiu a mão dele no meio das pernas, e não pôde evitar o movimento dos quadris na direção daquele toque.

Ele apoiou a testa na têmpora dela. "Molhadinha. Ainda bem..." Inclinando-se para a frente, ele a fez arquear as costas para baixo.

Ela esticou os braços e apoiou as palmas da mão no chão para não cair. Com ela de quatro à sua frente, ele se posicionou melhor e começou a esfregar o pau na abertura dela... de baixo para cima... acariciando o clitóris... todo trêmulo atrás dela.

Todos os músculos do corpo dele estavam tensos, e sua expectativa era tão grande que Vash podia senti-la no ar. Ela estava sedenta por ele como se fosse um elemento necessário para mantê-la viva, da mesma forma como estava faminta por sangue.

"Eu preciso de você. *Agora*", ele grunhiu, puxando-a para trás, de encontro a seu movimento de penetração.

Ela gritou ao senti-lo profundamente dentro de si, com uma pontada de prazer que fez sua visão borrar. Ele não deu tempo para ela se ajustar nem se preparar — lançou-se em uma trepada furiosa como se Vash fosse um simples depositório de sua luxúria. Não foi preciso mais de uma dúzia de estocadas furiosas. O rugido de Elijah reverberou pela floresta, provocando uma revoada de pássaros em pânico. Ele gozou com tanta força que ela conseguiu senti-lo se esvaziando em jatos quentes e espessos. As coxas dela ficaram meladas quando ele se ajeitou e a puxou para que montasse sobre suas pernas abertas.

Antes que ela pudesse recuperar o fôlego, ele já estava separando os lábios do sexo dela, massageando sua carne. Vibrando com a ferocidade da excitação dele, ela chegou ao clímax com um gemido de alívio, sentindo o corpo todo se encolher e ondular em torno da ereção do licano.

Ele estendeu o pulso até a boca dela, oferecendo sua veia pulsante. Ainda tremendo por causa do orgasmo, Vash virou a cabeça. "Não..."

Elijah escondeu o rosto nos cabelos dela. "Sinto muito."

Ela queria responder, mas seu cérebro estava girando a mil por hora. E ele ainda estava massageando seu clitóris, mantendo-a com tesão, pronta para gozar de novo, sem chance de parar.

"Não consegui me controlar." Os dentes dele rangiam audivelmente. "Você fugiu. Não consegui pensar em mais nada... Preciso deixar bem claro, eu prefiro machucar a mim mesmo a fazer algum mal a você."

Algo importantíssimo se solidificou dentro dela, junto com o entendimento do motivo por que ele estava se desculpando — Elijah havia perdido o controle. Ela não acreditou que tinha gostado do fato de a fera interior dele reagir a sua fuga de maneira tão animalesca, mas pelo jeito era pervertida assim mesmo. Que fosse. Se todas as brigas dos dois acabassem com ele gozando dentro dela, estava tudo bem.

Mas aquele sentimento de culpa Vash não poderia suportar.

Quando ele ofereceu o pulso de novo, ela afastou seu braço com um empurrão, ofendida. "Para com isso."

Elijah a ergueu com cuidado, uma tarefa difícil, já que ainda estava com o pau duro. Ela permitiu. Deixou que ele se deitasse de costas sobre as folhas, cobrindo os olhos com o antebraço. Que ele resmungasse sobre a necessidade de ela se alimentar, e que ele mesmo teria que dar um jeito nisso, já que Vash se recusava a beber do sangue dele... não que ele a culpasse... ele estava fora de controle, perdendo a cabeça...

Enquanto ele choramingava, Vash silenciosamente arrancou as botas e as roupas. Até ficar nua em pelo. No meio do mato. Com um licano. No que a vida dela estava se transformando?

"Elijah", ela disse baixinho, rastejando até ele. "Cala essa boca."

Ela observou que ele prendeu a respiração, e depois soltou o ar com força quando seus corpos se uniram de novo em busca da intimidade que Vash tanto desejava. O pau dele estava melado de sêmen e gelado, mas ainda duro como uma peça de mármore dentro dela. Ele endireitou o corpo com um grunhido, e ela o abraçou pela nuca, olhando-o nos olhos.

"Estou vendo que o vento frio não é problema para você", ela comentou, irônica, notando que os olhos dele brilhavam febrilmente. Ele parecia uma criatura selvagem. Todo vermelho, desalinhado, coberto de suor. Ainda era possível farejar sua fera interior, o que fez com que o sexo dela se contraísse primitivamente de prazer. Era um cheiro que ela havia detestado por muito tempo, apesar de ele não ter nada a ver com seus sofrimentos passados. Ela resolveu parar de questionar o porquê de tudo e simplesmente... aceitar.

"Vashti, eu...

"... você me ofendeu. E não com o sexo selvagem", ela explicou ao notar o quanto ele ficou apreensivo. "Por me oferecer o pulso, que caso você não saiba é a maneira mais impessoal de oferecer sangue a um vampiro. Eu quero acreditar que nós estamos em um patamar muito acima disso. E, se não estivermos, precisamos trabalhar para chegar lá."

Os braços dele a apertaram com a força de uma prensa mecânica. "Em um patamar acima de me mandar para longe quando estiver com medo? Em um patamar acima de pedir desculpas por uma bobagem e ignorar o problema mais sério?"

"Uau." Ela passou os dedos pelos cabelos dele, pois sabia que ele gostava dela. E também porque era preciso acalmar a fera para acertar os ponteiros com o homem. "Você voltou à carga rapidinho, hein? Acho que gostava mais de você todo arrependido."

"É oito ou oitenta."

"E eu tenho escolha? Acho que, se eu fugir, você vai vir atrás de mim de qualquer jeito."

Ele estreitou os olhos, observando-a com atenção. Depois de um instante, ele respirou fundo e exclamou: "Você *gostou*!".

"Eu não disse que não. Foi você que ficou todo envergonhado."

"Por culpa de quem?" A voz de Elijah era desgraçadamente neutra.

Ela engoliu em seco, desviando os olhos e deparando com o pescoço rígido e pulsante do licano.

"Vashti." Ele estremeceu de leve. "Fala comigo. O que nós estamos fazendo aqui?"

Ela o encarou, fazendo cara feia. "Está brincando?"

"Se tudo o que você quer é sexo, eu posso argumentar que tenho outras opções que vão me dar muito menos trabalho."

"Como a Himeko?"

Ele abriu um sorriso malicioso e puramente masculino. "Está com ciúme?"

"Que bom que você está gostando de ver a minha confusão e o meu sofrimento", ela ironizou. "Escuta só, eu já desisti de tentar entender tudo sozinha. Você precisa me explicar o que quer de mim. Aí eu digo se sou capaz de oferecer isso ou não."

"Um compromisso."

Ela sentiu um frio na barriga. "Que tipo de compromisso?"

"Alguma coisa além de ser um brinquedinho para você usar quando tiver vontade."

"Sei." Vash tentou recuperar a concentração depois de sentir o "brinquedinho" de Elijah se mexer dentro dela. "Olha só quem fala. Como se você não estivesse interessado só nos meus peitos."

"Então nós temos um acordo. Você tem livre e exclusivo acesso ao que eu tenho a oferecer, e o mesmo vale para mim no seu caso."

"Só isso?", ela perguntou, desconfiada. Exclusividade e livre acesso implicavam uma série de outras coisas, mas ainda assim era preciso perguntar.

O olhar dele se mantinha fixo, já totalmente humano, demonstrando uma infinita paciência. "O que mais você poderia aceitar?"

"Bom..." Ela passou a mão pelos cabelos. "O que eu não aceito de jeito nenhum é indiferença. Isso me deixa maluca. Você foi um cretino ontem à noite."

"*Eu* fui um cretino?"

Ela suspirou, sentindo que, se não abrisse o jogo de uma vez, correria o risco de perdê-lo. A fera interior já estava satisfeita, mas o homem não era do tipo que se contentava com pouco. "Eu quero você. E não só pelo sexo. Eu respeito você, e a sua relação com seu povo. Mas é exatamente por isso que não podemos ficar juntos. E estou com medo de que você queira mais. E de me magoar de novo."

Ele estendeu as duas mãos e tirou os cabelos dela da frente do rosto. "Você está preocupada com as minhas responsabilidades como Alfa."

"E me diz que você não está", ela rebateu. "Se não estiver, deveria."

"A esta altura, só o que eu consigo pensar é se tudo isso não foi uma puta de uma cagada. Já é a segunda vez que eu perco o controle por sua causa."

Vash franziu a testa. "E quando foi a outra vez?"

"Isso não importa. O que interessa é que aconteceu." Ele encostou seus lindos lábios contra os dela. "A caçada começou no momento em que eu vi você pela primeira vez. E só vai terminar quando você admitir que é minha, ou quando eu parar de respirar. Em termos pessoais, eu admiro a sua força e sua coragem. Agradeço os seus conselhos, e por você oferecê-los a mim. Estou viciado no seu toque, mas também gosto muito de estar com você. Sua loucura combina com a minha. Nunca tive um momento tedioso ao seu lado, gracinha."

Ela se inclinou na direção dele, sentindo mais uma barreira desabar dentro de si ao ouvir aquilo. O corpo dela se enrijeceu, abraçando-o por dentro.

Ele grunhiu baixinho. "Eu vou gozar de novo só de fazer isso, só de ficar assim com você. Mesmo se eu continuar no papel de Alfa, nunca vou conseguir ter uma parceira. A ideia de ter alguma intimidade com outra mulher se tornou repugnante para mim."

Vash fechou os olhos, experimentando um grande alívio, e uma sensação de ternura tomou conta dela. "Antes eu tinha só Char. Agora só você. Eu quero que dê tudo certo. Quero fazer o *possível* para que tudo dê certo."

"Então assume esse compromisso, Vashti. Vamos dormir juntos, trabalhar juntos, ficar juntos. Sem se preocupar com o que os outros falam. Só precisamos estar sempre em contato, estabelecer que nossa relação é a prioridade."

"Não existe nenhum licano no mundo que não queira me matar, incluindo você, às vezes."

"E não existe vampiro nenhum que não aproveitaria a chance de acabar comigo se achasse que poderia se safar. Todo relacionamento tem seus problemas, e opositores também."

"Ha! Você é maluco."

"Faltou falar que eu sou teimoso e arrogante também." Ele mordeu o lábio inferior dela com seus dentes brancos e alinhados. "Você é minha, Vash. Duvido que alguém tenha coragem de dizer que não. Inclusive você."

"Seu desgraçado." Ela sentiu uma pontada de dor deliciosa na boca, e o sabor dele se espalhando pela língua. "Você sabia muito bem o que estava fazendo ontem. Sabia que eu perderia a cabeça se sentisse que estava perdendo você."

"Foi para isso que eu torci", ele corrigiu. "E fiquei morrendo de medo do meu blefe dar errado. Quando ofereci o meu quarto ontem à noite e você não se prestou a ficar comigo, minha vontade era voar no seu pescoço. Você destruiu um quarto inteiro em um acesso de ciúme, mas depois não quis dar o passo seguinte. Comecei a pensar que nunca teria você da maneira de que preciso. Hoje no café da manhã, eu já estava prestes a dizer que aceitava o que você quisesse me oferecer."

"E eu estava prestes a implorar para você parar de me castigar." Ela sentiu os olhos se encherem de lágrimas, e virou a cabeça. "Você se afastou de mim. Isso... isso doeu. Eu não gosto de ser magoada. É uma coisa que me deixa maluca. Ainda mais que de costume."

Ele suspirou e se inclinou na direção dela. "Porra, você é muito teimosa."

Incomodada por ouvir uma verdade, ela rebateu: "E você está se abrindo todo com a maior facilidade, cachorrinho. O que está acontecendo?".

"Você já viveu isso antes, com Charron. Por isso está ressabiada, com medo de se expor mais uma vez. Só que para mim tudo isso é novidade. Uma coisa que eu nunca vivi, mas quero experimentar. Não consigo nem pensar em abrir mão do que eu sinto por você."

Vash pôs a mão sobre o coração acelerado. "Você já parou para pensar que tudo isso pode ser só uma estratégia de sedução da minha parte para não ser assassinada?"

Ele pôs a mão sobre a dela. "Que tipo de filho da puta você pensa que eu sou? Você ainda acha que eu teria coragem de matar você depois de tudo o que rolou entre nós? Eu desisti dessa ideia no momento em que nós nos atracamos lá no galpão. Micah está morto. O que você fez com ele foi errado, porque partiu de um pressuposto errado. Mas eu não posso dizer que não teria feito a mesma coisa. Se matar você por causa disso, vou ter feito o mesmo que você fez em nome da Nikki. É um círculo vicioso que não vai trazer ninguém de volta, só vai acabar com a nossa vida."

Ela encostou no pescoço dele, inalando seu cheiro. "Muita gente vai fazer essa mesma pergunta, e achar que é essa a minha intenção."

"Pau no cu de quem pensar assim."

"Nada disso...", ela murmurou, mordiscando a orelha dele. "Nós temos um acordo: livre acesso e exclusividade mútua. O seu pau não vai entrar em buraco nenhum que não seja meu."

Elijah a agarrou pelos ombros, mantendo-a bem perto. Ele inclinou a cabeça para o lado, proporcionando acesso total à grossa artéria do pescoço que transportava seu fluido vital. Um gesto tão submisso por parte de um macho tão dominante — um tremendo sacrifício para ele, ela sabia — fez o sangue dela ferver. A caçadora dentro dela se deliciou, enquanto seu lado mulher se derretia.

Com movimentos precisos com a língua, Vash fez a veia dele pulsar. Ela notou que Elijah engoliu em seco, e abriu um sorriso. "Sabia que a mordida de uma vampira pode produzir um êxtase sexual inigualável?"

"Por que você acha que não pode se alimentar de mais ninguém?"

"Eu estava empolgada demais para pensar no seu prazer lá em Vegas. Sinto muito por isso. Eu quero dar prazer para você, Elijah. Quero fazer você feliz."

"Pode acreditar. Eu senti muito prazer em Vegas." Suas mãos quentes e ardorosas desceram pelo pescoço dela para agarrá-la pelas nádegas, fazendo-a ondular sobre sua ereção. "E você me agrada o tempo todo, de diversas maneiras. Mas, se estiver se sentindo culpada e quiser se redimir, eu não ligo."

"Ah, não?" Ela cravou delicadamente as presas na garganta dele, e não pôde deixar de notar o tremor que abalou o corpo de Elijah. "Você é um predador sexual, e agora está prestes a se tornar a presa."

"Eu sou um homem", ele respondeu com a voz áspera, "que está prestes a deitar aqui, relaxar e curtir enquanto sua mulher o faz gozar bem gostoso."

"Ora, seu metido", ela o repreendeu com um toque de humor na voz. Seu sorriso, porém, desapareceu do rosto quando ela se afastou para olhá-lo. O rosto dele era tensão pura, e os olhos, aqueles olhos límpidos que pareciam enxergar dentro dela, estavam sem brilho. O homem podia até estar disposto, mas a fera dentro dele não gostava nem um pouco da ideia de virar alimento de outra criatura. Ela o acalmou passando as mãos pelos cabelos dele. "Você não precisa fazer isso, Elijah. Eu posso me alimentar do pulso de alguém. Rapidinho, e sem consequências."

"Não."

"De uma mulher, se você preferir. Nós podemos ir até um refúgio. Você pode me comer enquanto eu me alimento. De repente você até fica com tesão assistindo..."

"Não, porra." A voz dele saiu profunda e retumbante, quase um rosnado. Ele a agarrou pela nuca e a puxou até seu pescoço. "Quem vai dar o que você precisa sou eu. Vai em frente."

Com os olhos fechados e toda trêmula, ela respirou fundo para tentar se concentrar. Vash punha o bem-estar dele acima da necessidade de se alimentar, porque era capaz de entender o sacrifício que o licano estava fazendo, que violava a própria essência de seu ser. Um macho alfa iria precisar de um bom tempo para aprender a ter prazer sendo penetrado. Alguns nunca conseguiam. A ideia de que Elijah estivesse sofrendo enquanto a alimentava era insuportável. E, sendo bem sincera, ela esperava que ele gostasse daquilo, pelo menos o suficiente para fazer de novo. Para que ele se submetesse ao processo por livre e espontânea vontade.

Vash lambeu os lábios ressecados, e acariciou a veia do amante com a língua. Envolvendo-o com os braços, ela o distraiu esfregando os seios no rosto dele. Foi quando ela atacou, cravando as presas com força para receber um jato potente de um sangue espesso e intoxicante.

Ele soltou um palavrão e se enrijeceu, antes de notar que as chupadas ritmadas da vampira estavam em sincronia com o sexo dela, que envolvia seu pau, e deixar escapar um grunhido. Mantendo a cabeça dele imóvel com um braço em sua nuca, ela desceu com a outra mão pelas costas dele. Por fim, removeu as presas e lambeu a ferida para fechá-la, sugando de leve a pele do licano. Ela manteve a boca colada à garganta dele por um tempo, acariciando e beijando. Quando ele relaxou, ela atacou de novo em outro lugar, cravando fundo as presas. Ela sugou com força, até as bochechas ficarem côncavas, e sentiu que ele começou a gozar.

Ele sibilou, puxando os quadris de Vash mais para perto, despejando tudo o que tinha dentro dela.

Embriagada por ele, Vash mergulhou nas memórias proporcionadas pelo sangue de Elijah, examinando egoisticamente os pensamentos do licano a seu respeito — a possessividade, o prazer, o sofrimento. Em troca, inundou a mente do licano com seus sentimentos por ele. Fazendo-o sentir como era estar na pele dela, o respeito e admiração que ele lhe despertava, e o vazio que somente sua paixão era capaz de preencher.

“Vashti.” Ele estremeceu ao gozar mais uma vez, no que ela o acompanhou, fazendo os delicados músculos do ventre o comprimir no mais íntimo dos abraços. Ruídos primitivos de prazer escaparam dos lábios dele, grunhidos ásperos de tesão, um desejo que nunca se acalmava.

Com o apetite já sob controle, Vash retraiu as presas e fechou os dois furos, massageando com a língua a veia que vertia o sangue dele. Com as mãos nos ombros dele, ela o empurrou, abrindo um sorriso ao vê-lo desabar diante dela. Ele estava arfando, com o tesão estampado nos olhos reluzentes. Inclinando-se para a frente, ela passou as unhas pelo peito dele, ergueu os quadris e desceu de novo, acariciando o pau dele com a carne macia da parte interna do ventre.

Ela não tinha palavras para descrever o que estava sentindo. Quando estava com Char, Vash sabia verbalizar tudo. Em seus melhores momentos como anjo também. Mas para o que estava vivendo naquele momento não. As palavras ficaram todas entaladas na garganta.

A maior vantagem de Elijah, porém, era que ele não precisava de palavras. Ele *sabia*. Ele a aceitava e a queria da maneira como era. Percebia que o corpo dela expressava tudo o que não era dito em voz alta. Um corpo de vampira, que combinava perfeitamente com sua sexualidade de licano.

"Pode tomar o quanto precisar", ele disse, compreensivo. "O quanto precisar. Depois você me retribui."

Ela mordeu o lábio inferior de Elijah, cavalgando-o lentamente, absorvendo repetidamente o choque de senti-lo penetrar até o fundo. "Eu preciso que você goze de novo. Quero sentir você de novo dentro de mim."

"Eu sou um homem", ele lembrou, claramente satisfeito. "Preciso parar um pouco para respirar se quiser que isso aconteça de novo."

Ela abriu um sorrisinho perverso. "Você ainda está de pau duro."

"Você ainda está pelada em cima de mim." Ele agarrou os peitos dela, beliscando os mamilos dolorosamente duros e pontudos com os polegares e os indicadores. "Não esquenta comigo. O meu prazer é ver você sentir prazer. Sentir você toda apertadinha, como uma mãozinha pequenina e quente. Um orgasmo é só um bônus depois de tudo isso."

Vash ficou toda tensa e passou as mãos pela musculatura rígida do peitoral e do abdome de Elijah. As folhas pontudas dos pinheiros lhe espetavam os joelhos, mas ela não estava nem aí. Estava com ele de novo, justamente como precisava — sem nenhuma barreira entre os dois. Sem hierarquia, sem papéis a cumprir, sem meias verdades ou evasivas. Entregues como deveriam. Comprometidos. Ele era dela, a partir daquele momento era possível dizer isso. E ela se orgulhava de ser dele.

"Mais uma vez", ela cochichou, remexendo os quadris. "Por mim. Eu quero gozar de novo, Elijah, mas não consigo sem você."

Arqueando-se para a frente, ele a segurou e rolou, colocando-a sob seu peso. Com os antebraços ele impediu que o corpo dela se apoiasse no chão cheio de folhas pontudas, mais uma vez demonstrando a consideração que ela tanto admirava.

Ela estava amparada, mas também dominada e imobilizada, sentindo os músculos dele se contraírem contra sua pele. Eles se olhavam fixamente, denotando uma intimidade muito maior que a própria entrega dos dois corpos.

"Minha", ele declarou. "Agora fala você."

Ela jogou a cabeça para trás, com os sentidos em sobrecarga. Não conseguia enxergar nada, nem ouvir alguma coisa além do sangue pulsando com força em seus ouvidos.

"Fala para mim, Vashti", ele gemeu com os lábios colados à garganta dela, esquentando-a com seu hálito. "Se você disser, eu gozo."

"Meu", ela disse sem fôlego, envolvendo-o com as pernas. "Você é meu."

Sentindo-se aliviado e fortalecido, Adrian pousou lentamente no quintal com a leve e saciada Lindsay nos braços. Pela primeira vez em vários dias, ele voltou a pensar com clareza, e agradeceu por isso quando viu um veículo desconhecido estacionado na entrada da casa. "Tem alguém aqui."

Lindsay afastou a cabeça do corpo dele. "Que tal usar aqueles seus poderes mentais para vestir uma roupa em mim?"

Ele pensou nas roupas que ela levou para a viagem e a desejou com um par de calças pretas e uma camiseta de ombro caído. Para ele, escolheu calça social e uma camisa folgada. Estava ajustando as mangas da camisa quando abriu a porta dos fundos para sua companheira.

"Você esqueceu a minha calcinha", ela murmurou ao entrar na cozinha.

Ele abriu um sorriso. "Não foi esquecimento."

A visita estava esperando na sala de estar, rindo de alguma coisa que conversava com os guarda-costas. Os dois licanos ficaram de pé prontamente quando ele entrou, mas a adorável mulher asiática que o esperava se levantou com bem menos urgência. Vestida com uma saia apertada até o joelho, blusa de seda e sapatos Louboutins, a mensageira de Raguel Gadara estava apropriadamente trajada para seus compromissos seculares. Em sua vida celestial, ela preferia sempre jeans surrados, uma nove milímetros e um par de Doc Martens.

"Evangeline." Adrian a saudou, apertando as mãos que ela estendeu e ganhando assim acesso a seus pensamentos, que lhe puseram a par de tudo o que era preciso saber. "Que bom ver você."

Ela sorriu. "Você diz isso com tanta desfaçatez que eu quase chego a acreditar."

Ele se virou, para que Lindsay pudesse se aproximar. "Lindsay, essa é Evangeline Hollis. Eve é a responsável pelo design de interiores do cassino Mondego. Lindsay foi gerente-geral assistente no Belladona de Raguel, em Anaheim. Agora ela é minha."

Eve apertou a mão de Lindsay. "Pode se considerar uma mulher de sorte por ter se livrado de trabalhar para Gadara."

Lindsay franziu a testa, estranhando aquela declaração, pois não sabia que os colaboradores de Gadara trabalhavam em regime de servidão, e não de voluntariado, como no caso dos licanos. Adrian esclareceria tudo isso mais tarde.

"O que traz você aqui?", ele perguntou a Eve, para que a conversa não tomasse o rumo de perguntas que não queria responder.

Ela apontou para a caixa térmica a seus pés. "Sangue de arcanjo. Eu mesma vi Gadara colher e embalar tudo. Ele disse que você acreditaria em mim se eu dissesse que nada foi adulterado. E eu imaginei que você invadiria a minha mente quando me cumprimentasse para comprovar tudo com seus próprios olhos."

"Você me conhece tão bem."

Eve deu risada, mas sem perder a expressão determinada que ostentava nos olhos. "Em certo sentido é bom saber que os anjos também podem ser criaturas previsíveis."

Lindsay olhou para a caixa térmica. "Por que Gadara não deu o sangue ontem mesmo, quando nós pedimos?"

"Questão de controle", Eve e Adrian responderam simultaneamente.

"Porra", resmungou Lindsay. "Isso não é brincadeira."

"Em certo sentido, é, sim", explicou Eve. "Um jogo que Gadara não quer que Adrian perca, mas também não quer que ele vença sem sua ajuda. A ambição é o calcanhar de Aquiles de todo arcanjo. Nesse caso, Gadara sabia que estava em vantagem, porque ele mesmo decidiria se doaria ou não o sangue. Ele quis ter certeza de que Adrian sabia disso, e que entendia que a partir daquele momento estaria lhe devendo uma... É sempre bom ter um favor a cobrar de um serafim."

Lindsay olhou para Adrian. "Mas que merda."

"Imagina só a sua sorte, *neshama*", ele a provocou. "Você tem todos os favores de um serafim sem precisar pedir nada."

Ela empurrou o ombro dele. "E por que ele não veio pessoalmente?"

Eve abriu um sorriso malicioso. "Para me pôr no meu devido lugar e ao mesmo tempo insultar Adrian, mandando uma emissária sem importância na hierarquia de comando. Dois coelhos com uma cajadada só. Ele é bom nisso."

"Será que ele ficaria irritado", murmurou Adrian, "se soubesse do quanto eu gostei da visita?"

Eve olhou bem para os dois licanos. "Existem rumores por aí. Ouvi dizer que boa parte de sua força de trabalho está em greve. Gadara está disposto a ajudá-lo nesse caso, claro. Mas, se você quiser evitar interferência direta, e não se importar em dormir sempre com os olhos abertos, eu posso conseguir alternativas para você. É só querer."

Adrian entendeu muito bem a mensagem, e se sentiu grato pela ajuda. Os Sentinelas não estavam sozinhos no mundo sem sua "força de trabalho" licana. Havia ajuda disponível, caso ele decidisse pedir. Se ela faria alguma coisa a respeito, isso era outra história.

Eve tomou o caminho da porta. "Eu trouxe o seu jornal para dentro", ela falou, apontando para a edição do dia, dobrada dentro de um saco plástico. "E você precisa mandar alguém tirar as latas de lixo do meio-fio. Acho que isso não é problema na Morada dos Anjos, mas em alguns bairros os moradores levam multa por colocar lixo na rua fora do dia de coleta. A vida dos mortais é um pé no saco."

Ele ficou olhando para o jornal quando a porta se fechou atrás dela. Ar-condicionado... jornais... lixo...

"Tinha alguém morando aqui", murmurou Lindsay. "Nós esquecemos disso depois que Vash apareceu, mas ela não se daria ao trabalho de ligar o ar-condicionado, né? Duvido que sequer tenha pensado nisso."

"Não mesmo."

"Quem teria a cara de pau de vir morar aqui?"

"Talvez não tenha sido por despeito", ele murmurou. "Pode ter sido desespero. O Lago Navajo fica a poucas horas de carro daqui."

"Ah." A demonstração de compaixão nos olhos dela mexeu com ele.

Adrian podia ficar e esperar, mas, caso estivessem com medo de represálias, os moradores misteriosos não voltariam. Eles precisavam de algum tipo de garantia.

Ele se virou para os dois licanos e falou: "Ben. Andrew. Vou deixar vocês dois aqui. Vocês sabem como lidar com a situação. Se alguém aparecer, podem encaminhar para a Morada dos Anjos. Se eles não quiserem ir, avisem que esta casa vai ser posta à venda na semana que vem."

Os dois guarda-costas se mantiveram em silêncio por um instante. Depois um deles balançou positivamente a cabeça, e o outro sorriu. "Obrigado, Adrian."

"Por quê?"

"Por confiar em nós", disse Ben.

"E por nos aceitar de volta", acrescentou Andrew.

Adrian olhou para Lindsay, que não soube o que dizer. O sorriso de incentivo dela o pôs de volta no rumo certo. "Vamos arrumar as malas e ir para o aeroporto. Precisamos levar essas amostras para Siobhán."

Ela apertou a mão dele. Adrian se perguntou se ela sabia o quanto aquele simples gesto significava, quanto amor e apoio aquilo proporcionava, a rapidez com que ele havia se tornado dependente daquele tipo de coisa. Dependente dela.

Ele tinha ido a Las Vegas atrás de sangue, e estava indo embora com algo ainda mais precioso — uma intimidade mais enraizada do que nunca com a mulher que era dona de seu coração. Em meio ao caos de sua vida, diante de probabilidades assustadoras e decisões terríveis a serem tomadas, Lindsay era um ponto de luz na escuridão. E continuava a brilhar mesmo quando estava longe de seus olhos.

17

"Caralho, que sinistro", Raze murmurou, cruzando os braços e se apoiando na lateral do carro alugado por Vash. "Silencioso como uma maldita tumba."

Elijah olhou para o vampiro e balançou a cabeça afirmativamente, preocupado, compartilhando do mesmo pensamento. Sua pele estava arrepiada. Eles se espalharam, cercaram a subdivisão residencial e naquele momento entravam, à procura de algum sinal de vida. O que encontraram foi nada. O nada absoluto.

"E os jornais, onde estão?", Vash perguntou, inquieta. "As correspondências? As ervas daninhas nos gramados? Não dá para um bairro inteiro desaparecer sem deixar nenhuma pista."

Syre abriu o porta-malas do Explorer e começou a retirar as armas. "Qual é a sua sugestão para lidar com isso, Vashti?"

"Dois vampiros em pontos estratégicos, em cima de telhados, um em cada canto da subdivisão. E três equipes: uma vai invadir as casas mais centrais, enquanto as outras vão cobrir o perímetro, cada uma de um lado. Vamos revirar esse lugar casa por casa. Os licanos podem ir atrás de ocupantes, enquanto os vampiros coletam evidências físicas. Deve ter ficado algum fio solto que podemos puxar."

"Muito bem." Ele olhou para os dois vampiros que havia trazido consigo. "Crash e Lyric, vocês vigiam as saídas. Se alguma coisa fugir correndo, podem derrubar."

Elijah ficou à espera de mais instruções, contente por estar de óculos escuros, que escondiam seus olhares para Vashti. Os cabelos dela estavam presos em um rabo de cavalo, e o corpo vestido de preto, como sempre — as calças que ele havia abaixado um tempo antes e um colete de couro com um zíper que ia do umbigo até o decote. A pele sedosa e os olhos brilhantes cor de âmbar da vampira monopolizavam suas atenções, assim como tudo o que ela fazia. Sua mulher. Tão linda, e tão infinitamente perigosa. Uma guerreira que os outros guerreiros seguiam na batalha sem pestanejar. Ele a adorava e a valorizava demais, apesar de saber que ela o deixava maluco.

Ela dividiu os cinco vampiros restantes em equipes de dois, dois e um, e depois perguntou a ele o que fazer com os licanos. Ele designou Luke e Trey para o time de dois vampiros e deixou Himeko sob sua guarda. Ela sabia se virar bem sozinha, mas ele tinha acabado de sobreviver — por muito pouco — a um ataque em Las Vegas. Caso encarasse uma situação como aquela de novo, precisaria de alguém para ajudá-lo a segurar a barra.

Ele e os outros licanos começaram a se despir. Elijah tirou a camisa por cima da cabeça e a arremessou no porta-malas do carro. Em seguida tirou as botas e abriu o zíper das calças.

"O que você está fazendo?", Vash o repreendeu, já empunhando a katana.

Ele ergueu as sobrancelhas e a encarou. "Me preparando para a batalha, como você."

Os outros continuaram a arrancar as roupas, enquanto os vampiros concluíam o processo de afixar as armas ao corpo. No entanto, o interesse de todos na conversa dos dois era visível.

O olhar de Vash foi da braguilha aberta dele para Himeko, que estava apenas de calcinha e sutiã, e depois voltou para ele. "Vocês não vão ficar pelados aqui, né?"

Himeko deu uma risadinha debochada e abriu o sutiã. "A nudez faz parte da nossa natureza. Pode ir se acostumando com isso, sanguessuga."

"Ah, claro", comentou Crash, olhando os seios desnudos da licana. "É uma bela maneira de iniciar uma caçada."

"Cala a aboca." Vash se aproximou de Himeko. "E você... pode tirar o cavalinho da chuva, porque não vai ter mais nada com ele além do que já teve."

Himeko abriu um sorriso amarelo. "Outras ainda virão. Mulheres com pelagem em vez de presas, é o que eu quero dizer."

Vash desenhou um arco perfeito no ar com sua katana. "Então paga para ver, vadia."

"Vashti..." Elijah suspirou, sentindo que os ânimos estavam exaltados. A emoção da caçada contribuía para isso, assim como os fantasmas de Micah e Rachel. A animosidade ameaçava a inédita trégua entre vampiros e licanos. Manter as inimizades sob controle era uma prioridade naquele momento, principalmente porque eles poderiam vir a precisar uns dos outros em uma situação de vida ou morte dali a poucos momentos.

"Eu posso ficar pelada também", ela gritou para ele. "Inventar uma nova moda."

"Não é a mesma coisa, e você sabe disso."

Ela ergueu as sobrancelhas em desafio, e começou a abrir o zíper.

Com um olhar que dizia mais que mil palavras, ele passou pela frente do carro e mudou de forma, reaparecendo instantes depois com os jeans na boca. Ele largou a roupa aos pés dela.

"Obrigada." Ela apanhou as calças e jogou no porta-malas com o restante das coisas. Depois de ajustar as armas, ela acenou para Syre — que portava uma balestra de repetição — e começou a se afastar dos veículos para dar início à caçada.

Elijah não ficou surpreso ao notar que Vash se juntou a ele e Himeko, mas em uma circunstância que estava longe de ser a ideal. Vigiar uma única mulher forte e determinada já era trabalho suficiente. Ter duas delas por perto, estranhando-se, era um perigo tremendo.

A tensão entre os três foi esquecida no momento em que entraram na primeira casa. Era um sobrado confortável, bem mobiliado e acolhedor. Não havia nenhum sinal de algo estranho. Na verdade, parecia até uma casa modelo, com tudo em seu exato lugar... inclusive as fotografias da família no aparador da lareira. Elijah as observou, um casal jovem com três filhos, um deles ainda de colo.

Ele subiu as escadas a fim de examinar os quartos, e lá encontrou sinais de vida — camas desfeitas, brinquedos espalhados pelo chão, roupas caindo para fora das cômodas. Havia uma lata de lixo no quarto do bebê cheio de fraldas sujas, e uma mamadeira de leite azedo cheia pela metade dentro do berço.

Vash apareceu logo em seguida. "Tem mensagens de voz na caixa postal. Ligações do trabalho do pai da família, perguntando sobre seu paradeiro. E para a mãe também, vizinhas querendo saber sobre o esquema de carona para levar as crianças à escola. Parece que já faz quatro dias."

Nas outras casas que visitaram, a mesma coisa. Ao chegarem ao oitavo imóvel, Elijah decidiu verificar o quintal dos fundos também. E, como das outras vezes, Vash apareceu atrás dele logo em seguida. Ele notou que ela estava querendo protegê-lo.

O licano soltou um grunhido, mas ela fingiu não se importar. Ainda assim, a ansiedade era visível em sua linguagem corporal — ela estava com medo de deixá-lo sozinho.

Ele começou a mudar de forma para confrontá-la. "Sai da minha cola."

Ela fechou a cara e cobriu o raio de dentro da casa com o corpo. "Põe essa sua pelagem logo antes que a Himeko apareça."

"Puta que pariu. A nudez não significa automaticamente sexo na cabeça dos licanos."

"Ela é uma fêmea. Caso não tenha percebido, elas ficam babando em cima de você até quando está vestido. Quando está assim", ela fez um gesto impaciente na direção do corpo dele, "está pedindo para ser molestado."

Ele torceu o nariz ao sentir as primeiras emanações da excitação dela. "De novo? No meio de uma caçada? Minha nossa, você vai me matar de tanto trepar."

Ela ficou vermelha e começou a mexer as mãos, inquieta. "Se você não quer me ver com tesão e incomodada, para de andar pelado por aí!"

Divertindo-se pelo fato de ela estar envergonhada, e ciente do efeito que seu corpo causava no dela, ele disse em um tom mais suave: "Eu não preciso de um guarda-costas, Vashti. Vai fazer suas coisas. Pode deixar que eu cuido das minhas".

"Até parece que é assim tão fácil. Aqueles filhos da puta estão atrás de você! Queriam deixar você em pedacinhos. Eu não vou deixar isso acontecer de novo. N-não posso deixar."

"Vash." Ele sentiu um nó na garganta quando olhou para o lindo rosto dela. "Gracinha..."

"Pode parar." Ela o encarou com firmeza. Tão forte e determinada, e ao mesmo tempo tão frágil. "Foi você que me pôs neste enrosco."

"Que enrosco?" Ele sabia, claro. Se o cenário fosse outro, estariam se beijando desesperadamente.

"*Este* enrosco!" Ela apontou para o espaço vazio entre os dois com as mãos. "Você e eu. Nós."

"Nós?"

"Você é o que agora, um papagaio? Sim, nós."

"Nós somos um enrosco?" Ele não conseguiu segurar o riso.

"Ontem à noite parecia que sim." Ela o mediu dos pés à cabeça e suspirou. "Mas agora está tudo bem. Quando você me diz para não me preocupar com você e fica mostrando o corpo para o mundo inteiro, eu me sinto bem melhor."

"O meu corpo é só seu, minha vampira maluca. Eu adoro você."

"Ela está vindo!", murmurou Vash, chegando mais perto para escondê-lo. "Se ela bater o olho onde não deve, eu vou ser obrigada a matá-la."

"Você tem um parafuso a menos, sabia? É clinicamente insana." E ele também era. Louco por ela. Ele mudou de forma de novo e se afastou.

Quando Himeko saiu em disparada da casa, o Alfa a orientou a rodear por um dos lados do quintal, enquanto ele seguia pelo outro. Elijah farejou o corpo de um cão enterrado a um canto, o que se confirmou com uma pequena lápide, mas fora isso não encontrou nada de mais. Himeko, no entanto, soltou um ganido e começou a escavar o chão.

Ele se juntou a ela, e os dois cavaram até encontrar uma camada de cal sob a terra. Mais ou menos um metro abaixo, descobriram os restos mortais de uma criança, identificável apenas pelo tamanho dos ossos. Eles saltaram para fora do buraco, horrorizados.

"Ah, não", Vash murmurou, levando a mão ao estômago ao sentir o cheiro que começou a se desprender depois da remoção da cal. "Malditos espectros."

Irracionais do caralho, Elijah pensou, desolado. A ocultação do cadáver era uma prova de inteligência fria e calculista. Ele olhou para Vashti, frustrado por não poderem conversar enquanto ele estivesse na forma de lobo, uma conexão que só seria possível caso ela fosse sua parceira de fato.

Vash se virou e falou sem erguer o tom de voz. "Syre. Raze. Mandem os licanos farejarem os quintais."

Ele notou um tremor na voz dela, e um tom de inquietação. Ela estava abalada por aquela descoberta, horrorizada. Ele foi até ela, esfregando-se de leve em seu quadril em um gesto de carinho.

Ela coçou suas orelhas de lobo, distraída. "Quantos espectros seriam necessários para eliminar um bairro inteiro? Quanto tempo terá demorado? Porque, se foi mais de uma ou duas horas, eles teriam que ser muito espertos para não serem pegos, e até hoje só vi um espectro com mais de um neurônio funcionando."

A voz de Raze praguejando do outro lado do bairro fez as orelhas do licano se eriçarem. "Achamos um corpo no quintal. Porra... é de uma criança."

"Aqui também", comunicou Syre. "Nem sinal da mãe, que era solteira, pelo que vi nas correspondências e nas fotos dentro da casa."

Elijah voltou à cova e começou a cavar mais fundo, rosnando para Vash quando ela fez menção de ajudá-lo. Ele não podia protegê-la de tudo, mas daquela tarefa pelo menos era capaz de poupá-la.

No fim, encontrou três corpos, todos de crianças.

"Onde estão os adultos?", Vashti questionou, seguindo-o até uma mangueira enrolada ali perto, que usou para lavá-lo.

A voz de Raze ressoou à distância. "Nada na casa ao lado. Nenhuma criança. Parece que eram dois homens. Nenhum corpo no quintal."

Elijah atravessou a casa e voltou para a rua. Ele já tinha tomado o rumo do imóvel vizinho quando Syre falou: "Notei um movimento em uma janela no meu setor. As cortinas estão fechadas, não consigo ver lá dentro."

Vash saiu correndo em disparada. "Já estou chegando aí."

Raze os encontrou na frente casa. Sem dizer nada, ele conduziu a equipe pelo portão lateral e eles entraram pelos fundos.

Observando tudo da calçada, Elijah olhou para as janelas do andar de cima e viu as cortinas balançarem de leve, como se tivessem sido atingidas por uma leve corrente de vento, mas não ouvia o som de um ar-condicionado nem de um ventilador. Também não era possível detectar passos nem o ruído de alguém respirando, o que despertou sua desconfiança. Com o que eles estariam lidando ali?

"Não estou gostando nada disso", murmurou Vash. "É melhor atraí-los para fora do que entrar. O problema é que, se incendiarmos a casa, os bombeiros vão aparecer, e nós não queremos o envolvimento dos mortais."

Syre observou a fachada da casa. "Minha equipe vai pelas janelas de cima. Seus licanos podem entrar pelo andar de baixo. Prontos?"

Com um aceno de cabeça, Vash saltou para a lateral da casa e a escalou como se fosse uma aranha. Syre fez o mesmo. Elijah se posicionou em um dos flancos. Luke no outro. Himeko permaneceu diante da porta da frente, enquanto Thomas fazia a retaguarda.

"No três", sussurrou Raze, lançando sua voz ao vento. "Um, dois..."

Elijah se arremessou na janela mais próxima, entrando na casa em meio a uma chuva de vidro. Ele mal notou que caiu em um pequeno escritório, pois logo em seguida se estabacou contra uma porta fechada, incapaz de se equilibrar sobre o carpete, coberto por uma substância viscosa. Enquanto se recuperava da trombada, ele percebeu o que estava sujando o chão — o resíduo preto e oleoso deixado quando os corpos dos espectros se decompunham.

O latido frenético de Himeko o fez voltar imediatamente à ação. Ele saiu às pressas para o corredor, desequilibrando-se e batendo contra a parede, abrindo um buraco no gesso, antes de enfim conseguir tração para correr no carpete pegajoso. Ele saltou para a sala de estar, onde encontrou Himeko e Thomas cobertos de espectros. Com um rugido furioso, ele entrou na luta, mordendo o pescoço de um espectro, quebrando-o e lançando o corpo à distância como se fosse um boneco de pano.

O som repetitivo do pente de uma pistola sendo descarregado reverberou pela sala enquanto um dos vampiros disparava contra os corpos contorcidos espalhados pelos cantos. Raze tinha entrado por uma porta corrediça de vidro e agarrava os espectros pelos cabelos, decepando-os com sua espada. Elijah foi atingido na lateral do corpo, e sentiu quando um par de presas se encravou em seu flanco. Rosnando, ele escoiceou com as patas traseiras, enfiando as garras na coxa do agressor. O espectro perdeu o equilíbrio e caiu. Elijah se virou e se preparou para o contragolpe, mirando na âncora naval que adornava a pele branquíssima sobre o coração do espectro...

"*Vashti!*"

O grito de Syre penetrou os ouvidos de Elijah como uma bala de prata. Abandonando seu agressor, ele disparou escada acima. Ao chegar ao segundo andar, deu de cara com uma parede de espectros, uma massa compacta de corpos aglomerados em um espaço confinado. O brilho reluzente de uma espada atraiu seu olhar para o teto, onde Vash estava pendurada, segurando-se com apenas uma das mãos. Com o braço livre, ela usava sua katana para arrancar as mãos que tentavam puxá-la para baixo.

O medo fez com que ele ficasse ainda mais energizado, saltando sobre ombros e cabeças para chegar até ela.

"Calma aí, Alfa", resmungou uma voz. Sua perna traseira ficou presa em um apertão poderosíssimo, e ele foi arrancado do quarto com o estalo aterrorizante de um osso sendo quebrado.

Elijah uivou ao ser dominado por uma dor dilacerante, e sentiu um frio na barriga quando viu a porta ser fechada diante de si, impossibilitando-o de sair em socorro de Vash. Contemplando o membro contorcido em um ângulo impossível, ele encarou quem o havia agredido. Ela tirou de cima do rosto as mechas de cabelo ruivo e pôs a mão sobre a cintura coberta pelas roupas pretas. Por uma fração de segundo, Elijah imaginou ter visto Vashti. Mas logo as diferenças foram se tornando nítidas em meio à névoa de dor. Aquela mulher era magra demais. Suas feições eram menos refinadas e seus olhos ostentavam um brilho enlouquecido e doentio.

Ela sacou uma arma do coldre amarrado na calça e sorriu, revelando as presas mortais. "Adeus, garanhão", ela ironizou.

A porta se arrebentou atrás dela, e uma tábua de compensado acertou a vampira nas costas. A pistola disparou, lançando uma bala perdida. Vash saltou pelo vão da porta destruída ao mesmo tempo que Elijah atava sua sósia, mordendo-a no braço e quebrando ossos com suas mandíbulas, obrigando-a a largar a arma.

Vash deu um pontapé no espectro que entrou logo atrás dela antes de agarrar a vampira pelos cabelos e obrigá-la a ficar de pé. Houve um instante de silêncio aterrorizante quando as duas se encararam.

"Quem é você?", perguntou Vash.

Aos risos, a vampira se agachou e saltou pela janela, deixando Vash com um punhado de cabelos na mão, arrancados pela raiz. Elijah saltou atrás dela, ganindo ao aterrissar sobre a pata quebrada no gramado lá embaixo. Ele a perseguiu usando apenas três pernas, e quase a pegou pelo tornozelo momentos antes de ela pular a cerca de dois metros e meio que contornava o quintal.

Mais tiros foram disparados. Ele ouviu um grito vindo de um telhado — um dos vampiros atiradores se juntou a ele na perseguição.

Incapaz de saltar a cerca na condição em que estava, Elijah arremessou-se de encontro à estrutura de madeira e assim passou para o quintal da casa aos fundos. À distância, ele ouviu Vashti gritando atrás dele, mas não se deteve nem olhou para trás, impulsionado pela lembrança dos pequenos ossos infantis com marcas de presas.

A vampira pulou um portão lateral para chegar ao jardim da frente, e Elijah arrebentou mais esse obstáculo, aproximando-se de tal forma que conseguia quase sentir o gosto dela. Sua boca estava aberta, com os dentes escancarados. Muito, muito perto...

Ela deu mais um salto e aterrissou na caçamba de uma picape estacionada no meio-fio. O veículo arrancou, cantando os pneus, deixando Elijah em meio a uma nuvem acre de fumaça de borracha queimada. De sua posição no telhado, Crash continuava atirando, e estilhaçou o para-brisa com uma rajada de balas. A vampira se agarrou ao santantônio e se abaixou, ainda aos risos.

Elijah continuou sua perseguição, apesar da dose extra de dor proporcionada pelo impacto do piso de concreto em vez da grama. O motorista diminui para fazer a curva no fim da rua, e o licano apelou para suas últimas energias a fim de aumentar um pouco mais sua velocidade.

O veículo explodiu.

O deslocamento de ar foi tão violento que o arremessou para trás. Elijah saiu rolando pelo jardim, uivando de raiva, com os ouvidos zunindo. Vashti deslizou de joelhos pelo gramado e o segurou nos braços.

"Quê...? O que aconteceu?"

Syre olhava fixamente para o lacaio que se debatia no chão viscoso da sala de estar. Ao redor dele, os espectros que sobreviveram à batalha estavam presos ao chão por adagas de prata cravadas nas palmas das mãos. Não pareciam nem um pouco lúcidos. Sibilando e rosnando, contorciam-se com todas as forças para tentar se libertar.

Vashti apareceu pela porta de vidro quebrada, amparando o Alfa, que vinha mancando logo ao lado, já em sua forma humana e devidamente vestido com seu jeans.

De repente Elijah se deteve, fazendo Vash se desequilibrar e soltar um palavrão. Ele apontou para o lacaio confuso, mas ainda saudável. "Aquele filho da puta me mordeu. Quando era um espectro."

"Quem são vocês?", perguntou o lacaio. "Onde estão as minhas roupas?"

Vashti deu uma olhada para Syre antes de sentar Elijah em uma poltrona.

"Minha cabeça vai explodir se ninguém me explicar de uma vez por todas o que está acontecendo aqui!"

"Onde estão Raze e Crash?", Syre quis saber, reagrupando mentalmente sua equipe.

"Apagando o incêndio de um carro lá na esquina antes que uma multidão de curiosos apareça." Ela se endireitou. "Porra. Eu queria aquela piranha ainda viva."

Ele ergueu as sobrancelhas em um questionamento silencioso.

"A vampira que matou a mãe de Lindsay", explicou Elijah. Ele olhou para Vash. "Não tem como a aparência dela não ter sido deliberadamente inspirada na sua."

"Não mesmo", ela constatou. "Deu para ver as raízes dela."

"Como é?"

"Os cabelos dela eram castanhos. Deu para reparar quando arranquei um chumaço da cabeça dela. E tenho certeza de que aqueles peitos eram de silicone. Eram redondos demais para serem naturais."

Inquieto, Syre começou a andar de um lado para o outro, um hábito normalmente restrito a Vashti. *O sangue que você mandou proporcionou grandes descobertas*, foram as palavras de Grace. *Eu o misturei com amostras infectadas e houve um breve período de reversão.*

O sangue de Adrian, filtrado por Lindsay e injetado em Elijah, que havia sido mordido.

Ele apontou para o homem que chorava no chão como uma criança. "Aquele lacaio era um espectro?"

"Quando me mordeu, sim", confirmou o Alfa. "Eu me lembro dessa tatuagem de âncora. Estava prestes a arrancar da pele dele com os dentes."

"Eu também me lembro de ter visto essa tatuagem", disse Raze, que havia entrado pela porta da frente. "Em uma foto emoldurada em uma das casas que revistamos."

"Que maravilha." Vash estava olhando para os espectros. "Esses são os moradores? Minha nossa... eles devoraram os próprios filhos?"

O lacaio começou a gritar e arrancar os cabelos. Syre o fez perder a consciência com um murro na têmpora.

"Vocês estão com um problemão do caralho nas mãos", disse Elijah. "Aquela imitadora de Vashti era uma de vocês, e sabia muito bem da existência desses espectros. Era uma louca varrida, mas mesmo assim... Ela vinha caçando humanos por esporte fazia um tempão. Duvido que a mãe de Lindsay tenha sido a primeira ou a última."

"*Syre.*"

Todas as cabeças se viraram para Lyric, que vinha descendo do andar de cima. "Tem uma dúzia de espectros lá em cima que estão há tanto tempo sem se alimentar que não conseguem mais nem piscar os olhos."

"Era ela que estava alimentando todos eles", disse Vashti. "Ela os infectou, e depois os fez devorar os próprios filhos. Por quê?"

"E tem mais", continuou Lyric. "Mas é melhor que vocês vejam com os próprios olhos."

Syre fez um gesto para que Vashti subisse na frente. Eles chegaram rapidamente ao pavimento superior, desviando-se de poças de uma substância parecida com piche, que marcava o lugar onde os espectros tinham morrido. Lyric os conduziu até um quarto no fim do corredor, a suíte principal, que estava toda revirada. A mobília estava toda acumulada em um canto, a fim de abrir espaço para mesas e cadeiras. Na parede estava documentado o progresso do vírus nas setenta e duas horas anteriores. Rádios portáteis estavam descansando nas bases, recarregando as baterias. Havia sacolas de lona e uma maleta encostadas na porta fechada do armário.

"Ali." Lyric apontou para a maleta aberta. Entre as roupas reviradas, estava um crachá.

Syre se agachou e apanhou o cartão plástico retangular, reconhecendo imediatamente o rosto na fotografia. Seu sangue gelou ao passar o polegar por cima do logotipo alado da MITCHELL AERONÁUTICA.

"O que é isso?", Vash perguntou atrás dele.

Ele entregou o crachá por cima do ombro e começou a revirar o restante do conteúdo da maleta.

"Phineas", ela disse baixinho. "Mas ele está morto."

"Está mesmo?"

Aquela bagagem certamente pertencia ao segundo na linha de comando de Adrian, o que podia ser comprovado pelos itens ali guardados, que incluía duas penas caídas. Syre examinou os filamentos azul-turquesa, que lembravam os das asas que ele mesmo ostentou um dia. As asas dos anjos tinham colorações únicas, e não restavam dúvidas de que aquelas penas pertenciam a Phineas.

A voz de Elijah quebrou o silêncio que pesava sobre o ambiente. "Eles eram cobaias", afirmou o licano, lendo o que estava escrito na parede. "Eram divididos por peso e gênero, e também pelas letras A, B e C."

"Vejam só." Raze entrou na sala com o que parecia ser um estojo de maquiagem na mão. Ele o pôs sobre a mesa e abriu, revelando uma enorme variedade de frascos.

"Precisamos mandar isso para Grace", comentou Vash.

Syre ficou de pé. "E Grace precisa de ajuda."

Vash caminhou até Elijah e entregou a ele o crachá de Phineas. "Raze conhece uma cientista em Chicago. Aposto que ela consegue nos indicar os melhores do ramo."

"Não adianta ir atrás dela", garantiu Raze. "É mais uma que eu comi e depois nunca mais quis saber. Duvido que ela vá receber de braços abertos um pedido de ajuda da minha parte. Isso seria... esquisito demais."

Syre não quis se aprofundar a respeito de mais uma das histórias de galinhagem de Raze. Em vez disso, deu uma ordem direta. "Vê se usa o seu pau para alguma coisa que presta. Você sabe muito bem como fazê-la dizer tudo o que precisamos."

"Precisamos de alguma outra solução", insistiu o capitão. "Nós podemos convocar os lacaios. Com certeza entre eles vai ter alguém que pode ser útil."

Apesar de ter notado toda a ênfase dos protestos de Raze, Syre por ora preferiu não investigar o motivo de tanta relutância. "Nós não temos tempo de tomar medidas que não sabemos se darão resultados, e uma recomendação de alguém que você conhece intimamente é muito melhor que uma busca no Google. Trate de providenciar isso."

Um músculo começou a pulsar espasmodicamente no maxilar de Raze. "Sim, comandante."

"Phineas", Elijah disse baixinho, com a atenção voltada para o crachá. Ele ergueu a cabeça e esquadrinhou o quarto, estreitando os olhos. "Qual era a daquela vampira? Mortais, vampiros, Sentinelas... ela não tem medo de mexer com ninguém."

Syre cruzou os braços. "Quais são as chances de Phineas não estar morto?"

Elijah soltou uma risada nervosa. "Sem chance. Ele e Adrian eram unha e carne." Ele olhou para a maleta no chão. "Phineas estava voltando de uma viagem ao posto de comando do Lago Navajo. Parou em Hurricane, em Utah, para alimentar os licanos e caiu em uma emboscada em um ninho de espectros. Quem quer que fosse aquela sósia de Vashti, ela deve ter tido participação nessa história também. E, depois que Phineas morreu, ela ficou com as coisas dele."

"Talvez. Mas a esta altura não podemos descartar nada."

"Sei." O olhar do Alfa era implacável. "Porque é muito mais lógico que Sentinelas e vampiros estejam trabalhando juntos por baixo dos panos do que acreditar que se trata de um grupo de lacaios fora de controle."

Syre deu razão a ele nesse ponto. A maioria dos lacaios acabava sucumbindo à loucura — os mortais não tinham sido feitos para viver sem alma.

Um grito pavoroso e inumano interrompeu a conversa. Todos desceram correndo, e chegaram ao andar de baixo bem no momento em que os tiros começaram a reverberar pela casa.

Crash estava de pé sobre o corpo caído do espectro que tinha virado lacaio. Em uma das mãos segurava a arma — a outra estava sobre um ferimento no bíceps do braço oposto. "Ele enlouqueceu e me atacou."

Depois de um breve período de recuperação, o lacaio estava morto, estendido no chão, com as feições mais uma vez retorcidas na expressão de sofrimento de um espectro. Ele se desintegrou em uma gosma preta às vistas de todos.

Syre se enfureceu, e sua sede de sangue se acentuou. Estava claro por que Adrian havia arriscado a vida de Lindsay daquela maneira — ele não poderia fornecer uma gota que fosse do próprio sangue, já que havia evidências de que era um elemento capaz de fornecer uma cura para o Vírus Espectral.

O líder dos vampiros olhou para o Alfa. Lindsay era a chave para manipular Adrian, Elijah era a chave para manipular Lindsay, e Vashti era a chave para manipular Elijah. Os meios necessários para salvar seu povo estavam a seu alcance, e ele não teria o menor pudor de usá-los.

18

Adrian desceu primeiro de seu jatinho particular e estendeu a mão para ajudar Lindsay a se equilibrar nos degraus estreitos.

"Uau", ela comentou. "Está mesmo muito mais frio aqui em Ontario."

Em pouco tempo ela não repararia mais nesse tipo de coisa. A cada dia o vampirismo se impregnava mais em seu sangue, e não havia uma manhã em que ela não agradecesse por sua alma ainda estar intacta. Ao que parecia, o sacrifício da alma de Shadoe tinha sido suficiente, o que em teoria salvou Lindsay da maldição dos Caídos. Apesar de ter dúvidas a respeito da atenção do Criador para com ele, Adrian também se sentia grato pelo milagre ocorrido com ela.

Com uma das mãos nas costas dela, ele a conduziu até o hangar da Mitchell Aeronáutica que Siobhán vinha usando como base. Eles passaram pelas enormes portas de entrada e se encaminharam para as escadas que levavam às instalações subterrâneas. O silêncio que os acompanhou na visita era algo muito diferente da balbúrdia que Adrian encontrou em sua primeira visita. Naquela ocasião, os gritos dos lacaios infectados enlouquecidos eram quase ensurdecedores, e ele mandou instalar isolamento acústico nas celas, para preservar a sanidade dos Sentinelas que trabalhavam por lá.

"Capitão."

Ele parou e se voltou para uma porta aberta pela qual havia acabado de passar. "Siobhán. Que bom ver você."

A morena baixinha apareceu oferecendo um sorriso para Lindsay e um aceno para ele, mas na verdade só tinha olhos para a caixa térmica na mão de Adrian. "O que você me trouxe?"

"O que você me pediu." Ele entregou o material para ela.

"Venham comigo", ela chamou, passando uma das mãos pelos cabelos, que estavam molhados e cheirosos, como se ela tivesse acabado de sair do chuveiro. Ela vestia sua calça camuflada de sempre, combinada com coturnos e uma camiseta preta lisa. O traje austero, porém, não afetava sua aparência enganosamente delicada, uma armadilha que já havia feito um número incontável de vítimas.

Adrian seguiu as duas pelo corredor até um laboratório equipado com os melhores equipamentos que sua considerável fortuna podia comprar. Congeladores e refrigeradores com porta de vidro cobriam as paredes, enquanto microscópios, tablets e laptops dominavam as bancadas revestidas em metal mais ao centro.

Siobhán abriu espaço na mesa mais próxima empurrando tudo para um canto e pôs a caixa térmica em cima. Ela sorriu ao abri-la e ler o nome escrito na bolsa de sangue. "Queria estar lá para ver a cara de Raguel. E você conseguiu uma amostra de Vashti também! Você precisa me contar como fez isso."

"Claro, mas eu espero que você também tenha informações para compartilhar comigo." Adrian puxou um banquinho de metal para Lindsay e se manteve de pé ao lado dela. "Onde está todo mundo?"

"O pessoal está na enfermaria, ou então em pesquisa de campo." A Sentinela caminhou até o refrigerador mais próximo e guardou as duas bolsas. "Eu queria ter um pouco mais de privacidade quando relatasse as minhas novas descobertas."

"Ah, é?"

Lindsay estendeu a mão e enlaçou os dedos com os de Adrian.

Siobhán voltou e apoiou o quadril na ponta da mesa. Estava vermelha, com os olhos brilhando. Ele nunca a tinha visto tão... feliz. "Fiz uma série de testes com as amostras que recebi nos últimos dias. O sangue de licano, na maior parte das vezes, não deu resultado."

"Na maior parte das vezes?"

"Houve uma amostra anômala. Quando submetida a teste, causou uma reação violenta. O vírus se tornou instável em pouquíssimo tempo. Se eu estivesse fazendo o teste em uma cobaia viva, ela teria falecido."

"Que amostra foi essa?"

"A do Alfa."

Lindsay apertou a mão dele com força. "Elijah? Por quê?"

"Vou ter que fazer mais alguns testes para ter certeza, mas acho que a razão para isso é que o vírus foi criado com o sangue dele, ou então com um sangue de uma composição bem similar. Estou tentando determinar se Elijah tem uma anomalia genética específica ou se é um traço comum a todos os Alfas." Siobhán cruzou os braços. "Infelizmente, não estou conseguindo entrar em contato com Reese para conseguir mais amostras."

Adrian tentou se lembrar da última vez que teve notícias de Reese, o Sentinela responsável pelos Alfas. Os licanos dominantes eram segregados dos demais para impedir rebeliões, e eram usados para missões em que era preciso se valer do fator surpresa, nas quais os lobos solitários representavam a melhor possibilidade de ataque. "Faz três meses que não falo com ele, mas também não recebi nenhum relatório indicando problemas."

"Você verifica esses relatórios pessoalmente?"

"Não, essa função é do meu tenente."

"Então ficava a cargo de Phineas, e depois de Jason, e agora de Damien, certo?"

"Isso mesmo."

Ela balançou a cabeça. "Acho melhor falar pessoalmente com Reese, capitão. Um doador não seria suficiente para uma epidemia desse tamanho, a não ser que a proteína identificada tenha sido sintetizada. Seria preciso muito sangue de Alfa para fazer isso. Estou falando de litros e mais litros e um período considerável de pesquisa e desenvolvimento."

"Não entendi", disse Lindsay. "Se existem marcadores genéticos que identificam os Alfas, então por que Elijah foi posto em observação? Se um simples exame de sangue esclarecia a questão, não poderia haver dúvidas sobre quem ele era."

"Isso tudo é novidade para mim", Adrian respondeu baixinho, enquanto seus pensamentos mergulhavam em um turbilhão. Como alguma coisa tão importante foi omitida de seu conhecimento por tanto tampo? Ele temia que isso fosse impossível, o que o levou a ideias ainda mais inconcebíveis. Lindsay tinha sido levada da Morada dos Anjos por uma criatura alada até Syre, que a submeteu à Transformação. Desde esse incidente, ele tinha ciência de que um de seus Sentinelas podia ser um traidor, mas... O que estava sendo especulado ali era uma conspiração com desdobramentos gravíssimos. "Você já esteve no Alasca, *neshama*?"

"Não."

"Bom, a partir de amanhã você não vai poder dizer mais isso."

"Capitão?"

Ele olhou para Siobhán. "Sim?"

"Tem mais uma coisa." Ela respirou fundo. "Eu me apaixonei por um vampiro."

Quando a porta do quarto do hotel se fechou atrás dos dois, Vash jogou a mochila na cama e lançou um olhar preocupado para a perna de Elijah. "Já está melhorando?"

"Eu estou bem." Ele abriu um meio sorriso, de cortar o coração. "Pronto para outra."

Ela balançou a cabeça afirmativamente, mas estava sentindo um nó no estômago. Como a maioria dos licanos, ele detestava voar, e esse desconforto ficou incomodamente visível para ela durante a não muito longa duração do voo até a Virginia Ocidental. Ela mal prestou atenção à paisagem da cidade de Huntington enquanto dirigia até o local onde iriam se hospedar. Seus pensamentos estavam voltados para os acontecimentos do dia, principalmente para o fato recém-descoberto de que sua tranquilidade tinha passado a depender do bem-estar de Elijah. A partir do momento em que ela decidiu assumir sua relação com ele, tudo mudou. Ela passou a ter algo a perder, alguém cuja ausência não suportaria. O que estava crescendo entre eles era recente demais, raro demais e precioso demais, com infinitas possibilidades. Os desafios, as alegrias...

"Vashti." Ele foi até ela, acariciou seus cabelos e segurou sua cabeça entre as mãos. "Foi só uma perna quebrada. Acontece."

Ela o segurou pelo cinto e puxou mais para perto. "Quando você foi arrastado para aquele quarto e a porta se fechou... Eu entrei em pânico. Nunca tinha sentido nada desse tipo em toda a minha vida. Um terror absoluto. Tive que abrir caminho à força até lá, e cada segundo parecia uma hora. Depois que consegui entrar, quando vi aquela arma na mão dela, fiquei paralisada... Eu não conseguia nem pensar..."

"Shh..." Ele deu um beijo na testa dela. "Está tudo bem."

"Não, não está tudo bem porra nenhuma. Eu não quero me sentir assim. Eu não aguento."

"Verdade. É uma sensação assustadora."

"Você não parece estar nem um pouco assustado", acusou ela. "Pelo menos não age como se estivesse."

"Eu me esforço para manter isso sob controle." A voz dele era grave e tranquilizadora. "Eu sabia o que você é... quem você é... quando concordei em ficarmos juntos. Se eu impedir você de fazer as coisas a que está acostumada para manter sua segurança, nossa relação nunca vai dar certo. E, como eu não consigo nem cogitar essa hipótese, estou tentando me segurar da melhor maneira possível."

O fato de as palavras dele refletirem os sentimentos dela era um alento, mas não uma resposta aceitável. Não amenizava a dor que havia se instalado em seu peito. "Eu não sou tão forte quanto você. Não quero que você suma da minha vista."

Elijah a acariciou, e ela se aninhou junto a ele, sentindo os joelhos amolecerem. "Porque da última vez que isso aconteceu você acabou perdendo alguém que amava. Eu imagino como deve ser difícil pensar que isso pode acontecer de novo."

"Mas não era para acontecer. Eu não deveria me sentir assim nunca mais. Já tive a minha chance com Char. É o tipo de coisa que não se repete."

Elijah se afastou e a encarou com seus olhos verdes de caçador. Incisivos e implacáveis. "O que não era para acontecer?"

"Você. Isso tudo. Nós." Ela fechou os olhos com força para não ter que o encarar. Havia um nó poderoso instalado em seu estômago. A ansiedade estava acabando com ela. "Puta merda. Por que só o sexo não pode ser suficiente? Por que é preciso ter mais tanta coisa envolvida?"

Ele inclinou a cabeça e colou os lábios nos dela. Vash enfiou as mãos por baixo da camisa dele para sentir sua pele quente e macia e cravou as unhas nos músculos ao redor de sua coluna, puxando-o com força para junto de si, para que entre eles não restasse nada além das roupas.

A risada dele reverberou contra os seios sensíveis dela. "Você definitivamente quer me matar de tanto trepar."

"Eu quero você", ela murmurou enquanto o beijava no queixo e no pescoço.

"Ótimo."

Ela levantou a camisa dele e enterrou a cabeça nos pelos de seu peito, inspirando o cheiro de sua pele. Com a língua, ela provocou um mamilo, atiçando-o com lambidas rápidas.

"Porra, como isso é bom", ele disse com a voz rouca, erguendo os braços para tirar a camisa.

Ficando de joelhos, ela abriu a braguilha da calça dele com dedos apressados.

"Ei." Ele jogou a camisa de lado. "Por que a pressa?"

Ela foi enfiando a mão por baixo de suas calças, mas ele a deteve, segurando-a pelo queixo e obrigando-a a encará-lo.

"Vashti." A preocupação estava estampada nos olhos dele. "Fala comigo."

"Eu não quero falar. Quero você."

Ele se deitou ao lado de Vash no chão, afastando os cabelos que haviam caído sobre o rosto dela. "Nós ainda vamos enfrentar muitas vezes esse tipo de situação. É parte da nossa natureza."

"Para você é fácil falar." Ela bateu na mão dele. "As chances de eu morrer são quase nulas. Mas você, a cada minuto que passa, está mais próximo da morte."

"Ah." Elijah se sentou sobre os calcanhares, ignorando completamente a tentação sexual que sua imagem representava — sem camisa, com o botão da calça aberta o suficiente apenas para expor a linha estreita e sedosa de pelos que indicava lugares deliciosos logo abaixo. Tão vivo e tão viril. Uma força da natureza. Seus dias no mundo, porém, eram finitos. "Entendi."

"Acho que não. Entendeu mesmo?"

Ele pôs as mãos sobre os joelhos e soltou o ar com força. "Licanos que têm parceiros vivem mais."

“Quê? O que foi que você disse?”

“Você me ouviu. E me ama. Tanto que isso está deixando você mais maluca do que já é.”

Ela o encarou, ficou de pé e tentou se recompor com o máximo de dignidade possível. Eles não teriam aquela conversa. Jamais. A perspectiva já era ruim o suficiente sem que dissessem nada. “Vai tomar aquele banho que você queria.”

Ele se levantou, agarrando-a pelo pulso quando passou a seu lado. “O prazer é todo meu.”

“Não vai se empolgando muito. Nem sei se este lugar tem água quente.”

“O meu prazer é por você me amar”, ele esclareceu.

“Quando foi que eu disse isso?”

“Tudo bem, então.” Ele passou o dedo sobre o pulso acelerado dela. “Eu também não vou dizer. Mas nem por isso deixa de ser verdade.”

A dor aguda que sentiu no peito a fez cambalear de volta até a cama. Ela se sentou de maneira desajeitada, encarando o televisor desligado.

“Vai tomar seu banho”, ela repetiu.

“Você vem comigo?”

Ela sacudiu a cabeça, imaginando como seria experimentar uma perda como aquela pela segunda vez. Sofrer de novo aquela dor debilitante, devastadora. Ela estava impressionada inclusive por equiparar os dois homens que amou — um que havia passado centenas de anos a seu lado e o outro que ela conhecia fazia poucos dias. Como explicar aquele sentimento? E, à medida que o tempo passasse, para piorar, sua afeição por Elijah cresceria até o ponto em que ela não conseguiria nem respirar sem ele a seu lado.

Ele pegou a mão dela e levou aos lábios, beijando-a de leve nos dedos, e a soltou. Um instante depois, ela ouviu a água escorrer do chuveiro. Logo em seguida, notou que ele estava cantando.

A dor no peito de Vash se transformou em um doce desejo. Ele tinha uma bela voz de tenor, e a canção que escolheu, que ela não conhecia, mostrava bem isso. Mesmo que ele fosse terrivelmente desafinado, ela não ligaria. Não era o talento dele que a seduzia, e sim a intimidade de um momento como aquele. A oportunidade de vê-lo por inteiro, sem restrições.

Como um parceiro. Vash sacudiu a cabeça. Aquela palavra não significava a mesma coisa para vampiros e licanos. Quando Charron morreu, ela seguiu vivendo. Indiscutivelmente marcada pela perda, mas ainda assim capaz de seguir em frente. Quando Elijah elegesse sua parceira, ele morreria com ela. Não teria como sobreviver à sua perda.

Ela ainda estava pensando nisso quando ele saiu do banheiro, sem roupa e todo molhado. Elijah sacudiu os cabelos, jogando água em cima dela e do restante do quarto inteiro.

"Ei", ela protestou. "Presta atenção aí, cachorrinho."

Ele a encarou ao passar por ela enquanto ia até a cômoda verificar se havia alguma ligação perdida no celular. "Você está prestando atenção em tudo por nós dois, gata. Está me secando, na verdade. Minha orelha está até quente."

"Espero que não seja só a orelha." Ela se espantou com o tom malicioso da própria voz. Era parte do efeito que ele causava sobre ela, obviamente. A mesma coisa que ela havia experimentado quando o viu sangrando e sem roupa em uma caverna em Utah, com seu corpo luxurioso ainda emanando uma ameaça iminente de violência.

Ela abriu o zíper do colete e afirmou em um tom possessivo: "Meu".

Ele se virou para ela, baixando os olhos para os seios expostos. Um rugido reverberante escapou de sua garganta. "Minha."

Ela o chamou dobrando o dedo indicador. Ele parou diante dela, posicionando-se entre suas pernas abertas, apontando o pau duro diretamente na direção dos olhos dela. Quando ele tentou pegá-la pelos ombros para deitá-la na cama, ela entrelaçou os dedos com os dele e o segurou, passando a língua por toda a extensão de sua ereção.

"Minha nossa..." Ele inclinou a cabeça para trás. "Eu sonho com essa sua língua desde a primeira noite em que vi você em Bryce Canyon."

Determinada a apagar a memória da última vez em que tomou a iniciativa, Vash soltou as mãos dele e começou a masturbá-lo. O ruído de prazer que ele soltou soou como música aos ouvidos dela. Quando

Elijah agarrou os cabelos dela com os dedos e começou e direcioná-la, ela permitiu, apreciando a confiança com que ele a encarregava de lhe dar o que queria à sua maneira. As coisas não costumavam ser assim com Char, que tinha uma postura mais reverente com relação a ela. Elijah era uma criatura muito mais mundana. Ele era um licano, uma fera com apetites elementares, e também um homem, capaz de entender a necessidade que sua mulher tinha de às vezes ceder o controle.

Ela estreitou os lábios e intensificou a sucção, sedenta de desejo e amor. O gosto dele — límpido, marcante e puramente masculino — subiu à cabeça dela. Abocanhando com vontade a cabeça do pau, ela gemeu ao sentir que ele estremeceu inteiro.

Ele prendeu a respiração, e suas pernas amoleceram. "Você chupa tão gostoso... Você é uma delícia..."

Ela ergueu a cabeça, tirou o pau ereto da boca e puxou para junto do colo. Vash fechou os braços, comprimindo-o no meio dos seios de que ele tanto gostava.

"Vashti." O olhar nos olhos dele foi a recompensa que ela queria, revelando ao mesmo tempo um desejo feroz e uma intimidade total. "Assim você acaba comigo."

"Sua", ela disse baixinho, lambendo os lábios enquanto ele a segurava pelos ombros para não perder a posição. Ele começou a mexer os quadris de leve, com um ritmo lento e oscilante.

"Que linda", ele falou com a voz rouca. "Você é linda demais."

Dobrando os joelhos, ele apertou o passo, ofegante. Seus olhos estavam brilhantes e febris, e a pele, vermelha e coberta de suor.

Ela sentiu quando ele ficou todo tenso, observando as contrações em seu abdome a cada investida com os quadris. Ele estava quase lá, ela era capaz de sentir.

"Já chega." Ele a virou na cama com uma notável economia de gestos, fazendo-a se deitar de bruços e abaixando as calças dela. Segurando-a de leve pelos cabelos, ele a penetrou, deslizando suavemente por entre os tecidos inchados do ventre da vampira.

Ela fechou os olhos com um gemido de deleite. Vash se perdeu em uma névoa de prazer, na beleza simples do ritmo constante e sem pressa de Elijah. Lento e tranquilo. Movendo os quadris com uma habilidade e tranquilidade de tirar o fôlego. Na medida exata para dominá-la, sabendo o quanto entrar, o quanto tirar, quanta pressão exercer quando se apoiava sobre ela. Ela sentiu os olhos arderem diante da pureza daquela conexão entre eles, erótica e terna ao mesmo tempo. Inacreditavelmente íntima.

Ele terminou de arrancar o colete dela e murmurou em sua orelha. "Um dia, quando você estiver pronta, vou montar em você assim, fazer você arquear o pescoço para mim e marcar você com os meus dentes. Foder você. Fazer de você minha parceira. Aí você vai ser minha, Vashti. Por inteiro. Cada centímetro luxurioso, teimoso e delicioso de você. *Minha*."

Ela estremeceu em um gozo devastador, guardando aquela promessa no coração. Por mais impossível que parecesse. Assim como o fato de ele ser dela.

Elijah acordou de um sono profundo e reparador em um momento de inquietação, sentando-se na cama com um pulo e saltando sobre o chão já transformado em lobo. Ele se virou, rosnando, procurando pela ameaça que havia despertado sua fera interior. O gemido de Vashti na cama o deixou paralisado, imóvel como uma pedra de gelo.

"Não!" Ela prendeu a respiração, e seu corpo inteiro se contorceu com o pesadelo. "Por favor. Para..."

Ah, nossa. Ele soltou um ganido, sentindo suas entranhas se revirarem. Concentrando-se nos próprios batimentos cardíacos, ele tentou se acalmar, forçando sua mente a raciocinar com frieza para que pudesse mudar de forma e acordá-la sem sobressaltos. Para poder abraçá-la e confortá-la.

Os poucos momentos de que ele precisou para se controlar pareceram vários dias. Vashti se debatia sem roupa na cama, revolvendo seu corpo delicioso em lembranças dolorosas, e ele não tinha como enfrentar os demônios que atormentavam sua alma. Não havia como vingá-la. Pelo menos por ora.

Assim que mudou de forma, ele pulou na cama e a abraçou, segurando-a com força enquanto ela tentava se livrar do pesadelo.

"Vashti", ele chamou com a voz áspera, sentindo a garganta apertada pela raiva e agonia. "Volta para mim, gracinha. Acorda."

Ela se aninhou no peito dele, suando frio. "Elijah."

"Eu estou aqui. Você está segura."

Estremecendo violentamente, ela enterrou o nariz gelado na pele dele. "Puta merda."

"Shh..." Ele a embalou, beijando-a no topo da cabeça. "Está tudo bem. Já acabou."

"Não." Ela sacudiu a cabeça, e cravou as unhas nas costas dele. "Eu não consigo nem dormir, porra. Só o que eu queria era poder deitar do seu lado enquanto você descansa, poder me aninhar gostoso e sonhar com você. Aqueles filhos da puta tiraram isso de mim."

Inclinando a cabeça para poder olhar no rosto dela, que estava coberto de lágrimas, Elijah afastou os cabelos úmidos grudados na testa e nas bochechas de Vash e observou suas feições atormentadas. Ver uma mulher tão poderosa transformada em uma criaturinha assustada era de cortar o coração, e ao mesmo tempo motivo para liberar uma fúria mortal. Contra ameaças externas ele era capaz de protegê-la, e faria isso, mas seus traumas interiores eram algo que só se tornaria acessível caso ela permitisse. "Mas não para sempre. Quando você for minha parceira..."

"Isso não vai acontecer, caralho!" Vash se debateu violentamente para se livrar dos braços dele, como um animal selvagem, e ele a soltou para que ela não acabasse se machucando. "Eu não posso procriar, Elijah. Nunca vou ter os cachorrinhos com presas pontudas que você quer encontrar quando chegar em casa depois de passar o dia mandando em uma matilha de licanos que só pensa em me matar."

"E eu não vou viver para sempre", ele rebateu. "Nós não somos perfeitos, mas podemos fazer muito bem um para o outro. De jeito nenhum vou ficar vendo você sofrer sendo que eu posso ajudar."

"Você não pode fazer nada para me ajudar! Isso foi há muito tempo."

"Mas na sua cabeça, não. Nos seus sonhos, não. Quando nós formos parceiros..." Ele ergueu a mão antes que ela o interrompesse. "Fica quieta e me escuta. Quando nós formos parceiros, eu vou poder tomar parte dos seus sonhos. Vou poder combater os demônios que atormentam você. Nós vamos poder conversar e compartilhar as coisas sem trocar uma palavra."

Ela arregalou os olhos, horrorizada. "Eu não quero você dentro da minha cabeça."

"Você não teve nenhum pudor em invadir a minha."

"É diferente. Nós estávamos transando. Eu queria que você se sentisse bem."

"O mesmo vale para você, gracinha." Ele cerrou os dentes. "Você precisa de mim dentro da sua cabeça. E é lá que *eu* preciso estar. Ver você sofrer desse jeito está acabando comigo. Farejar esse seu medo."

"Eu só preciso me manter acordada." Vash começou a andar de um lado para o outro, com os longos cabelos revoando sobre o corpo nu. "Eu não preciso dormir como você. Posso muito bem passar sem isso."

"Que papo-furado." Ele se levantou. "O seu corpo pode até não precisar dormir, mas a sua mente precisa. E o seu coração também."

"Você não sabe o que eles fizeram comigo", ela deixou escapar. "E eu não quero que você saiba. Você não vai descobrir. Eu não vou deixar."

Elijah cruzou os braços. "Então tenta me impedir."

"Não preciso fazer isso. Nós podemos chegar a um acordo."

"Sem chance, gracinha. Você acha que existe alguma coisa, *qualquer coisa*, que seria capaz de me fazer desistir de você? Está achando que eu estou procurando uma última saída antes que seja tarde demais para voltar atrás? Eu não sei o que eles fizeram com você, é verdade. Mas tenho uma ideia, e também uma imaginação totalmente pervertida. Existe a chance de eu produzir na minha cabeça uma imagem ainda pior que a realidade, mas isso não faz diferença. Não vai mudar o que eu sinto por você. Nada é capaz de mudar isso."

"Você não tem como saber." Ela agarrou os cabelos com as duas mãos. "E eu não vou me arriscar a deixar você descobrir da pior maneira."

Ele a segurou quando ela passou à sua frente de novo, e a obrigou a encará-lo. "A única coisa capaz de nos separar é a infidelidade. Nesse caso, não precisa nem se preocupar em viver sem mim, porque nós dois vamos estar mortos."

Vash ficou olhando fixamente para ele por um momento, e sorriu com o canto da boca. "E você vem me dizer que a maluca sou eu?"

"Eu vou fazer você feliz." Ele a puxou para perto. A pedra de gelo que parecia estar instalada em seu estômago se desfez quando os braços delgados dela o enlaçaram. "Quer você queira ou não. Pode resistir à vontade."

"Ah, e eu vou resistir, sim", ela prometeu, já sem tanta turbulência a obscurecer seus olhos. "É assim mesmo que eu sou."

Ele a beijou na testa. "E eu não ia querer você de nenhum outro jeito."

19

“Não se afasta de mim”, Elijah disse para Vashti quando ela desceu do assento do passageiro do carro alugado, esquadrinhando com seus olhos bem treinados o portão gigantesco de metal na entrada do posto de comando de Huntington. “Eles vão saber que você é minha assim que sentirem seu cheiro. Vou ficar surpreso se você não sofrer pelo menos um ataque por aqui. Principalmente da parte de quem estiver tomando conta do lugar desde a rebelião.”

Ela escondeu os olhos cor de âmbar atrás dos óculos escuros e colocou o capuz. “Pode deixar que cuido da sua retaguarda. E que retaguarda, aliás.”

Ele não conseguia parar de olhá-la. Ela estava usando um macacão justíssimo e sem mangas, que parecia mais uma camada de tinta aplicada sobre a pele que uma roupa propriamente dita. As botas de couro iam até os joelhos, e os longos cabelos ruivos estavam soltos às costas. Pela primeira vez desde que a conheceu, ela estava usando uma joia: um lindíssimo colar que comprou naquela manhã quando saiu para pegar café para ele no Starbucks. O fato de ela ter pensado na necessidade dele por cafeína — um gosto que ela não compartilhava — deixou Elijah tocado. Mas o colar o impressionou ainda mais. Era uma peça elaborada com olivinas em torno do pescoço, uma pedra que ela dizia lembrar a cor dos olhos dele.

A maldisfarçada tranquilidade com que ela contou como escolheu a joia não o enganou nem por um instante. Aquele colar afetava seu visual de luto de forma radical. Aquilo logo ficaria claro para todos, e ela tinha feito questão de que essa quebra se desse com algo que pudesse ser associado a ele.

Ela contou inclusive que suas asas tinham uma tonalidade parecida com aquela, fazendo-o imaginá-la com seus cabelos cor de rubi, seus olhos cor de safira, suas asas cor de olivina e sua pele perolada. Inacreditavelmente linda, ele pensou, lamentando por não a ter visto daquela maneira. Ele a puxou mais para perto e a beijou até que ela amolecesse em seus braços e o sorriso dela revelasse suas presas projetadas. O anjo que ela havia sido fazia parte do passado. A dona de seu coração era uma vampira. Uma Caída com alma de guerreira. Uma mulher que havia sido brutalizada nas mãos de terríveis demônios e se recuperado a ponto de voltar à ativa mais forte e implacável do que nunca.

"Micah nunca vai deixar de ser um problema para nós, não é?", ela perguntou baixinho, ajustando distraidamente as bainhas das espadas. "Ou, sendo mais clara, o que eu fiz com ele e o que você fez com a viúva dele por minha causa."

Ele não negou. Seria inútil.

"Eu sinto muito, El." Ela estendeu a mão e entrelaçou os dedos com os deles. "Não por ter feito o que fiz, porque nas mesmas circunstâncias e dispondo das mesmas informações eu faria tudo de novo. Mas eu sinto muito que isso tenha magoado você e causado tantos problemas."

O monitor de vídeo acima da porta se acendeu, revelando um rosto masculino bem sério. "Quem são vocês? E o que querem aqui?"

Como o equipamento estava mais próximo de Vashti, ela foi a primeira a se aproximar. "O seu Alfa está aqui para inspecionar o local. Ele espera ser bem recebido. Um pouco de bajulação não faz mal a ninguém."

Elijah suspirou. "Vashti."

"Quê?" Ela foi caminhando até ele.

O portão de quase dez metros de altura deslizou suavemente, revelando a presença de meia dúzia de licanos armados — cinco machos e uma fêmea. Vash olhou para baixo e encontrou os pontinhos vermelhos das miras a laser das pistolas apontados todos para seu peito. Ela abriu um sorriso cheio de malícia, escancarando as presas.

"Comportem-se", ele ameaçou antes de dar um passo à frente. "Abaixem as armas. Ela está comigo."

"Ela é uma vampira", disse o licano do meio, um macho alto de cabelos castanhos claros.

"Bonitinho *e* inteligente", provocou Vash. "Pena que eu deixei os biscoitos caninos lá no hotel."

A mira do revólver do licano se ergueu para o meio da testa dela.

Elijah tirou os óculos escuros. "Ah, mas a audição dele pelo jeito não funciona. Vai precisar ser sacrificado."

"Posso ver?", ela perguntou, com uma inocência toda afetada.

O licano de cabelos escuros ao lado do Dedo-Frouxo abaixou a arma e deu um passo à frente. Com as narinas bem abertas, ele ergueu uma das sobrancelhas e olhou para Elijah e depois para Vashti. "Interessante."

O sorriso de Vash se alargou ainda mais. "Você não faz ideia."

O licano estendeu a mão para Elijah. "Eu sou o Paul. Nós não sabíamos que havia um Alfa no comando."

Vash se aproximou, em uma atitude claramente protetora. "Por que mandar um mensageiro se ele pode cuidar de tudo pessoalmente? O seu Alfa é um líder bem ativo."

"Nós temos uma hierarquia aqui", disse Dedo-Frouxo, todo tenso. "Você precisa respeitá-la, ou então pode procurar outro posto de comando para se abrigar."

Ela sacudiu a cabeça. "Você não vai ganhar biscoito mesmo."

Dedo-Frouxo apontou a arma.

Durante o tempo que Vash demorou para saltar para um dos lados, Elijah mudou de forma e atacou. Ele derrubou o licano loiro e arrancou sua traqueia com um movimento fluido e preciso.

Os tiros começaram a pipocar ao redor. Elijah se virou e se agachou, pronto para atacar de novo... mas o que encontrou foram três licanos com as mãos sangrando e um dos machos parado de pé com as mãos para cima e o olhar cravado no chão. Vash segurava a pistola de Paul com uma das mãos e a nuca dele com a outra, obrigando-o a se manter ajoelhado no chão.

Elijah mudou de forma e foi caminhando até suas roupas, cheio de respeito e admiração pelo comportamento de sua mulher.

Vash encarou a fêmea licana. "Fecha os olhos, cadela. Nada de ficar espiando. Se olhar para outra parte do Alfa que não seja o rosto dele, não vai nem viver para se arrepender."

Ele vestiu o jeans primeiro, para tranquilizar Vash, e usou a camisa para limpar o sangue da boca e do peito. "Eu sou tolerante com uma série de coisas", ele falou, referindo-se ao grupo como um todo. "Mas não vou admitir desobediência, nem ameaças contra Vashti. Estamos entendidos?"

Dois dos machos mudaram de forma ao ouvir quem ele era, incapazes de se controlar. O rosnado que Elijah soltou os fez sentar, inquietos. "Pode deixar Paul se levantar."

Vash o soltou, mas manteve os demais sob sua vigilância implacável.

Paul se endireitou e mediu Elijah de cima a baixo. "Nunca vi um licano mudar de forma com tanta rapidez."

"Aposto que também nunca viu um licano comer uma vampira", comentou Vash. "Nada mais nada menos que a tenente de Syre. Pois é, o mundo mudou."

Elijah ergueu uma das sobrancelhas para ela. "Eu não falei para você se comportar?"

"Eu só aceito ordens suas quando estou pelada."

Ele decidiu não dar mais corda para ela. "Preciso de acesso ao seu banco de dados, Paul."

"Sim, Alfa." Paul apontou para o portão. "Eu mostro para vocês onde fica."

Elijah estava mergulhado em um mar de dados quando o celular de Vash tocou. Ela pediu licença, saiu para o corredor e atendeu, abrindo um sorriso quando o rosto de Syre apareceu na tela do iPhone.

"Vashti", ele a cumprimentou. "Como anda o garimpo aí em Huntington?"

"Ainda não sei. Eles ainda estão escavando."

"O que é isso no seu pescoço?" Ele franziu a testa. "É... uma joia?"

Ela ficou vermelha. "É, sim. E daí?"

"As coisas já estão mais calmas entre você e o seu licano?"

"Eu vou ficar com ele." Ela achou que era melhor deixar tudo bem claro logo de uma vez.

Syre abriu um sorriso, revelando as presas projetadas. "Excelente."

Longe do enfoque da câmera, ele cerrou um dos punhos, já imaginando a encruzilhada em que ela logo estaria, sendo obrigada a escolher entre os dois homens mais importantes de sua vida.

"Você pode falar comigo em particular?" A voz calma e tranquilizadora dele nesse caso causou efeito contrário. Ela ficou toda tensa.

"Ainda não." Vash olhou para um dos seguranças licanos que guardavam o corredor. "Onde fica o quarto mais próximo com isolamento acústico?"

Ele apontou com o polegar para o fim do corredor com um olhar hostil e implacável. "Segunda porta à direita, sanguessuga."

"Valeu, cãozinho."

Quando se fechou lá dentro sozinha, tentou detectar qualquer som que fosse além da própria respiração. Ela chutou as paredes uma a uma, procurando pelo ressoar de um espaço oco que pudesse esconder uma escuta. Depois de verificar tudo, ela balançou a cabeça. "Certo. Barra limpa. O que foi?"

"Estou indo com Raze a Chicago para seguir as indicações que o contato dele por lá nos fornecer. Torque vai ficar de olho em tudo enquanto estivermos em campanha." Syre se recostou na poltrona. "Quanto ao seu licano... tem uma coisa que você precisa saber."

O ritmo do coração dela oscilou, assim como sua voz. "Ah, é?"

"O sangue dele provocou uma remissão naquele espectro ontem por uma razão, e foi porque ele tinha bebido sangue de Sentinela através de Lindsay. Quando Grace testou o sangue de Lindsay com as agulhas e as outras parafernálias que você teve a presença de espírito de guardar, descobriu que o efeito foi ainda mais pronunciado. É bem provável que o sangue puro e não diluído dos Sentinelas, e talvez de todos os anjos, seja a chave para a cura da infecção do Vírus Espectral."

Ela prendeu a respiração e balançou a cabeça, demonstrando grande preocupação.

"Você já imaginava", ele percebeu.

"Eu sabia que deveria haver um motivo muito importante para Adrian deixar Lindsay vir comigo." Ela passou a mão pelos cabelos e começou a andar de um lado para outro, batendo com o salto da bota no chão de cerâmica. "Que maravilha. Isso explica por que ele quis o meu sangue. Deve estar achando que o nosso sangue pode ter um efeito similar."

"Eu mandei para Grace amostras de sangue minhas, de Raze e de Salem. Vamos ver o que ela descobre. Com um pouco de sorte, essa viagem para Chicago vai dar bons resultados e nós conseguimos ajudantes para ela conseguir acelerar o ritmo da pesquisa." Ele fez uma pausa. "Além disso, encontramos um artefato incendiário naquela picape que pegou fogo. Provavelmente foi acionado por controle remoto."

"Como a pessoa saberia o momento de acionar o dispositivo?" A cabeça dela girava a mil. "Só se estivesse vendo tudo."

"Encontramos explosivos plásticos plantados em toda a casa dos espectros. Era uma armadilha."

"E por que não explodiu? Se eles viram a picape sair em disparada, então com certeza sabiam que estávamos dentro da casa."

"Nós não sabemos. Talvez o receptor estivesse no carro da sua sósia. Ou então com defeito. Salem está vasculhando a propriedade neste exato momento. Torque está tentando rastrear os lotes de explosivos. Em breve, com um pouco de sorte, já vamos ter algumas respostas."

Vash esfregou a mão no peito para tentar aliviar a aflição que sentia. "Até sabermos melhor com o que estamos lidando, tome muito cuidado em Chicago. E fique de olho em Raze. Tem alguma coisa rolando entre ele e a pesquisadora que vocês estão indo visitar."

"Eu já tinha percebido isso. Mantenha-se em contato."

O rosto bonito e austero de Syre desapareceu da tela, e ela bufou com força antes de ouvir a porta se abrir atrás de si.

Elijah estava ali parado, e o medo de que ele tivesse ouvido a conversa tomou conta dela.

Ele estendeu a mão para chamá-la. "Encontramos o que você estava procurando."

Vash apertou o ombro de Elijah quando passou os olhos pelos dados exibidos no monitor gigantesco na parede. "Três licanos", ela falou. “Três deles contra Char e Ice. Eles não deveriam ter levado a melhor.”

Elijah olhou para Vash, observando bem seu rosto, desejando saber com quem ela falava ao telefone, e o que tinha ouvido durante a conversa. Sua vivacidade habitual parecia um tanto abalada, o que o deixou preocupado. “Você acredita na acusação de que o comandado de Charron tenha provocado o ataque?”

“É possível.” O olhar atormentado dela encontrou o dele. “Ice era bem problemático. Tinha uma sede de sangue terrível, e nenhum autocontrole. Eu era a favor da ideia de sacrificá-lo, mas Char achava que podia dar um jeito nele. Atarefada como eu estava com minhas obrigações de tenente, preferi não o impedir de fazer algo que dava prazer a ele e ocupava seu tempo.”

Elijah soube ler nas entrelinhas. A relação de Vash com Charron não se dava em pé de igualdade, como no caso dele. “Mas Ice sobreviveu ao ataque...”

“Apenas algumas horas. Ele sofreu queimaduras terríveis por causa do sol.”

“... enquanto Charron foi brutalizado.”

Ela balançou a cabeça. “Foi um ataque excepcionalmente violento. Tanto que, quando cheguei, pensei que ele tivesse sido pego por demônios. Mas o corpo estava cheirando a licanos, e a evisceração foi feita por dentes de licanos.”

Demônios. Ele sentiu um arrepio. Puxando-a mais para perto, ele posicionou a boca perto da orelha dela e perguntou: “Quanto tempo depois da morte de Char você foi atacada?”.

Ela se afastou. “Quem disse que eu fui...” Mas logo em seguida ela franziu o rosto inteiro. “Uma hora. Mais ou menos.”

“Uma hora...” Ele a abraçou com tanta força que ela ficou toda tensa e quase perdeu o fôlego. “Vou dar um jeito de ir buscá-los no inferno e matar de novo um por um.”

“Elijah.” Ela relaxou um pouco e se rendeu à demonstração de amor, beijando-o no queixo. “Sempre vingando alguém... A não ser quando eu atrapalho.”

Elijah se virou de volta para o monitor, mantendo um dos braços na cintura dela. Ele se dirigiu a um licano chamado Samuel, que comandava o teclado. "Você pode levantar o histórico dos três e mostrá-los lado a lado?"

Samuel digitou os comandos, e Elijah examinou os resultados da pesquisa. "Mesmo ano e mês de nascimento, todos os três", ele notou.

"E todos morreram no mesmo ano", murmurou Vashti. "A poucos meses um do outro."

"Eles são da mesma ninhada, Samuel?"

O licano franziu a testa diante do monitor. "Nós quase não temos trigêmeos, mas eu posso puxar os dados dos pais... Hum. Não tem informação nenhuma. Que estranho."

"Podemos examinar o sangue deles", sugeriu Elijah. "Mande alguém até o depósito criogênico buscar as amostras."

Samuel pegou o telefone de cima da mesa e transmitiu a ordem.

Os dedos de Vash começaram a batucar nervosamente sobre o quadril dele. "É comum três irmãos caçarem juntos?"

"Depende." Ele não tirou os olhos do monitor. "Quando são jovens, sim. Mas eles eram machos adultos. Deveriam estar alocados em matilhas diferentes."

"Espalhando seus genes por aí", ela comentou, sarcástica. "Que romântico."

"Isso explicaria por que os dados são tão parecidos. Mas não por que eles morreram. Samuel, tem alguma anotação aí sobre a causa da morte?"

Encolhendo os ombros, Samuel respondeu: "Esse tipo de coisa depende da situação na época, e da tecnologia de armazenamento de dados. Quem organizou tudo isto aqui foram os Sentinelas, e eles não estão nem aí para a causa da morte dos licanos."

O celular de Elijah tocou, e ele sacou o aparelho do bolso para colocá-lo no silencioso, mas viu que a ligação era de Stephan e resolveu atender. "O que você conseguiu?"

"Algumas centenas de licanos", respondeu seu Beta, secamente. "Estou aqui no galpão. As equipes espalhadas pelo país estão mandando todo mundo para cá. É preciso ter alguém aqui para recebê-los."

"Ainda bem que você tem iniciativa."

Stephan deu risada. "Se eu for entrar em contato a cada decisão administrativa, em pouco tempo você vai querer cortar a minha cabeça. Literalmente, até."

"Você é valioso demais para isso. Eu encontraria alguém para atormentar você em vez disso."

"Escuta só, tem mais uma coisa."

A seriedade no tom de voz do Beta deixou Elijah alarmado. "O quê?"

"Himeko está dizendo para todo mundo que a tenente de Syre agora é sua parceira."

"Humm..." Ele viu quando Vash se aproximou com a cara fechada, o que era uma garantia de que havia ouvido tudo com sua audição de vampira. Ele passou o polegar pela ruga que se formou entre as sobrancelhas dela. "Ainda não. Ela precisa se acostumar com a ideia primeiro."

Houve uma longa pausa. "Alfa, eu odeio ter que afirmar o óbvio..."

"Então não faça isso."

"Vampiros não podem procriar."

"Obrigado pela informação."

Stephan não estava achando graça. "Faz parte do meu trabalho como Beta informar você sobre as inquietações nas fileiras. Não quero ser ridicularizado por isso."

"Eu jamais faria isso, o respeito que sinto por você não me permite. Em troca, só o que peço é que não me trate como um idiota. Estou fazendo o melhor que posso. Isso é tudo o que é preciso saber. A minha vida pessoal é problema meu. Se alguém estiver incomodado com isso, pode ir procurar a matilha dos Alfas. Depois disso, podemos fazer uma eleição e todo mundo vai poder dar sua opinião."

Vashti ficou bem séria. *Isso não tem graça*, ela fez com a boca para que ele lesse seus lábios.

Não mesmo. A única maneira de outro Alfa assumir o controle das matilhas era matando Elijah. Caso contrário, eles não conquistariam o respeito necessário para assumir tal posição.

"Eu mantenho você informado", disse Stephan.

Elijah desligou o telefone e voltou sua atenção de novo para o monitor. "Onde estávamos mesmo?"

O telefone da mesa tocou, provocando mais uma interrupção. Samuel atendeu. “Você tem certeza? Bom, então procure de novo.”

Vashti estreitou os olhos. “Quer apostar que o sangue sumiu?”

“Não estou gostando nada disso”, respondeu Elijah, e não se surpreendeu quando Samuel informou que Vash estava certa. “Certo, então me mostre as fotos dele.”

“Sem problemas. Vamos ver... Ah, aqui tem uma. Peter Neil.”

Um rosto conhecido apareceu na tela, e Elijah franziu a testa. “Eu conheço esse daí. Já trabalhamos juntos uma ou duas vezes. O nome dele não é Peter.”

“Não podia ser um parente dele?”, sugeriu Vash.

“Não. Está vendo a cicatriz ali no lábio? Era ele mesmo.”

“Ele está aqui?”, ela perguntou para Samuel.

“Eu nunca o vi antes.”

“Ele já morreu”, informou Elijah. “Foi morto na invasão de um ninho uns vinte anos atrás. Eu estava lá quando aconteceu. Você tem fotos dos outros também?”

Assobiando, Samuel digitou mais alguns comandos e outra foto apareceu. “Esse é Kevin Hayes.”

Vashti respirou fundo.

O pouco que restava da paciência de Elijah parecia prestes a se esgotar. “Foto errada.”

“Essa foi a foto tirada no dia de sua admissão”, insistiu Samuel.

“Nada disso. Esse é Micah McKenna.”

“McKenna, é? Espere aí. Tem um McKenna no sistema. Isso mesmo... você está certo. Ele chegou no mesmo dia que Kevin. Pode ser que as fotos tenham sido trocadas. Vamos abrir o arquivo de Micah.” A mesma foto apareceu. “Alguém fez cagada aqui.”

Os olhos de Elijah, porém, estavam vidrados nas informações que apareceram com a imagem. Ele os examinou atentamente, encontrando todas as informações que esperava — nome da parceira, transferências e habilidades, filiação.

“Ele mentiu”, disse Vash. “Eu perguntei sua idade e ele falou...”

“... cinquenta.” De acordo com os dados oficiais, Micah tinha oitenta, o que significava que poderia ter participado do assassinato de

Charron. Caso tivesse cinquenta, seria jovem demais... era o álibi perfeito. "Onde está a foto do terceiro licano?"

"Aqui." Samuel abriu o arquivo. "Anthony Williams."

Elijah cerrou os punhos ao reconhecer mais um rosto familiar. "Procure também por Trent Parry."

"Certo... Aqui está."

"Ora essa", murmurou Vash. "A mesma foto de Anthony."

O mundo inteiro de Elijah entrou em parafuso diante da descoberta de que os homens em quem havia confiado eram traidores entre os licanos.

Ela começou a andar de um lado para o outro. "Eles acobertaram tudo, porra. Criaram fichas falsas de três licanos imaginários e se livraram da culpa pela morte de Char. Mas por quê? Por que os Sentinelas protegeriam esses cães raivosos?"

Elijah lançou para ela um olhar que recomendava que não dissesse mais nada. "Samuel, eu quero cópias desses arquivos, em um pen drive e em discos também. Aproveite para procurar por Charles Tate. Foi ele que usou o nome Peter Neil."

Vash parou na frente dele. "Trent também está morto, assim como Micah e Charles? Estamos caçando fantasmas, é isso?"

"Trent estava comigo em Phoenix quando Nikki atacou Adrian e nós encontramos Lindsay." Ele a beijou na testa e murmurou: "Você pode ter que disputar com ela. Lindsay também está querendo a pele dele".

"Por quê?"

"Depois eu explico. Agora vamos dar o fora daqui."

20

Vash só percebeu o quanto Elijah estava furioso quando chegaram ao hotel e ele começou a jogar as coisas dentro da mala.

"Elijah." Ela estendeu a mão quando ele passou a passos largos por ela.

"Arrume as suas coisas. Quero você bem longe daqui. Este lugar não é seguro. Eu não confio no pessoal dessa matilha."

"Elijah."

"Posso até fazer isso eu mesmo se você quiser", ele grunhiu enquanto recolhia os artigos de banheiro. "Mas depois não reclama se alguma coisa acabar ficando para trás."

Quando ele saiu de lá de dentro, ela parou no meio do caminho. "Dá para falar comigo, porra?"

"Que foi?"

"Você está puto."

"Pode apostar que estou mesmo." Ele atirou na cama as coisas que levava nas mãos e rosnou. "Sabe o que Rachel disse para mim antes de incitar a rebelião no Lago Navajo? Ela falou que a responsabilidade estava toda nas minhas costas. E agora eu descubro que fui manipulado de maneiras que nem imagino. Com certeza eles queriam que nós dois matássemos um ao outro. Se não tivéssemos sentido aquela atração imediata, um de nós dois já estaria morto. Não teríamos convivido o suficiente para chegar aonde estamos hoje, e Syre estaria louco por vingança."

"Você acha que foi Micah que plantou seu sangue na cena do crime?"

Ele cruzou os braços, esgarçando as mangas da camiseta que havia pegado emprestado depois de manchar a sua de sangue. "Você manteve Micah vivo para o interrogatório, mas matou o outro licano que estava com ele. Por que não o contrário?"

"Ele era bocudo. Começou a me provocar, esse tipo de besteira. Foi uma escolha fácil."

"Foi *ele* que facilitou sua escolha. E provavelmente porque reconheceu seu cheiro por causa do ataque a Charron. Ou talvez você o tenha reconhecido da cena do rapto de Nikki. Essa informação podia estar no seu subconsciente."

"O cheiro dos assassinos de Char está cristalizado na minha memória. Eu jamais deixaria de reconhecer."

"Uma vez questionaram a autoria de uma caçada minha porque o cadáver estava coberto do sangue de uma licana ferida. Pelo cheiro parecia que tinha sido ela, não eu, por causa do sangue. Se Micah conseguiu ter acesso ao meu sangue para me incriminar, então certamente tinha acesso aos de outros também. Considerando o nível de trabalho envolvido na fabricação das fichas falsas, derramar algumas bolsas de sangue sobre o corpo de Charron parece moleza. E nós dois sabemos que cheiro tem uma evisceração. Isso pode explicar por que o ataque foi tão violento. Eles queriam que o odor das entranhas acobertasse suas identidades."

Ela desabou sobre a cama. "Por quê?"

Elijah se agachou diante dela. "Por sua causa. Acho que você é o alvo prioritário. Primeiro usaram Charron para atingir você, depois eu. Micah é o ponto em comum aqui. Não dá para dizer que foi mera coincidência. Eu não acredito."

"Não." Ela soltou o ar com força. "Eu também não."

"E não podemos nos esquecer do ataque da sua sósia à mãe de Lindsay. Ela passou metade da vida se preparando para matar você."

"Então eles sabiam quem era ela. Por causa da alma de Shadoe."

"Pois é. E sabiam que Adrian ou Syre iriam encontrá-la, e que, através deles, ela chegaria até você. Isso explica por que ela não foi morta junto com a mãe. Até onde eu sei, os lacaios adoram sangue de criança."

"Dizem que é mais doce", ela murmurou, distraída, passando a mão no peito. Só de pensar que Char tinha morrido por sua causa... "Quem se daria todo esse trabalho por mim?"

"Você é importante para Syre. Importantíssima. Assim como Phineas era para Adrian." Ele segurou as mãos geladas dela. "Isso se chama guerra psicológica, atingir o comandante através dos comandados. Micah provavelmente se sacrificou por vontade própria pela causa, assim como Rachel, penso eu. Eles queriam manipular os meus sentimentos para que eu agisse conforme queriam."

"Para pôr você e os licanos em uma posição de poder? É essa a intenção por trás de tudo? Que vocês se tornem a facção dominante?"

"Não sei." Ele coçou o rosto. "Isso não explicaria os arquivos adulterados e o sangue desaparecido. Só os Sentinelas tinham acesso aos depósitos criogênicos e aos bancos de dados. E a existência da sua sósia indica o envolvimento de vampiros também. Por que eles iriam querer os licanos no topo da cadeia de comando?"

"Foram vampiros que entregaram Lindsay para Syre... depois de ela ter sido raptada da Morada por um Sentinela."

"Isso mesmo. Então temos vampiros, licanos e Sentinelas no meio disso tudo. A questão não é mais se eles são traidores, e sim se estão nessa juntos."

Soltando uma das mãos, Vash acariciou o rosto dele, e depois contou a respeito da conversa que teve com Syre.

Ele soltou um palavrão e se pôs de pé em um pulo. "Precisamos voltar. E depois falar com Adrian."

Ela se levantou também. "*Quê?*"

"Os Sentinelas estão desprotegidos. Assim que a notícia de que o sangue deles é a cura se espalhar, vão todos virar alvos fáceis. Eles precisam de ajuda. Eu preciso pelo menos tentar propor uma aliança."

"Eles são capazes de matar uma centena de vampiros em um minuto se precisarem lutar para sobreviver. Na verdade eles nunca precisaram de vocês."

A expressão no rosto dele era sombria... e determinada. "Somos *nós* que precisamos *deles*. Apesar de tudo, são eles que mantêm a população de lacaios sob controle."

"Os lacaios estão morrendo, El!" No fundo de seu coração, porém, ela sabia que não conseguiria dissuadi-lo.

"O fato de Micah ter feito de tudo para que a rebelião acontecesse é só mais um motivo para eu querer voltar. Ele fez isso com uma intenção em mente, e eu não vou entrar nesse jogo."

"Mas e eu? Eu preciso de você. O meu povo precisa de você."

Elijah a abraçou e a beijou na testa. Eles ficaram assim por um bom tempo. O coração dele estava batendo mais forte que o habitual. "Eles têm você, gracinha. Você sozinha equivale a um exército inteiro."

Ela o segurou pelos passantes do cinto das calças, mantendo-o perto de si, sentindo o peito e a garganta em chamas. "Você não pode me pedir para fazer uma escolha dessas. Isso não é justo."

Ele acariciou os cabelos dela, e depois o rosto. O olhar no rosto dele era tão terno que ela não conseguia nem respirar, tamanho era o aperto que sentia no peito. "Não estou pedindo nada para você, Vashti. Só estou informando o que eu preciso fazer."

Vash se manteve imóvel quando ele se levantou e se afastou. Ela observou enquanto ele recolhia as coisas da cama e arrumava as malas dos dois. Separadamente. Deixando claro que iriam se dividir.

"Vai se foder, licano." Ela cerrou os punhos. Uma satisfação perversa tomou conta de seu corpo quando ela sentiu que com isso tinha conseguido fazê-lo se deter. "Você não pode fazer com que eu me apaixone e depois dar no pé. Nós estamos nessa juntos. Eu e você."

"Eu não estou dando no pé." Ele a encarou e cruzou os braços. "Você é minha, Vashti. Nada vai mudar isso. E, caso você ainda não tenha percebido, para mim nós dois somos muito mais importantes do que essa guerra que está se armando no nosso caminho."

O aperto no coração dela se afrouxou um pouco. "Então que porra é essa que você está fazendo?"

"Deixando você fazer o que é preciso. Deixando você ser a mulher que eu amo, mesmo que isso signifique viver cada um de um lado do mundo, cada um de um lado do campo de batalha. Se eu quiser que você me siga, vou acabar perdendo você. E, se você fizer isso comigo, vai me perder também."

"Eu não posso mais viver desse jeito, El." A ansiedade atacou com força, deixando-a gelada e com náuseas. Ela começou a caminhar de um lado para o outro. "Nós não podemos nos separar, trabalhar um contra o outro. Precisamos achar um meio-termo aceitável para os dois."

"Então me diz qual é", ele disse baixinho. "Eu preciso ligar para

Lindsay e dizer que a principal suspeita pelo assassinato da mãe dela está morta, o que vai ser um alívio e ao mesmo tempo não, porque ela queria se vingar pessoalmente. Depois vou dizer que o pai dela ao que tudo indica morreu por culpa minha, já que fui eu que escolhi os guarda-costas para ele, e um dos membros dessa equipe era Trent. Além disso, vou ter que contar a Adrian que Syre já sabe que o sangue dos Sentinelas é a cura, e que em breve mais vampiros vão saber, é só uma questão de tempo. Enquanto isso, vampiros nômades estão infectando as fileiras de Syre, e um grupo de licanos está sabotando deliberadamente as minhas relações com os dois lados. Onde está o meio-termo nisso tudo?"

"Na Suíça."

Ele ergueu as sobrancelhas. "Você quer fugir para a Suíça? É esse o seu plano?"

"Não, nós vamos *ser* a Suíça. Você e Lindsay formam uma aliança, e eu e Syre formamos outra, mas nós dois vamos continuar unidos. Vamos ser a ponte entre os dois lados. No momento, a prioridade para todos é o Vírus Espectral. Se nós temos um inimigo em comum, unir nossas forças faz todo o sentido."

"Desde quando o bom senso é capaz de impedir uma guerra?"

"Eu não acho que Syre esteja disposto a encarar uma guerra sem mim. Sei que pelo menos ele pensaria duas vezes caso eu fizesse alguma objeção. Se você puder convencer Adrian de que o risco para os Sentinelas é grande demais sem o apoio dos licanos, nós podemos convencê-los a segurar a onda. Principalmente se souberem que estão armando contra nós. Eles também não vão querer entrar nessa depois disso. Vale a pena tentar."

"Certo."

Vash se deteve de repente, espantada por ele ter cedido com tanta facilidade. "Só isso?"

"É uma situação complicada, traiçoeira, e tem um risco enorme de o tiro sair pela culatra. Além disso, o Vírus Espectral não é problema dos licanos..."

"A não ser pelo fato de vocês serem o prato favorito dos espectros", ela rebateu.

"É verdade, tem isso." Ele recomeçou a fazer as malas. "Vamos ver o que dá para fazer."

O alívio se abateu sobre ela como um tsunami. Talvez por isso ela tenha decidido desabafar de uma vez: "E eu quero ser sua parceira".

Elijah ficou paralisado, interrompendo-se enquanto fechava o zíper da bolsa. "*Vashti.*"

Ela falou depressa, com o coração disparado e as palmas das mãos suadas. "Eu sei que é um ato egoísta da minha parte. Que, se alguém conseguir me matar, você vai junto comigo. Sei que os licanos não conseguem viver muito depois de perder a parceira, mas..."

Ele se levantou para encará-la olho no olho. "Eu sou capaz de morrer por você mesmo sem ser seu parceiro. Pensei que você soubesse disso. Eu já sou seu, Vashti. Acho que desde a primeira vez que conversamos lá na caverna."

Vash se atirou nos braços dele. "Você foi a pior coisa que me aconteceu na vida. Eu só me fodi desde então."

Ele soltou uma gargalhada, um som que serviu para aliviar o estresse e o medo instalados dentro dela. "E nós só estamos começando."

"Nós vamos conseguir nos comunicar sem dizer nada, não é? Vamos ter essa vantagem."

"Entre outras." Ele afastou os cabelos dela da frente do rosto. "Nós vamos ficar mais fortes... e mais vulneráveis. Todo mundo vai saber o que fazer para nos atingir."

"Então é só não contar para ninguém. Eu vou ser sua putinha, e você, meu brinquedinho. Vamos deixar todo mundo acreditar que estamos só usando um ao outro. O que importa é o que nós dois sabemos."

"Você não precisa fazer isso", ele disse baixinho. "Eu posso esperar até você estar pronta."

"Eu estou mais do que pronta. Tenta me impedir para você ver."

Ela ligou para Syre e contou tudo o que descobriu sobre o ataque sofrido por Charron. Enquanto isso, Elijah telefonou para Lindsay dizendo que precisava marcar um encontro com ela e Adrian. O casal terminou de arrumar as malas e se dirigiu ao aeroporto de Huntington para esperar o jatinho particular enviado por Adrian.

Eles estavam terminando de preencher a papelada da devolução do carro alugado quando uma funcionária da locadora apareceu com um envelope pardo na mão.

"Senhor Reynolds", chamou a moça bonita de cabelos castanhos acobreados, com um sorriso no rosto que fez com que Vash se preocupasse em defender seu território. "O senhor esqueceu isto aqui no assento traseiro."

"Isso não é meu." Ele franziu a testa e tentou acalmar Vash limitando-se a responder sem nem olhar para a atendente.

"O seu nome está escrito bem aqui."

Ele pegou o envelope e examinou o conteúdo. Fotografias. Tiradas de uma janela entreaberta, algo que um detetive particular faria para não despertar a desconfiança do alvo de sua investigação. Vash reconheceu a Sentinela retratada nas imagens de imediato.

"Helena", ela murmurou. "Uau. Que safadinha. Com um tremendo gostosão."

"Mark", ele informou, bem sério. "Um licano da matilha do Lago Navajo."

A importância do fato de uma Sentinela ser amante de um licano não passou muito tempo despercebida. Era uma novidade capaz de abalar as bases do universo. "Que maravilha."

Elijah foi virando as fotos uma a uma, e as imagens começaram a revelar sua narrativa. O casal se abraçando apaixonadamente, as bocas se unindo, as roupas indo ao chão...

E então surgiu um vulto mascarado no quarto, ao lado da cama, com uma postura tão ameaçadora que fez os cabelos dos braços de Vash se arrepiarem. A fotografia seguinte era de uma janela com as cortinas fechadas, seguida de várias outras de dentro do quarto, uma carnificina tão horrenda que fez o estômago dela se revirar — Helena com os olhos vazios, as belas asas arrancadas das costas, o amante dela pálido e quase sem sangue, caído no chão com duas perfurações no pescoço. A datação no canto direito das imagens mostrava que as fotos haviam sido tiradas mais ou menos um mês antes.

"O que é isso?", ela murmurou, sentindo-se arrasada. "E de onde veio? E por que entregaram isso para nós?"

Elijah enfiou o envelope na bolsa. "Alguém está tentando nos mandar uma mensagem, e nós vamos ter que decifrar."

Eles encerraram a transação da locação do carro e foram esperar o avião. O silêncio se instalou entre os dois por um bom tempo, produzindo uma sensação agradável, apesar do turbilhão de dúvidas e traições em que estavam metidos.

Vash entrelaçou os dedos com os dele. "Tem certeza sobre esse lance do Alasca? É uma viagem bem longa, El. De repente uma videoconferência já resolve o assunto. Ou então nós podemos esperar até Adrian e Lindsay voltarem."

Ele a encarou. "Eu cheguei a dizer que os aviões de Adrian têm cabines com camas?"

"Ah, é?" Ela sentiu um calor subir pelo corpo, desfazendo suas preocupações a respeito dos dias que viriam. "Não, acho que você se esqueceu dessa parte."

Ele se inclinou na direção dela e a beijou na testa. "Quando nós aterrissarmos, você vai ser minha parceira."

"Olha só." Ela deitou a cabeça no ombro dele, sentindo-se grata pelo privilégio de ter alguém em quem se apoiar. "Acho que no fim das contas você vai acabar perdendo esse seu medo de voar."

A Dra. Karin Allardice estava atrasada, como sempre. Apanhando a maleta do banco do passageiro de seu elegante Mercedes AMG, ela saiu de trás do volante e apoiou um de seus saltos agulha no chão.

Era uma manhã fria, o sol ainda estava baixo. Diante dela, uma vasta extensão de grama separava a vaga onde o carro estava parado da entrada do laboratório. O gramado verdejante ainda brilhava por causa do sereno, e o estacionamento ainda estava vazio. Dentro de poucas horas, ela estaria bajulando um dos mais notórios filantropos de Chicago. Uma doação multimilionária seria muito bem-vinda, mas ela sabia que as coisas não eram assim tão fáceis. O máximo que ela poderia esperar era um jantar beneficente, mais uma noite interminável de comidas e bebidas absurdamente caras e um mar de gente para quem estender a mão em busca de dinheiro.

Enquanto alongava o corpo depois de se levantar, ela notou a presença de um homem ao lado do carro. Por um instante, ela se perguntou de onde ele havia aparecido, mas isso logo deixou de fazer diferença. Todas as coisas que ocupavam sua mente naquele instante se esvaíram quando ela bateu os olhos no homem mais lindo que já havia visto na vida.

Ele estendeu a mão. "Dra. Allardice?"

A voz dele era tão deliciosa quanto o restante do corpo. Quente e encorpada, como um uísque da melhor qualidade.

"Sim? Eu sou Karen Allardice." No momento em que os dedos dos dois se tocaram, um arrepio subiu pelo braço dela. Abalada por ter reagido de tal forma à presença dele, ela fechou a porta do carro e respirou fundo para recobrar a compostura. "Posso ajudar em alguma coisa?"

"Espero que sim. Ouvi dizer que você é uma virologista de renome. Estou certo?"

"Fico feliz em ouvir isso." Ela afastou os cabelos da frente do rosto. "O foco da minha pesquisa é a virologia, sim."

Sob o brilho fraco do sol da manhã, os cabelos negros dele reluziam, ressaltando a beleza de sua pele cor de caramelo. Seus olhos tinham um tom de âmbar bem particular, que combinavam perfeitamente com os cílios longos e espessos. A boca era o sonho erótico de qualquer mulher voluptuosa — os lábios inferiores a fizeram pensar em sexo, e os superiores, em pecado. Ele vestia um terno completo com uma elegância invejável, e quando abriu um sorriso ela quase perdeu o fôlego.

"Eu tomei conhecimento de uma nova modalidade de vírus recentemente, Dra. Allardice. Gostaria de poder contar com a sua opinião a respeito."

"Ah, é?" Ela tentou forçar seu cérebro a voltar a funcionar. "Ora, para mim seria um prazer, senhor..."

"Syre", ele informou. "Que ótimo. Estava contando com a sua colaboração."

O brilho dos caninos sobrenaturalmente longos do homem foi a última coisa que ela viu antes de o mundo inteiro mergulhar na escuridão.

Agradecimentos

Continuo extremamente grata a Danielle Perez, Claire Zion, Kara Welsh, Leslie Gelbman e todo mundo da NAL por serem tão maravilhosos com a série e comigo.

Agradeço a Robin Rue e Beth Miller por cuidarem dos detalhes mais trabalhosos.

Obrigada ao departamento de arte por ter satisfeito minha vontade e escalado Tony Mauro para fazer a capa da edição americana... de novo. Fiquei muito feliz.

Registro aqui minha admiração por Tony Mauro por mais uma capa maravilhosa. Sou muito fã dele. Dá vontade de ter todas as capas dos meus livros feitas por ele.

Himeko, eu falei que ia transformar você em uma licana, e aí está.

E um muito obrigada a todos os leitores, resenhistas, blogueiros, livreiros e bibliotecários que comentaram a respeito da série e a indicaram a seus amigos, clientes e visitantes. Eu agradeço muito a cada um de vocês!

TIPOLOGIA Adriane por Marconi Lima
DIAGRAMAÇÃO Verba Editorial
PAPEL Pólen Soft, Suzano S.A.
IMPRESSÃO Geográfica, março de 2022